LES ENFANTS DE LA PATRIE

* *

LES ENFANTS DE LA PATRIE

Suite romanesque en quatre volumes

Les autres ouvrages de l'auteur sont cités en fin de volume

Pierre Miquel

LES ENFANTS DE LA PATRIE

Suite romanesque

La Tranchée

**

Fayard

L'annonce

— Les gendarmes! Cette fois, c'est pour nous! s'exclame Jules Bouguin, le boucher de Villebret, qui les a vus à travers sa vitrine. Sa cliente Madeleine Bouin, l'épouse de l'instituteur et directrice de l'école des filles, retient un frémissement :

— Ne parlez pas de malheur, Monsieur Bouguin. La semaine dernière, ils sont venus par deux fois à Durdat-Larequille.

Ils vont toujours par paire, en grand uniforme, les gendarmes. Aiguillettes blanches et baudriers jaunes. Sous le bicorne, les favoris grisonnent et la lourde moustache tombe. Ils sont les plus anciens de la brigade. Les plus jeunes, partis au front, gardent les champs de bataille de la Marne, d'où se sont retirés les Allemands depuis le 10 septembre.

— C'est vrai, ceux de Larequille ont déjà reçu leur visite. La première a été pour Henri Simoneau, le clairon des chasseurs, et la deuxième pour Auguste Lapierre, l'artilleur du régiment de Clermont. Tués à vingt ans!

Bouguin sait tout. Dans les campagnes, où il s'approvisionne en bêtes, les langues se délient. Il a repris, à soixante ans passés, la boucherie en mains, plutôt que de se consacrer à sa petite ferme d'élevage. Son fils Michel, quarante ans tout juste, mobilisé dans l'infanterie territoriale, est encaserné à Montluçon où il surveille, de nuit, les voies du chemin de fer. Son petit-fils Eugène a dix-sept ans à peine. Trop jeune pour le recrutement, il s'occupe du troupeau. Les massacres aux frontières ne touchent pas directement la famille.

Madeleine Bouin n'attend pas d'être servie et quitte la boutique d'un pas pressé, pour rejoindre son logement de l'école. Son fils unique, André, a été mobilisé à vingt ans, au sortir de l'école normale de Moulins. Comme tous ceux de Villebret, elle est sans nouvelles du front. Glacée d'effroi, elle s'enferme dans sa maison, tire les rideaux, s'impose de ne pas regarder dans la rue.

En cette matinée du 18 septembre 1914, le village semble figé. Ses rues désertées. À mesure que les deux gendarmes approchent, les portes et volets se ferment, un silence inhabituel s'installe. Même les hirondelles, alignées telles les notes noires d'une marche funèbre sur leur portée de fils électriques, se sont tues.

Jules Bouguin, sur le seuil de sa boutique, adresse un signe d'amitié aux représentants de l'ordre. Il connaît tous ceux de la brigade, toujours présents aux foires et aux marchés. Mais les cavaliers aux bicornes noirs passent sans le voir, droits sur leur selle, les traits crispés, le menton dur, en mission.

Comme tous ceux du village, le boucher n'ignore pas qu'ils sont les annonceurs de la mort. C'est la première fois que ces émissaires viennent à Villebret pour la sombre parade. Ils avancent de front, au pas calme de leurs chevaux. Les maisons qu'ils dépassent retrouvent un semblant d'animation. Quelques rideaux se soulèvent, des visages furtifs cherchent à voir à quelle porte ils vont frapper.

Un simple coup d'œil, sans curiosité indécente, et le rideau retombe. Bouguin lui-même, si expansif, n'ose suivre les gendarmes. Il revient derrière l'étal de sa boucherie, où sa femme le rejoint, pimpante dans son tablier blanc brodé de roses. Bouguin la rabroue : quand la mort passe, on se cache. C'est la moindre des pudeurs.

Sur la place de l'église, deux femmes vêtues de noir qui viennent d'assister à la messe basse de l'abbé Carmouze, curé de Villebret, se signent au passage des cavaliers. Elles demeurent immobiles, comme absorbées dans quelque prière secrète, prêtes à tous les *ex-votos* pour que le ciel épargne leurs petits-fils à la bataille.

Les gendarmes longent la mairie. Jean Moreau, le maire, les voit sûrement de son bureau où il travaille chaque matin avant de se rendre aux champs. Mais nul ne songe à se montrer. La peur semble avoir pétrifié le village.

Rémi, le simple d'esprit, *factotum* du maire et accessoirement jardinier, a posé sa brouette près de la fontaine et, la bouche ouverte, suit des yeux la marche des chevaux. Ni mimique, ni pirouette, lui aussi a compris que ces messagers du diable remplissent une sinistre besogne, comme ceux du corbillard.

Les gendarmes ont pris la route du bois de Tigoulet. Dans les maisons de pierre grise aux toits de vieilles tuiles moussues, chacun des villageois respire. Le danger est passé. Ce n'est pas pour eux. Pas pour aujourd'hui. La mort s'éloigne avec le bruit décroissant des sabots des chevaux.

Mais où vont-ils donc? Dans l'une des fermes isolées à la sortie de Villebret? Chez les Bertin, qui ont un fils au régiment, ou peut-être les Duperré? Comment savoir, à moins de les suivre?

Personne ne s'y risque. La mort inspire le respect. On se tient à distance, même si l'envie de savoir est grande. Demain, ce sera peut-être leur tour. La distribution est large. On sait que le 121ᵉ a trinqué, que les victimes sont nombreuses dans Montluçon. Les gendarmes ont beaucoup arpenté les rues de la ville, leurs avis de décès en poche. Il y en aura pour tout le monde. Inutile de braver le sort en se mettant en avant.

Les cavaliers, à l'évidence, savent où ils vont. Ils quittent la route de Lavault-Sainte-Anne à la Croix de Beauregard et s'engagent sur le chemin de terre abrité de hautes bouchures, vers la ferme de Marie Aumoine.

Elle les attend sur le seuil, droite, pâle, immobile. Elle sait ce qu'ils ont à lui annoncer. La veille, elle a reçu un pli du commandant Guyard, expédié du quartier d'artillerie de Clermont-Ferrand où l'officier reconstituait ses batteries anéanties. La lettre, arrivée à la caserne de Montluçon, a été transmise à la mairie. Homme de cœur, le maire a tenu à prévenir lui-même l'épouse de Léon et sa mère, avant qu'elles ne reçoivent la visite des gendarmes.

– Madame Marguerite Aumoine? s'enquiert le plus âgé des cavaliers.

– Donnez-moi la dépêche, brigadier, répond Marie d'une voix ferme. Ma belle-fille Marguerite connaît depuis hier le décès de Léon. Elle ne peut se déplacer ni voir personne.

– Le règlement…

– Foin du règlement. Léon est mort. C'est tout ce que vous avez à me dire? Nous le savons déjà. Donnez-moi votre dépêche et laissez-nous à notre chagrin.

Impressionné par le calme et la tenue de cette petite femme aux yeux rougis sous son châle noir, le brigadier n'insiste pas. Il est assez âgé pour avoir été, jadis, le collègue d'Antoine Aumoine pendant son bref passage dans l'arme. Il voudrait prodiguer des paroles de consolation, mais ne trouve pas les mots. Marie demeure si digne, si forte, qu'il se sent mal à l'aise.

Sa main tremble à peine lorsqu'elle signe, pour Marguerite, le billet que lui tend le gendarme.

– Vous recevrez du 53e régiment de Clermont les objets personnels, la plaque d'immatriculation et la médaille militaire de votre fils, Madame Aumoine.

À ces mots, le cœur de Marie se brise. Cette fois, son fils est bien mort et enterré. Il n'existe plus pour l'armée. On lui renvoie tout ce qui subsiste de lui, on ne s'encombre d'aucune trace. On s'en libère. Il n'en restera rien qu'une inscription sur un registre : décédé à la bataille de l'Ourcq, le 6 septembre 1914. On ne lui rendra même pas son corps.

– C'est donc ainsi, mon fils m'est enlevé pour toujours…

Marie laisse échapper un long soupir et fait un pas à l'intérieur de la salle commune :

– Je ne vous retiens pas, messieurs, continuez votre route.

Les gendarmes saluent, font claquer leurs bottes et s'éloignent sans ajouter un mot. Marie se hâte de rejoindre la chambre de Marguerite, où celle-ci, le visage enfoui dans un grand mouchoir blanc, ne cesse de pleurer.

Marie s'assied près de sa belle-fille, qu'elle enserre de ses bras. Puis, ensemble, comme si une ultime confirmation leur était nécessaire, elles déplient l'avis de décès, dont elles relisent le contenu à voix basse :

Votre mari, Madame (le commandant Guyard adresse ces lignes à Marguerite) *a eu la mort qu'il avait rêvée, celle d'un soldat frappé en plein combat, face à l'ennemi.*

Elles s'interrompent. L'émotion est trop forte. Ces mots du brave officier sonnent faux. Comme si Léon avait rêvé sa mort! Comme s'il avait besoin de mourir pour être un brave! Pourquoi Dieu l'a-t-il rappelé si vite, abandonnant pour toujours sa mariée d'une seule nuit?

Ses soldats le regrettent. Nous ne l'oublierons pas et le vengerons.

Pas de vengeance. Plus de mort, plus de guerre. Marie ne peut supporter la dureté du message. Elle a encore trois fils. Recevra-t-elle trois autres lettres d'officiers promettant la vengeance?

Il est mort sur le champ de victoire de la Marne, dans les bras de son frère, Julien.

Ainsi, Léon n'est pas mort seul. Il a pu embrasser son frère...

Pauvre Julien, songe Marie. Si jeune, si sûr de lui. Il a dû creuser le sol, avec tous les autres, pour enfouir le corps de son frère, sans cercueil, à même la terre. Quelle épreuve atroce!

Julien s'est aussi couvert de gloire au 5ᵉ régiment d'artillerie, poursuit le commandant Guyard. *Il n'a pas la moindre blessure.*

La lettre stipule le lieu de la sépulture provisoire, croquis à l'appui. Marie scrute longuement le petit cercle rouge au milieu du plan, en se promettant de remuer ciel et terre afin que les restes de son fils reposent à la Baudre, aux côtés de son père. C'est une mince consolation, mais, dans l'instant, elle s'y raccroche.

Marguerite sanglote toujours et Marie sait combien chercher à calmer ses pleurs serait vain. Elle songe à toutes les autres familles frappées d'un deuil semblable, aux milliers, aux centaines de milliers de femmes déjà dans la peine, après un seul mois de guerre.

Sur ce lit même, il y a près de vingt-huit ans, Léon venait au monde. Le plus fort de ses fils, le moins pressé de voir le jour. Elle se rappelle le cri primordial, celui de la naissance du bébé. Elle l'entend encore, dans son désespoir, si longtemps après. Pouvait-elle se douter qu'elle donnait la vie à un fils promis au plus atroce massacre?

Et les autres? Pourquoi n'a-t-elle pas de nouvelles de Julien, le plus souriant, et de Jean, le plus sage? Et Raymond, parti le matin même à l'aube pour la caserne, avec ceux du deuxième contingent? Elle se lève dans la semi-obscurité de la chambre, dont les persiennes sont restées closes : quelqu'un est entré dans la salle commune.

C'est Raymond. Il a été autorisé à revenir saluer sa mère avant le grand départ. Deux heures de grâce.

Cette visite, loin de calmer Marie, porte son angoisse à son comble. Ce maudit 121e lui mangera-t-il tous ses fils ? Tant de familles pleurent déjà les premières victimes — soixante pour cent de pertes. Le colonel lui-même est mort, et tous ses officiers. N'est-ce pas suffisant ? Faut-il que d'autres gosses de vingt ans soient livrés eux aussi à la curée et versent encore leur sang ?

— Léon n'est pas mort pour rien, maman, dit Raymond. Nous avons gagné. Ils ne passeront plus. Nous partons pour les repousser jusqu'à la frontière. Nous serons de retour bien vite. Le loup a perdu ses crocs.

C'est Raymond qui tient ce langage, l'enfant terrible du canal, le dénicheur, le coureur de filles, Raymond le fugueur ! On peut voir, sous son calot, qu'il a perdu ses boucles brunes. Rasé de frais, le voilà bon pour la parade, prêt pour le sacrifice. Plus de chemise ouverte : il a le col serré, la lourde capote bleue aux boutons dorés, le maudit pantalon garance, couleur de sang frais, de ceux qui partent joyeux et pimpants pour le champ des morts.

— Raymond !

La mère pousse un cri déchirant. L'enfant se jette dans ses bras. Elle le préfère en secret à ses frères, depuis sa naissance. Il est venu au monde trois semaines avant la date prévue, ses ongles à peine calcifiés. Il lui a donné le plus de tourments. Vont-ils mourir un à un sous les balles allemandes, et elle de chagrin?

– Raymond!

Elle s'accroche à lui, serre ses bras si graciles – bras faits pour le bonheur - avec une énergie insoupçonnable. En a-t-elle enduré, des heures interminables d'attente, quand le petit fugueur disparaissait dans la nature et que le père fouillait jusqu'à l'intérieur du puits? A-t-elle assez admiré cet enfant du miracle, conçu par surprise, venu dans la joie?

Libre, confiant, heureux comme un poulain échappé du paddock, Raymond, à peine enfoncé dans les bois, n'avait plus ni Dieu ni maître. Au retour, il ne savait qu'inventer pour surprendre et rassurer celle qui se tordait les mains d'inquiétude. Lui incapable de rester en place, d'arriver à l'heure au lycée, ni plus tard de se cantonner dans un emploi, savait trouver les mots, créer des moments délicieux, exprimer, avec le plus de gentillesse et de chaleur, l'amour qu'il portait à sa mère.

Seul Léon savait dans quelles épaisseurs de futaies ou le long de quels rus pister son cheval fou de frère. Mais Léon n'était plus. Et Raymond partait seul, sans aîné pour le guider. Combien de temps tiendrait-il dans cet enfer?

– Raymond! N'y va pas, tu es trop jeune, trop vulnérable. La guerre ne fera qu'une bouchée de toi.

– Il ne faut pas t'inquiéter, petite mère. Nous reviendrons tous bien vite, c'est ce qu'ils disent, au quartier. Il paraît que les Allemands sont en pleine retraite. C'est juré, nous serons là pour Noël. D'ailleurs, je dois suivre les classes six semaines durant. Je reviendrai bientôt te voir.

L'a-t-elle déjà entendue en août, cette promesse d'un Noël heureux? Marie ne veut plus y croire. Sa seule certitude, c'est que dans un instant son Raymond partira comme les autres, fétu de paille dans le grand vent de la guerre, livré lui aussi au hasard des balles.

— Léon donne l'exemple, dit-il d'une voix plus forte, soudain déterminée. Il est mort en homme libre. Je dois, nous devons tous être dignes de lui. Il ne s'agit pas de le venger, mais d'en finir, de terminer ce qu'il a commencé. Nous sommes des enfants de la patrie.

Marie est stupéfaite. Est-ce bien Raymond le vadrouilleur qui tient ce langage de patriote ? Marguerite, d'un pas de somnambule, apparaît sur le seuil de sa chambre. Les dernières paroles du garçon arrachent à la jeune veuve de nouveaux sanglots cependant que Marie se redresse, regardant son fils droit dans les yeux. Une fois de plus, il l'a surprise.

— Va, mon fils, lui dit-elle d'une voix blanche, rejoins tes camarades. Nous sommes fières de ton courage, heureuses de ta confiance. Mais songe que nous le serons encore plus, un million de fois plus, de te voir revenir. Garde-toi bien du danger. Si l'on doit, hélas, mourir pour la patrie, il est insupportable de mourir pour rien.

— As-tu pensé à prévenir les Bigouret ? souffle Raymond à l'oreille de sa mère, avant d'embrasser Marguerite, submergée de douleur. Ils ne savent peut-être rien ?

— Germain est parti les chercher à Huriel en charrette.

Le départ de Raymond en gare de Montluçon n'a rien de la solennité festive et patriotique du 7 août. Il est affecté au régiment jumeau du 321e, commandé par le lieutenant-colonel Flocon, sous les ordres du général Lombard.

Raymond ne fera connaissance avec ses chefs qu'au front. Pour l'heure, les appelés, comme lui, du deuxième contingent doivent subir l'entraînement accéléré de la classe nouvelle, la 14/2. Le 321e, constitué exclusivement de réservistes et parti de la caserne le 10 août, vient de livrer bataille sur l'Ourcq dans la VIe armée du général Maunoury.

Raymond n'a de cesse d'obtenir des renseignements sur les officiers dont dépendra son sort quand il sera au combat. Son régiment est commandé par un vieux de la vieille, un ancien chef de Joffre au Soudan, le général Archinard. Celui-ci a pris pour chef d'état-major le bouillant Mordacq, colonial tout dévoué au général en chef, qui a d'abord engagé une partie du corps de réserve en Alsace, dans l'armée de Pau, avant de le dépêcher au secours de la VIe armée sur l'Ourcq.

Ainsi, le 321e a déjà son contingent de morts à la bataille, et les officiers du grand quartier général de Bar-sur-Aube pressent le dépôt de Montluçon d'instruire les nouvelles recrues à un rythme soutenu. L'arrivée du 321e devait compenser les pertes au front du 121e. Ils ont été décimés tous les deux.

L'adjudant Bourdon, dont dépend directement le sort de Raymond, est un ancien sous-officier de l'active arrivé par le rang, blessé trois fois, deux au Maroc, une en Alsace. Il n'a pas l'intention de ménager les recrues. Les jeunes gens, sans délai, s'engouffrent dans des camions pour quitter la caserne de Montluçon et rejoindre la Creuse. Là, au camp de la Courtine, ils vont apprendre à ramper sous le tir des mitrailleuses et à manœuvrer en liaison avec l'artillerie de campagne.

Une compagnie presque au complet, et pas un seul officier d'active. Même le capitaine, Jean Lacassagne, professeur de mathématiques au lycée technique, est un réserviste. Âgé de trente-cinq ans, il a eu Jean Aumoine comme élève, et se montre d'une vigilance particulière avec Raymond, dont il connaît le passé scolaire dissipé.

Il n'ignore pas la mort glorieuse de leur frère Léon et veut inciter le cadet à devenir, au plus tôt, le meilleur des caporaux. Les deux lieutenants sont également des réservistes ayant accompli leurs périodes avec scrupule. Ces patriotes convaincus ont d'autant plus de mérite à remplir leur devoir militaire qu'ils sont déjà des civils bien installés et des pères de famille : Moulinet, jeune fondé de pouvoir à la succursale de la Banque de France à Montluçon, et l'agent d'assurances Bériot, titulaire d'un confortable portefeuille.

À la compagnie, l'unique professionnel de la guerre est l'adjudant Bourdon qui revient du front. Un fanatique toujours prêt pour le baroud et qui a recours aux bonnes vieilles méthodes pour dresser les hommes. Assurer la discipline avec intransigeance, abrutir les recrues en multipliant les exercices les plus durs.

Raymond a vite compris. Loin de se rebeller contre la brutalité de l'adjudant, il voit clairement que sa tranquillité dépend de son zèle, mais aussi de sa forme physique pour résister aux épreuves du front. Bourdon l'a bien expliqué : à la guerre, la survie est fonction de la rapidité des réactions au feu et de l'endurance. Le fantassin ne doit pas se relâcher une seconde. Ramper, se relever pour courir, se jeter dans les trous du terrain, creuser des tranchées, éviter les balles de mitrailleuses ne paraissent des exercices vains qu'en temps de paix.

Le soir, dans son lit, Raymond se voit déjà sur le terrain, se fait le serment à lui-même d'être toujours le plus rapide aux exercices d'attaque. Il creusera les trous mieux que personne, comme s'il avait bêché toute sa vie, même si Léon n'a jamais rien obtenu de lui aux travaux de la ferme. Attentif aux récits de guerre de l'adjudant, il admet l'efficacité d'une instruction dure. Et Jules Bourdon s'y connaît pour convaincre ses recrues de l'utilité des épreuves qu'il leur impose. Apprendre à démonter et remonter une mitrailleuse encrassée sortie de l'usine de Saint-Étienne peut être vital, et Raymond deviendra très vite l'un des exécutants les plus vifs dans ce sport insensé.

Il sait maintenant qu'il ne pourra revoir sa mère avant son départ pour le front. Il est question d'engager la 63e division dans la ligne de l'Aisne, où se sont retranchés les Allemands. La compagnie partira directement du camp, dans six semaines, et, d'ici là, l'adjudant Bourdon ne lui laissera aucun repos. Il tuera à la tâche jusqu'aux officiers, ces civils habitués aux fauteuils rembourrés des bureaux. À la Courtine, il règne en maître absolu sur les deux cent cinquante biffins qui s'endorment le soir, exténués, dans leurs tristes baraquements de planches.

Avant l'extinction des lumières, Raymond détache une page du carnet quadrillé qui ne le quitte pas, pour écrire à sa mère qu'il reviendra vite, avec ses frères, la bercer de sa tendresse. Il joint à sa lettre un brin de colchique, la première de la saison, fleur mélancolique et rare qui égaye les champs de la Courtine de sa fraîche et fine couleur de pensée intime. Elle annonce l'hiver, mais aussi le printemps, une promesse de renouveau, un gage d'espoir.

Comment continuer d'espérer, avec trois fils à la guerre et le quatrième en terre ? Marie Aumoine est sans nouvelles de Jean ni de Julien, mais elle sait, grâce à la lettre du commandant Guyard, que ce dernier a échappé au massacre de la Marne. Julien a vu mourir Léon dans ses bras, mais Jean, le deuxième des frères Aumoine, n'est peut-être au courant de rien…

Elle a d'abord cru qu'il était porté disparu ou fait prisonnier. Mais une lettre de lui, postée de Paris le 2 septembre, lui a appris qu'il s'était évadé de Sarrebourg pour regagner aussitôt le front, sans doute en Lorraine.

Pour Jean, la bataille a continué, acharnée, féroce, dans le bois de La Coinche, jusqu'au 10 septembre. De fait, les soldats du *Kronprinz* de Bavière n'ont laissé aucun répit aux rescapés du 121e. Jean n'avait pas même le temps de rêver, le soir, aux yeux admirables de Clelia von Arnim, la jeune infirmière qui l'a aidé à s'enfuir de l'hôpital de Sarrebourg.

Marie Aumoine, qui ignore tout de cette idylle, devine entre les lignes que le régiment de Montluçon n'a cessé d'être exposé aux plus graves dangers. Du 121e régiment d'infanterie, aucune autre famille n'a de nouvelles. Nul doute qu'il ne soit sans cesse à la pointe du combat.

Marie ne sait pas non plus que Jean vient de recevoir les galons de sous-lieutenant. Le régiment gigogne, le

321ᵉ, était engagé dans cette bataille de la Marne que le journal *Le Centre* avait célébrée à son de trompe, comme une grande victoire. Pas le 121ᵉ. Pourtant, Jean est au feu, sa mère le sent, sa mère le sait. Jamais ce fils aimant ne la laisserait dans l'ignorance s'il était retiré des lignes.

Au matin du 18 septembre, Jean est bien loin de la Lorraine, mais rien ne filtre de la caserne de Montluçon, car le secret militaire sur le déplacement des unités est absolu. La mesure vaut aussi pour les familles.

La brigade, dont fait partie le 121ᵉ, a été retirée du front vers Sercœur, près d'Épinal, sur ordre de Joffre. Il ne lui a pas laissé le temps de se refaire, ni de se recompléter. Les biffins ont embarqué en chemin de fer, dans des wagons à bestiaux, pour participer à la bataille de Picardie. Il faut empêcher les Allemands de pousser leurs lignes jusqu'à la mer. Jean et ses amis, pourtant épuisés, sont engagés dans cette course éperdue. Ils ont traversé Noyon à pied, par longues colonnes, pour combattre sur un terrain encore plus difficile que celui de Lorraine : les collines pentues et broussailleuses du Matz, à l'ouest de l'Oise.

Le capitaine Vincent Gérard, qui commande le bataillon, partage la colère du commandant Migat : les pertes sont telles, à la 26ᵉ division, qu'elle a été morcelée des plus singulières façons. Jean se retrouve dans les tranchées aux côtés de zouaves et de tirailleurs algériens, à la remorque d'une division fraîche, la 37ᵉ, dont les éclaireurs sont des chasseurs d'Afrique. Les Montluçonnais ne se battront plus aux côtés des soldats d'Auvergne et du Berry. Les unités sont interchangeables, au gré des calculs hâtifs de l'état-major. Tout ce qu'on demande à ces troupes dépareillées consiste à savoir mourir et à empêcher l'ennemi de passer.

Ainsi, le jour où Marie Aumoine reçoit la visite des gendarmes porteurs de l'avis de décès de Léon, Jean risque sa vie, sans rien savoir du sort de ses frères, sans la possibilité non plus d'indiquer aux êtres qui lui sont chers dans quelle zone il poursuit le combat. Il peut mourir à l'assaut de Lassigny, ce gros bourg picard tapi dans les pommiers, à l'insu de Clelia et de Marie.

Et les pantalons rouges se préparent pour un nouvel assaut, aux côtés des tirailleurs algérois et oranais. Maurice Duval, de Champignier, connaît, pour les avoir parcourues à bicyclette, les routes boueuses de Picardie. André Bouin, le fils du secrétaire de mairie de Villebret, promu caporal-chef au troisième bataillon, nettoie le canon de son Lebel, sous l'œil vigilant et satisfait de l'adjudant Castaldi. L'ancien du Rif est toujours flatté par les excès de zèle de ses biffins.

Ils ont appris la prudence, tel le sergent Lascot, qui fait sans cesse démonter ses mitrailleuses. Joannin le boxeur et Massenot le plombier, fiers de leurs brisques de caporal et de sergent, encouragent le clairon André Biron à sonner la charge. Il s'agit de bousculer les Prussiens une fois pour toutes, de les bouter hors de ces vallons picards auxquels ils s'accrochent. Marie Aumoine a quelque raison d'être inquiète. Malgré les échos qui lui parviennent, qualifiant la victoire d'éclatante, elle devine que pour Jean la bataille continue sans aucun répit.

Gaston Bigouret, le père de Marguerite, a quitté Huriel seul dans son cabriolet. Il veut se faire sa propre opinion sur le sort des Montluçonnais au front. Il n'a pu glaner aucune information officielle, ni à la sous-préfecture, ni à la caserne, ni à la gendarmerie. Partout règne le silence, imposé par la censure. Il consultera tous ses collègues, à commencer par Jean Moreau, le maire de Villebret, afin de mesurer l'étendue des pertes.

Il a laissé Germain conduire Jeanne, son épouse, auprès de sa fille Marguerite. Ne disposant pas de renseignements précis sur la mort de Léon, il n'a pas le courage d'affronter la douleur de la jeune veuve, encore moins celle de Marie Aumoine. Il croit pouvoir réconforter les deux éplorées en les abreuvant de paroles, selon sa méthode habituelle.

À Villebret, les villageois qui avaient déserté la grand-rue au passage des gendarmes réapparaissent à la vue de Bigouret. Chacun lui fait escorte, dans un élan de solidarité, manière aussi d'exorciser la peur. En toutes circonstances, la rondeur de l'adjoint au maire rassure, si affligé soit-il.

Il ne repousse pas les condoléances du boucher Bouguin, sorti le premier de sa boutique, les pans de son tablier blanc repliés sur l'envers, du côté le plus propre. Les hommes qui l'entourent sont des amis de vingt ans. Les mines graves, ils lui font l'éloge de Léon, de son courage, de sa valeur. Beaucoup l'avaient revu pendant la convalescence que lui avait value sa blessure, à l'hôpital de Montluçon.

— Ah! si tous avaient été à sa hauteur, dit Bouguin, les Boches ne seraient pas arrivés sur la Marne.

Modeste, résigné, Gaston Bigouret ne commente pas. Ce n'est pas lui qui va se parer des exploits de Léon. Le silence est le meilleur hommage.

– Auguste Lapierre est mort aussi, dit-il. Il était pourvoyeur à sa batterie. Ils sont morts ensemble, des éclats du même obus.

De nouveau le silence, le recueillement. Auguste était bon compagnon, toujours prêt à aider les autres à la moisson, dévoué à la coopérative agricole. Plusieurs fois, il avait remporté des médailles d'honneur aux comices de Montmarault, pour ses châtrons. Auguste, Léon, des hommes jeunes, en pleine force, portaient à bout de bras l'avenir agricole de la région. Il est difficile de se faire à leur disparition, ils semblent irremplaçables.

– As-tu des nouvelles? demande Bigouret à Joseph Bouin, le secrétaire de mairie, venu lui serrer la main avec effusion.

– Pas fraîches. J'ai vu Auguste Lemonier, de Malicorne, qui a réussi un double exploit : être blessé au doigt et se faire soigner à Montluçon. Je lui ai rendu visite à l'hôpital, il y a déjà deux semaines.

– A-t-il été réformé?

– Penses-tu, il est gaucher, il a demandé à repartir. Mais l'index coupé lui a fait enfler la main droite. Les médecins tentent d'éviter l'amputation. Il m'a dit qu'André s'était bien battu en Lorraine, au pied des Vosges, dans le bataillon du capitaine Migat, et que son moral était bon. Sans doute a-t-il écrit, mais les lettres n'arriveront pas avant trois semaines. Personne n'en a encore reçu, venant du front, dans la région.

– Normal, dit Bigouret. L'armée ne tient pas en place, les bataillons bougent sans cesse. Impossible d'organiser le courrier. Peut-être va-t-il maintenant retrouver son cours normal.

Joseph Bouin en doute. Après la victoire, célébrée dans toute la presse pour remonter le moral de la nation, s'est engagée la «course à la mer» : les soldats sont de nouveau soumis aux marches forcées vers l'ouest. Il faut arriver partout avant les Allemands. Le front n'est guère stabilisé que dans l'Est, où le courrier ne suit pas davantage puisque les divisions de Lorraine n'en finissent pas de se déplacer en renfort sur l'aile gauche de l'armée.

Un seul et même vœu parcourt le groupe de villageois : que la guerre se fixe et cesse. Joseph, l'instituteur patriote, n'est plus convaincu que la victoire est à portée de main. Tout au plus peut-on arrêter l'ennemi, le persuader de traiter, non par la victoire qu'on lui impose, mais par celle qu'on lui dérobe. Pour cela, il faut tenir. C'est aussi l'avis de Gaston Bigouret, l'adjoint au maire d'Huriel.

À le voir serrer des mains, discuter, s'inquiéter des uns et des autres, nul ne se douterait qu'il vient de subir une perte irréparable. On le croirait en campagne électorale. À le suivre sur les marches de l'escalier de la mairie, on comprend que cet homme voûté, au pas lourd, vient de vieillir de dix ans. S'il s'attarde ainsi parmi ses camarades, c'est sans doute pour s'éviter de regarder en face l'horreur d'un deuil qu'il ressent au plus profond. Perspicace,

Joseph Bouin l'a compris et pose sa main sur l'épaule de Bigouret.

— Jean Moreau t'attend. Va! On ne peut rien te dire, on sait que tu souffres trop.

Dans la salle du conseil, sous la statue de Marianne, un tableau noir a été dressé. Le secrétaire de mairie y a affiché la carte du front de Lorraine. Il la corrige chaque jour, selon les informations délivrées avec parcimonie dans les colonnes du *Centre*, lequel reprend les communiqués du grand quartier général.

— Faisons le point, dit Bigouret en se laissant choir sur une chaise en face du maire.

— Les nôtres se sont battus sur la Vezouze, et maintenant sur la Meurthe, commence Ernest Picavier, le marchand de journaux chargé de suivre le bulletin officiel du quartier général.

Pendant plus d'une semaine, les journaux locaux n'ont pu paraître, faute d'effectifs dans les imprimeries et de journalistes dans les rédactions. Les villageois, tout comme les Montluçonnais ou les Nérisiens, ont dû se contenter des télégrammes diffusés par le ministère de l'Intérieur, puis des *Nouvelles officielles*, parues jusqu'au début de septembre. Les informations de cette dernière publication, vendue au profit de la Croix-Rouge, étaient reprises par le *Centre*. Chercher à innover était nuire à la défense nationale.

— La trouée de Charmes semble bouchée et bien gardée, poursuit Picavier, mais les Allemands sont à Lunéville et à Baccarat. Nous avons perdu Mulhouse, mais nous tenons Belfort. Quant aux cols des Vosges, nous avons dû les lâcher.

— Combien des nôtres y sont restés ?

— Impossible à savoir, dit Jean Moreau en haussant les épaules. Tu penses bien que le QG ne fait pas de confidences. Il ne faut pas miner le moral des gens. Mais à voir la hâte des adjudants de quartier à accélérer l'instruction des bleus, on peut se douter qu'ils manquent de monde. Ils veulent les envoyer au front au bout de six semaines d'entraînement, au lieu de trois mois.

— Je sais, opine Bigouret. On m'a dit que Raymond venait de partir au camp de la Courtine.

— Les commissions de réforme n'arrêtent pas, précise Picavier. Ils passent dans les hôpitaux pour renvoyer au combat tous les blessés légers. Ils remplacent les vieux sous-offs de l'instruction au quartier par des récupérés de l'active, évacués pour blessures et rapidement soignés. Ils révisent les listes des affectés aux usines d'armement. À Montluçon, l'aciérie de Saint-Jacques engage des travailleurs italiens pour que les fondeurs français partent au front. A Clermont-Ferrand, on m'assure que les patrons de Michelin embauchent des mélangeurs nord-africains pour remplacer les Français. Partout, s'organise la chasse aux embusqués.

— On m'a dit à la sous-préfecture que le colonel Trabucco était mort de ses blessures. Migat le remplace. Il serait le seul officier d'active en état de commander. S'il n'y a plus d'officiers, que dire des hommes ! Je me demande à combien se sont réduits les effectifs des compagnies !

Picavier hoche la tête.

— Ils peuvent censurer les lettres et les journaux, mais pas empêcher les gendarmes de distribuer les avis de

27

décès. Dans les villages, ils les surnomment « l'escadron de la mort ».

— Beaucoup d'exemple, chez toi ? demande Bigouret au maire.

— Léon est le premier, dans Villebret. Mais la brigade de Montluçon ne cesse de sillonner la ville. À Néris et Montmarault, aussi. Les plus touchés sont ceux de Durdat-Larequille, qui ont reçu un premier télégramme annonçant la mort d'Henri Simoneau, tombé sur les pentes du Donon. Puis les gendarmes sont revenus cinq fois, pour des gars du 121ᵉ : les deux frères Aucouturier, par exemple, tués le même jour devant Petitmont.

— Je connais leur ferme, dit Gaston. Le père a beaucoup fait pour la *coopé* des céréales. Il avait trois fils.

— Le troisième est parti ce matin pour le camp de la Courtine. Tout le monde espère qu'il s'en tirera. La mère ne vit plus, ne sort plus, sauf pour ses neuvaines à l'église.

— Chez nous, les pertes sont lourdes à Domérat, chez les vignerons. Jean Lecouvreur a été tué à Bühl, en Lorraine. Un camarade socialiste, ce garçon, toujours prêt à dénoncer la guerre. La lettre du capitaine dit qu'il est mort en héros, en sauvant un copain blessé, abandonné entre les lignes.

— Et Roger Nigier, de Ferrières ! renchérit Picavier. Un ami d'enfance de Jean Aumoine, qui avait quitté le village pour travailler à la mine et gagner plus gros. Il a pris une giclée d'éclats d'obus dans le ventre. Ils disent qu'il a montré beaucoup de courage devant la mort…

Silencieux jusqu'à présent, Joseph Bouin, l'instituteur, soupire :

— Autant dire qu'il a mis deux heures avant de passer !

28

— Aujourd'hui, conclut Gaston Bigouret après un silence, il ne doit pas rester beaucoup de biffins dans le régiment de feu Trabucco. Les gars ne sont pas morts pour rien. Ils ont contenu les Allemands.

— Sûr, acquiesce l'instituteur, si nos jeunes ne s'étaient pas sacrifiés, les Pruscos seraient déjà sur la Bidasoa. Mais les palmes qu'on leur donne, ajoute-t-il de sa voix pleine de bon sens, ne les ramèneront pas!

Quand Bigouret pousse enfin la porte de la ferme des Aumoine, Marie est assise, seule, dans la pénombre près de la cheminée.

— Marguerite n'est pas bien, elle reste cloîtrée dans sa chambre, lui dit-elle sur un ton calme et modéré.

Gaston fait un pas vers l'escalier.

— Il vaut mieux ne pas y aller, insiste doucement Marie Aumoine. Laissez faire Jeanne, elle est la seule à pouvoir la réconforter.

— Dans quel état est-elle?

— Prostrée. On lui parle, elle ne répond pas, comme si ses oreilles bourdonnaient. Les mots ne sortent pas de sa gorge. Elle s'est levée, faute de pouvoir respirer, puis s'est trouvée mal dans mes bras.

— Le cœur?

— L'émotion, plutôt. Jeanne lui a fait respirer des sels et prendre un sucre arrosé d'eau de mélisse. Elle l'a accepté du bout des lèvres. Les couleurs lui sont revenues, mais elle ne peut tenir debout. Ses jambes ne la soutiennent plus.

— C'est un grand malheur pour vous, Marie, dit Bigouret. Et pour nous tous. Léon était le meilleur des garçons.

Elle s'est approchée un instant de la fenêtre, puis s'est rassise sur son banc, sans mot dire, faisant signe à Gaston de prendre une chaise. Il comprend qu'évoquer sa peine ne fait que la raviver. Lui, si volubile, se tait à son tour. Toutes les informations, qu'il a glanées avec la certitude qu'elles intéresseraient et consoleraient les femmes, deviennent inutiles et dérisoires face à cette douleur muette. À quoi bon citer le sacrifice des autres, quand la disparition de Léon suffit largement à dépeupler la ferme et le cœur de Marie. Marie qui ne pense qu'à lui et n'en parle pas.

— J'admire votre courage, lui dit-il simplement.

Un cri strident l'interrompt, provenant de la chambre. En essayant de se lever, Marguerite a bousculé le globe de verre abritant la fleur d'oranger de son mariage. Elle a glissé sur les éclats et s'est entaillé le pied. Jeanne la soutient pour la sortir de la chambre. Bigouret prend sa fille dans ses bras, comme une enfant, désemparé devant ses sanglots déchirants.

— Il faut qu'elle sorte, assure Jeanne. L'air lui fera du bien.

— Elle est choquée, dit Marie. Vous ne pouvez la ramener dans cet état à Huriel. J'ai envoyé Germain téléphoner de la mairie à Néris-les-Bains pour faire venir le docteur Ducrocq. Il a une automobile. Il sera là dans peu de temps.

Jeanne se résigne. Elle aurait bien enlevé sa fille, afin de l'arracher à ce deuil brutal et lui faire retrouver la chambre de son enfance. Bigouret lui aussi est prêt à la reprendre, à la choyer, lui faire oublier le drame. Mais comment laisser Marie Aumoine avec sa douleur, dans sa ferme déserte ?

Peu à peu, dans l'air frais du soir, Marguerite recouvre ses esprits. On entend bientôt, au tournant de la route, corner une voiture. Le docteur Ducrocq en descend, sa trousse sous le bras. Barbiche poivre et sel, casquette de chauffeur, pantalon rayé et souliers noirs, il est ce médecin à l'ancienne qui ne croit qu'au stéthoscope de Laënnec et au thermomètre de Réaumur. Il fait conduire Marguerite dans sa chambre et demande à Jeanne de la soutenir, car elle lui paraît très faible.

— Si vous le permettez, Marie, dit Gaston Bigouret, Marguerite et Jeanne resteront auprès de vous le temps qu'il faudra.

— La maison est triste maintenant, c'est vrai. Mais reprenez-la, notre petite mariée d'un soir, elle est si jeune. Laissez faire le temps auquel rien ne résiste. Elle ne peut passer sa vie dans le souvenir de Léon, si ardent que fût leur amour. Toute une vie devant elle, déjà saccagée ! Elle doit renaître, Léon l'aurait voulu ainsi.

— Votre générosité me touche, répond Gaston. Je vous connais, Marie, je sais que vous ne pensez qu'aux autres, et jamais à vous-même. Mais je connais aussi Marguerite. Elle aimait Léon et ne saurait l'oublier de sitôt. Je lui fais confiance : le premier choc passé, elle trouvera les moyens de survivre, à condition qu'elle reste près de vous. Elle en a besoin, vous êtes la seule qui la relie à la mémoire de l'homme qu'elle s'était choisi.

Le docteur Ducrocq apparaît sur le seuil de la chambre. Jeanne est auprès de Marguerite, allongée.

– Je n'ose encore me prononcer, mais il se pourrait que cette jeune femme soit enceinte, dit-il à Bigouret et Marie ébahis. Si mon pronostic se confirme, l'enfant sera là pour Pâques, et vous ferez sonner les cloches.

Octobre gris

Après la Marne, Julien doit aussitôt remonter à cheval pour se lancer à la poursuite de l'ennemi qui, dans sa hâte à faire retraite vers le Nord, a abandonné sur place matériel et munitions.

Garce de guerre, effroyable folle meurtrière. Il n'a même pas eu le temps de la maudire de lui avoir pris son frère. Son Léon, rejeté tel un pantin inutile au pied de cet arbre devant lequel il est passé presque par hasard. Ce soldat mort, il l'a d'abord dévisagé avec incrédulité, puis, poignardé par une horreur sauvage, il a dû admettre que c'était son aîné.

Dans un éclair, il a pensé à sa mère. Ressenti, au plus profond de sa poitrine, la férocité du coup d'épée qui transpercerait la sienne lorsqu'elle apprendrait... Secoué d'un frisson de détresse, il a serré le corps de Léon dans ses bras, laissant les larmes jaillir de ses yeux et priant que le temps s'arrête.

Doucement, sans lui voler trop vite son chagrin, le commandant Guyard est venu lui-même relever Julien pendant que des brancardiers emmenaient son frère.

Et le tourbillon a recommencé. Ponctué, çà et là, par l'image impossible à oublier, mais que, serrant les dents, il doit sacrifier à l'action. Cette espèce d'assurance crâne et déterminée qui l'anime sur cette route menant vers le Nord, et la volonté d'en découdre, sont totalement dédiées à Léon.

Le général Franchet d'Espérey, commandant la V\ :sup:`e` armée après le limogeage de Lanrezac, a glané tous les canons disponibles dans les unités – batteries dispersées, éprouvées, dépareillées – afin de les engager sur la route de l'Aisne, où la résistance allemande risque d'être opiniâtre.

Derrière les troupes débandées de l'armée d'invasion, des groupes, armés de mitrailleuses et soutenus par des pièces de campagne, retardent l'avance des Français. Sur la route de Meaux à Soissons, parfois battue par le canon, la batterie, où Julien Aumoine conduit la première pièce, fraye sa route vaille que vaille en bousculant les escadrons de dragons et de chasseurs français envoyés pour «exploiter la percée». Leurs chevaux exténués, déferrés, font peine à voir.

Le jeune homme, en dépit de son âge, a été nommé brigadier le 10 septembre, pour sa conduite au feu sur le champ de bataille de la Marne, par recommandation spéciale du colonel Nivelle, commandant le 5\ :sup:`e` régiment d'artillerie de campagne.

Nivelle a rendu personnellement responsable de l'approvisionnement en projectiles le lieutenant Charpy qui, telle la mouche du coche, remonte sans cesse le convoi pour s'assurer que tout est en ordre. Julien le rassure : il n'a pas brûlé tous les obus de son caisson. Mais il attend la fourniture d'au moins six mille coups pour les opérations à venir, et ne veut pas être pris de court, comme sur l'Ourcq.

Il peut faire confiance à Charpy, cet ancien ingénieur électricien de Grenoble, qui a le souci aigu de l'intendance et que Nivelle a aussi choisi pour ses connaissances en radio. La marotte du colonel est de tenter d'établir une liaison avec les avions d'observation, et l'électricien a quelques compétences pour bricoler des postes capables d'envoyer des messages en morse.

Conscient des faiblesses de la cavalerie, Robert Nivelle a demandé à l'état-major d'armée le soutien constant de l'aviation. On lui a ri au nez. Il n'a guère obtenu qu'un seul *Voisin* dont il harcèle le pilote, exigeant un rapport quotidien sur les routes encombrées de colonnes allemandes en retraite. Julien a la satisfaction d'apercevoir souvent, dans le ciel, le coucou du colonel.

Les observations aériennes sont formelles : impossible de franchir l'Aisne. Le pont d'Oeilly est pris sous le feu des canons lourds adverses, qui tirent sans interruption, d'une distance d'au moins vingt kilomètres. Il est clair que l'ennemi veut se cramponner à la rivière et la rendre infranchissable.

Julien est perplexe. Comment avancer dans ce village coupe-gorge, investi par les pantalons rouges de la 35e division de Saintes qui prennent position avec efficacité en s'insinuant sur l'autre rive.

— Notre rôle, lui explique le lieutenant, qui suit, botte à botte, en tête du premier attelage, la marche du cheval de Julien, est de soutenir l'assaut de l'infanterie qui doit dégager les plateaux de Vauclair et de Californie, sur le Chemin des Dames. Nous allons constituer une batterie volante, aussi près de l'ennemi que possible.

— Le Chemin des Dames ?

– Une ligne de crête qui conduit à un château où les filles de Louis XV auraient eu leur campagne.

– Fort bien, dit Julien, nous irons voir les Dames. Mais le pont d'Oeilly est impraticable. L'infanterie de la 35ᵉ division défile depuis des heures et les régiments suivent sans cesse.

– Nous passerons à Beaurieux, sur le pont qui nous est réservé. Nivelle nous y attend.

Impossible de tenter le moindre franchissement, même à cet endroit. Une seule batterie allemande de 77, avancée tout près de la rive, a suffi à endommager le pont. Plusieurs biffins aventurés en éclaireurs ont chuté dans la rivière. Les sapeurs les ont sauvés en les repêchant, à grand-peine, avec des gaffes. La capote et les godillots les tiraient vers le fond.

Nivelle ne perd pas de temps. Il retient une compagnie du génie et dirige lui-même l'opération de traversée. En amont et en aval du pont, les sapeurs arriment solidement deux filins d'acier, auxquels les hommes s'accrocheront pour passer d'une rive à l'autre.

Des radeaux portatifs – les «sacs Habert» – sont confisqués par le colonel. Ils permettent aux mitrailleuses embarquées par leurs équipages de braver le courant de l'Aisne, assez vif en cet endroit. Les biffins de la 35ᵉ division ont déjà dégagé l'accès immédiat du pont vers le Nord, autorisant les passages. Mais le 77 allemand arrose plus que jamais. Un obus précipite au fond de l'eau une mitrailleuse de Saint-Étienne et tous ses servants.

La batterie de Julien est immobilisée, bientôt entourée de fantassins qui galopent vers le pont pour échapper aux obus. Julien doit remplacer un cheval blessé de son attelage. Nivelle s'approche :

— Je te reconnais, tu étais à Puisieux, sur l'Ourcq, au jour de la bataille.

— Brigadier Aumoine, mon colonel.

— Pourquoi dételer ta pièce ?

— Pour ne pas faire tuer tous mes chevaux sans pouvoir riposter. Je vais les faire traverser sur cette grande barge du génie, où les sapeurs placent leur matériel de mise à feu des ponts. Ils la déchargent déjà. Nous la ferons glisser, le long des filins, en la halant à bras d'hommes, à partir de l'autre rive. Nous passerons ensuite, par les mêmes moyens, le canon et son caisson, tirés cette fois par les chevaux débarqués les premiers. Nous pourrons alors nous mettre en batterie, et quel feu d'artifice !

Nivelle, d'abord sceptique, assiste à la manœuvre parfaitement réussie de Julien, qui a su se faire aider par les fantassins du régiment de Saintes, heureux de bénéficier du secours du canon.

Pendant que le tir d'artillerie allemand crible les Saintongeais qui tentent de franchir le pont endommagé, la pièce de 75, tirée par ses chevaux sur la berge, est débarquée et accrochée au caisson. Julien reconstitue l'attelage et l'engage aussitôt en première ligne, dans la direction de Craonnelle, sous la seule protection d'une escouade de biffins.

Il repère à la jumelle les départs de feu de la batterie de 77, elle-même aventurée sur une colline, presque à découvert sous les branchages de quelques peupliers parsemés. Pourquoi se dissimulerait-elle, alors qu'elle n'est en rien contrariée par les Français ? Le coucou de

Nivelle, à force de tourner en rond, finit par la repérer et pique sur les emplacements de chacun des quatre canons ennemis en battant des ailes, pour mieux signaler leur localisation. Les Allemands, se voyant découverts, accrochent les pièces aux attelages.

– Feu! dit Julien en donnant la hausse.

Gaston Galimier, le maître pointeur, ne rate jamais son coup. Ancien de chez Berliet à Vénissieux, il sait régler aussi bien le tir de la pièce que les carburateurs de camions. À la deuxième salve, il pousse des cris de joie, relayé par les deux pourvoyeurs. Triomphe pour l'équipe de Julien, le canon de 77 vient de voler en éclats.

Il faut atteler aussitôt pour suivre les pantalons rouges, partis en courant tenter de capturer les servants, mais le tir d'une mitrailleuse, défilée derrière une ferme en ruine, les arrête. Des renforts de la 35e division surgissent, contournent l'obstacle en rampant et surprennent les Allemands embusqués dont ils s'approprient alors la mitrailleuse. Julien a tout le temps de retourner sa pièce sur les pentes du plateau de Craonnelle, où les trois autres canons ennemis tentent de trouver refuge.

Il faut agir dans l'instant, tirer au lapin en suivant les résultats à la jumelle. De sa position avancée, le jeune brigadier observe les attelages prussiens qui patinent sur la glaise des pâturages, mis à nu par les obus, pour s'abriter au plus vite derrière un bosquet touffu de chênes. À son commandement, les explosifs partent à la volée, les alvéoles du caisson crachent leurs obus en quelques minutes.

À cinq cents mètres, la terre a volé en gerbes, les attelages ennemis sont disloqués. Des artilleurs en *feldgrau* inanimés dans l'herbe, on ne voit que la tête, recouverte d'un casque où une boule d'acier remplace la pointe. Une seule pièce a pu échapper, tirée par quatre chevaux, à l'enfer du feu français.

Julien fait atteler en toute hâte. Un avion allemand a surgi dans le ciel. L'*Aviatik* tourne autour du champ de bataille, à la recherche de la batterie française. Son aviateur, sans doute dépité de ne repérer qu'une pièce sur quatre, ne peut croire qu'un seul canon a fait autant de dégâts.

– Gare aux représailles des 105, crie Julien. Reculons au galop !

Les servants du 5e régiment réagissent au quart de tour. Leurs percherons emportent déjà la pièce en contrebas, vers la rivière. Nivelle a réussi à faire lancer par le génie, en un temps record, un pont de bateau. Le reste de la batterie du lieutenant Charpy effectue la traversée avec le convoi de munitions. À lui seul, Julien vient de permettre la création d'une tête de pont, que les pantalons rouges de Saintes élargissent en multipliant les attaques. Il a détruit, avec sa pièce, la batterie ennemie qui empêchait sur ce point le franchissement de l'Aisne.

Le capitaine de réserve Adrien Guette, responsable de la batterie, nomme aussitôt Julien maréchal des logis pour cet exploit. Il sera mentionné dans une citation. «Pour toi, Léon ! », pense le frère récompensé, à qui l'on demande de refaire aussitôt ses réserves d'obus : il va prendre la tête de la colonne qui doit attaquer le Chemin des Dames par Craonnelle, avec la batterie au complet.

– Les fantassins de Saintes y sont déjà, dit Julien. On distingue dans les ronciers les pantalons rouges à la jumelle.

– Oui, mais la crête est une taupinière percée de cavernes, les creutes, précise Adrien Guette. Il faut s'attendre à des surprises. Les Allemands s'y sont cachés et, derrière l'éperon, ils ont de l'artillerie lourde en pagaille.

« Pessimiste », se dit Julien. En allant très vite, on peut toujours surprendre. »

Craonnelle est occupé, mais le village est au centre d'un hémicycle dominé par la falaise du Chemin des Dames, au flanc du plateau de Vauclerc. Les Allemands y sont en force, bien abrités dans leurs tranchées. En face, du côté du plateau de Californie, Craonne : Craonne, Craonnelle, le général Franchet d'Espérey, arrivé à cheval avec son état-major sur son observatoire, veut occuper les deux, pour emporter la crête le moment venu.

Le 22 septembre au matin, il commande aux fusiliers de Saintes de partir à l'assaut. Les braves soldats de la Saintonge s'élancent au coup de sifflet des officiers. Julien se hâte d'avancer sa batterie à l'abri des murs des fermes occupées de Craonnelle pour pouvoir tirer au plus près, comme à son habitude, sur les pièces ennemies.

Elles se taisent. Les Français avancent sur trois cents mètres, mais se heurtent bientôt, devant Craonne, à un feu nourri de mitrailleuses. Julien fulmine, impuissant, car il ne peut tirer dans la masse des combattants dont les lignes sont étroitement imbriquées.

Dans l'après-midi, alors que les Français comptent leurs pertes, le canon lourd de l'ennemi se met à tonner. Impossible de contrebattre ces batteries invisibles qui canardent par-dessus l'éperon du Chemin des Dames. Les Allemands ne sortent pas de leurs trous. Ils laissent les 105, les 150 longs, les *Haubitze* de 210 marteler les champs de betteraves, de blé et d'orge, les prairies déjà défoncées, où les survivants du régiment de Saintes se sont enterrés à la diable.

Les hommes reçoivent bientôt l'ordre de se retrancher dans Craonnelle, à l'abri des ruines. Mais les pierres des maisons détruites finissent de voler en éclats sous les marmites. Le village, au centre de son hémicycle, est une cible trop facile pour les canons tirant en surplomb. Force est de rétrograder pour établir, plus bas, une position de repli acceptable.

Julien a dû conduire avec diligence la retraite de sa batterie, sans avoir pu donner. Ses chevaux dételés, épuisés, s'abreuvent dans l'Aisne. Un cavalier s'approche. C'est Robert Nivelle.

– La tranchée! dit-il à Julien qui claque des talons. La tranchée devient le symbole de cette guerre! Tu n'as plus rien à faire ici, petit. Ton courage et ton astuce ne servent à rien dans cette guerre de taupes. Nous nous reverrons peut-être. Tu prendras demain le train pour Fontaine-bleau. C'est un ordre!

En gare de Fismes, Julien ronge son frein. Il a pourtant belle allure, avec son képi liseré de rouge arborant le numéro du 5e régiment, dont la réputation est parvenue jusqu'à l'état-major de Joffre. Ses brisques dorées de maréchal des logis sur les manches, ses bottes noires impeccablement cirées, le grand sabre courbe au côté, on dirait un officier d'état-major frais émoulu. Un de ces

« planqués » que l'on commence à détester dans les lignes. Comment celui-là, si jeune, a-t-il gagné ses galons d'or ?

Ni moustache, ni barbe, Julien se rase de près, avec les moyens du bord, l'eau de sa gourde, si besoin. Jamais de vin. Il ne veut pas perdre la tête. Il n'a rien d'un poilu. Son visage imberbe paraît si juvénile, se dit sa voisine de compartiment tout en retirant avec précaution son tricorne à voilette, puis en secouant ses boucles blondes. Elle le regarde à la dérobée, dans ce wagon de deuxième classe où la compagnie a laissé en place les fines dentelles blanches sur les sièges réservés aux officiers de retour du front.

Julien s'y est installé sans vergogne, ne voyant que des civils : un curé septuagénaire en soutane de serge noire lisant son bréviaire, un couple de bourgeois en route pour l'arrière comme on part en vacances, avec des cartons à chapeaux et des perruches en cage. Un train de temps de paix, pour des évacués. Ni soldats, ni blessés. Un rêve de confort. Le canon tonne à dix kilomètres, mais Julien se croirait presque sur le chemin béni de la vie civile.

Le bourgeois porte le ruban de la Légion d'honneur au col de sa redingote. Un retraité, sans doute, qui toise Julien d'un œil critique : que fait ce sous-officier dans un wagon de seconde classe ? Ignore-t-il le règlement ? Il devrait voyager en troisième, sur un banc de bois. D'ailleurs, pourquoi prend-il un train se dirigeant vers l'arrière ? Est-il le seul à pouvoir s'offrir une permission ? Fâcheux signe des temps, l'armée foule aux pieds la discipline et ne respecte plus la hiérarchie. Il déploie bruyamment son journal *Le Temps* pour consulter les cours de la Bourse, pendant que son épouse sort de son sac un nécessaire à tricot de laine bleu marine : un cache-col pour les soldats.

Fin septembre, le temps est frais de grand matin. La bourgeoise frileuse rapproche ses bottines à boutons de la plaque de fonte qui, au milieu du compartiment, permet de se chauffer les pieds. Elle sourit à sa blonde voisine, si convenable dans sa robe de laine noire, égayée d'un collet et de poignets blancs. Elle brûle d'engager la conversation, mais la jeune femme reste silencieuse, absorbée dans la lecture d'un roman d'Henri Bordeaux.

Par la fenêtre, Julien regarde s'ébranler, dans la stridence des sifflets des machines, les convois de munitions et de matériel en route vers le front. Il tire de son gousset l'oignon en or, cadeau de sa tante Amélie pour ses dix-huit ans.

— Nous serons à Paris pour midi, dit-il à la lectrice qui vient de lever les yeux de son roman.

La bourgeoise pousse un soupir agacé. Paris! Ce blanc-bec doit avoir rendez-vous dans un théâtre. On dit qu'ils ont rouvert leurs portes depuis la victoire de la Marne. Ou dans quelque restaurant où se pressent les officiers de l'intendance.

— Sans doute, répond la jeune femme en esquissant un sourire. Êtes-vous de permission?

— Non pas. Pas de perme pendant la course des armées vers la mer.

Le bourgeois froisse son journal, exaspéré. Le gandin ose parler à une dame? Sans doute une épouse d'officier, de retour de l'arrière immédiat du front, où elle a pu revoir son mari au repos entre deux assauts. Comment ose-t-il?

— Êtes-vous parisienne? s'enhardit Julien, avec son culot de Montluçonnais qui savait aborder sans préambule quelque cavalière de la Chorale, les jours de bal. Je ne connais pas du tout Paris. Auriez-vous l'adresse d'une bonne table à me conseiller ? Je me changerais volontiers les idées…

La jeune femme s'attendrit. Le margis au visage d'ange va vite en besogne.

— Je ne fréquente guère les restaurants, lui répond-elle. Mais il me semble que sur le boulevard des Capucines, dans le quartier de l'Opéra, le café de la Paix est un bon endroit. On y rencontre beaucoup d'Anglais, c'est un signe.

Julien, qui n'a pas fait un vrai repas depuis le début de la campagne, rêve d'une table nappée de blanc, garnie de cristaux, fumante de gigots à l'ail et de purée mousseline, pour lui, le fin du fin de la gastronomie.

— Êtes-vous de ce quartier ?

— J'y travaille, en effet.

Il ne s'en étonne pas, pour avoir entendu dire qu'à la ville on recrutait des femmes à la distribution des lettres, et même à la conduite les tramways. Mais celle-ci a les mains trop fines et soignées pour ces travaux d'hommes.

— Sans doute êtes-vous sténo-dactylographe ?

Il prononce ce mot, qu'il trouve poétique, avec emphase, comme s'il voulait témoigner de son goût pour les métiers modernes, également du respect que lui inspirent les femmes évoluées qui ont su décrocher des emplois brillants. Elles sont encore si peu nombreuses dans les bureaux de l'administration qu'elles paraissent, aux yeux de Julien, une élite indépassable.

— Non pas, consent-elle à le renseigner, avec quelque coquetterie. Je suis «première» chez Patou.

Julien sourit d'un air entendu, alors même qu'il ignore le nom de l'illustre maison. La bourgeoise plonge le nez dans son tricot. Elle connaît par les journaux le couturier de la rue de la Paix, une des gloires de Paris, mais n'y fait pas tailler ses robes, par souci d'économie. Les modèles du *Petit Écho* lui semblent largement suffisants. Qu'une jeune femme occupe une situation aussi prestigieuse lui semble suspect. Elle se permet, de plus, de deviser avec un inconnu. La tricoteuse lève les yeux au ciel, puis regarde son mari, renfrogné derrière son journal.

— Tout le monde n'est pas au Chemin des Dames, lui susurre-t-elle.

— Étiez-vous au front? demande la jolie «première» à Julien.

— Je reviens du Chemin des Dames, répond-il à voix forte, ayant surpris le chuchotis malveillant de sa voisine de gauche. Et j'étais à la Marne, où les pruneaux tombaient dru, au point d'y tuer mon frère.

Un bref silence s'abat dans le compartiment. En même temps que le couple de bourgeois gênés, Julien a détourné les yeux vers la fenêtre. Mais la jeune femme y a vu l'ombre de sa peine, qu'il a vite maîtrisée.

«Si jeune, et déjà meurtri par la guerre, songe-t-elle.» Émue, elle se penche vers lui :

— Resterez-vous longtemps à Paris?

— Une heure, peut-être. Le temps d'attendre mon train pour Fontainebleau, où je prends rang à l'école des élèves officiers d'artillerie.

Julien n'a pas osé pousser au-delà ses avantages, face à une femme discrète et élégante, de surcroît son aînée de plusieurs années. Son titre de « première » l'impressionne autant que si elle était danseuse étoile ou vedette de la Comédie française. Il s'empare d'autorité de ses bagages, sur le quai de la gare de l'Est, et l'accompagne jusqu'au fiacre où elle monte avec grâce, refusant les taxis.

Le soldat n'a évidemment pas le loisir de chercher la rue de la Paix. Guidé par un gamin, il prend le métro jusqu'à la gare de Lyon, où il attend sa correspondance pour Fontainebleau. Ce samedi matin, la gare est comble, à croire que tous les Parisiens, paniers pleins de victuailles, gagnent leurs maisons de campagne ou partent pique-niquer en forêt. Comme si la guerre n'existait pas.

L'accueil à l'école d'artillerie de Fontainebleau est des plus froid. Ses camarades viennent de tous les régiments du front, et les grades ne comptent pas dans la promotion. On croise dans les couloirs des lieutenants, venus perfectionner leur expérience du feu sur des pièces de campagne ou sur des canons lourds, dont on conçoit l'utilité pressante. Ils sont affectés aux vieux tubes du système Debange, car les prototypes des 155, enfin commandés aux usines Schneider du Creusot, ne sont toujours pas disponibles.

Les élèves sont, pour la plupart, des étudiants sursitaires des écoles d'ingénieurs, à peine sortis de l'instruction accélérée et dépêchés là pour y prendre leurs galons d'aspirants, mais aussi des margis et de simples brigadiers, qui viennent, comme Julien, acquérir des connaissances théoriques. Ils portent quelquefois le ruban vert et jaune de la médaille militaire.

« C'était la place de Léon, pense Julien avec tristesse. Il en était plus digne que moi. »

Autant de visages crispés, pressés, peu communicatifs. Le brigadier maréchal des logis prend ses quartiers aux Héronnières, une caserne triste où les élèves dorment dans des dortoirs aux murs gris. Celui de Julien comprend vingt lits.

Joffre a exigé la formation rapide des artilleurs, compte tenu des pertes au front. Ils sont là plus de trois cents, pour la plupart endurcis au front. Mais beaucoup de ces hommes de dix-huit à vingt ans ne savent guère monter à cheval et ignorent tout des « ficelles » de la pièce dont ils n'ont qu'une connaissance théorique.

Julien est aussitôt engagé, l'après-midi, dans une manœuvre du canon de 75. Il pourrait sans peine servir d'instructeur, tant ses connaissances pratiques égalent celles de l'adjudant qui entreprend de dénombrer les organes, tout en expliquant le principe de la mise en batterie. Il a tout de même beaucoup à apprendre du système de frein hydraulique et de son démontage auquel procède un vieux capitaine aux mains noires de cambouis. Ce vétéran assure que tout officier doit être capable de réparer la pièce au front, dans un temps record. Il estime, pour sa part, essentielle la connaissance pratique de chaque type d'obus.

Ceux-ci sont alignés dans la cour du quartier, et démontés avec minutie l'un après l'autre. On attire l'attention des élèves sur les dangers d'explosion des obus mal tournés, et sur la nécessaire propreté de l'âme du canon. Détail qui ne surprend pas Julien : il a vu des quantités de projectiles exploser en déchiquetant le tube porté au rouge par la cadence du tir. Certains de ses camarades ont dégusté.

Il surprend l'instructeur par ses connaissances approfondies des mécanismes de tir, et par son adresse au manège où tant de camarades ont tout à apprendre. Après plus de trois heures de manœuvre, il rentre vanné au réfectoire installé sous une tente, où un repas de qualité médiocre et survolé par des essaims de mouches lui est servi à la diable.

Rien ne peut étonner Julien, ni le dégoûter. Il veut ses galons d'aspirant. Tôt le lendemain, réveillé par la diane, il se rend, sacoche sous le bras, aux cours théoriques où il se sent, d'entrée de jeu, très inférieur aux élèves sortis de Polytechnique lesquels doivent aussi passer par Fontainebleau avant de commander au front.

Il songe brusquement que la raison de son engagement à dix-huit ans était d'éviter la seconde session du bachot, où il craignait d'être recalé. Le voilà revenu sur les bancs d'une classe, contraint de tracer des triangles isocèles au compas, manier la table des logarithmes et calculer les angles au degré près, tel un potache. Il ne s'en offusque pas. Il a trop observé le savoir-faire des officiers pour ignorer que la précision de la triangulation garantit, au front, l'efficacité du tir.

Pleinement du niveau de la classe de mathématiques élémentaires, sorti d'un bon lycée technique, il se situe, entre les ingénieurs et les brigadiers dotés du seul certificat d'études, dans une honnête moyenne. Aussi envisage-t-il l'avenir avec confiance. Mais la tristesse de la chambrée du soir lui fait regretter de ne connaître ni le nom ni l'adresse de la dame en noir du train de Fismes.

Pendant que Julien retourne à l'école et que Raymond rampe dans la boue du camp de la Courtine, Jean est au désespoir. Il a écrit dix lettres à Clelia et n'a pas reçu la moindre réponse. On a constitué, dans les unités, un service du courrier, mais les vaguemestres assurent que les centres de tri sont débordés, que le courant ne passe pas. Quant aux lettres destinées aux poilus, elles courent le long de la ligne du front pour suivre à la trace, mais avec quelle imprécision ! le mouvement des unités. L'armée, isolée de l'arrière, ne reçoit pas davantage les journaux et doit se contenter des informations dispensées par les officiers.

Le moral s'en ressent. Depuis le 25 septembre, le front de Picardie s'est tout de même stabilisé sur la ligne de Thiescourt à Lassigny, et jusqu'à l'Oise. C'est le secteur de la 26e division qui a creusé ses tranchées, les premières vraiment organisées depuis le début de la guerre, comme si l'unité devait y séjourner longtemps. La situation de l'ex-capitaine Migat a été régularisée. Il est nommé colonel du 121e, pendant que le lieutenant Gérard, pour sa part, se retrouve capitaine à vingt-deux ans, avec la responsabilité d'une compagnie réduite à deux cents hommes.

Signe des temps : devant l'hémorragie des officiers, de nouveaux gradés qui n'ont pas connu la guerre arrivent au front. Le moindre des caporaux en sait plus long qu'eux sur la technique du feu. Gérard a touché, comme chef de bataillon, un commandant, Jean-Baptiste Latouche, qui vient d'assez loin, de l'autre côté de la ligne de bataille : il a passé le début de la guerre dans la citadelle de Verdun, à l'état-major du général Sarrail, chef de la IIIe armée, où il s'ennuyait.

On mourait partout autour de lui, mais rien ne se passait à Verdun, éperon oublié de la guerre. L'occupation essentielle du chef de bataillon sans troupes, affecté à l'état-major, était de dresser des statistiques sur les unités ennemies grâce à l'étude minutieuse de la correspondance de leurs prisonniers au deuxième bureau. Il écrivait à sa femme qu'il avait «honte de ne pas avoir grand-chose à faire». Édmée Latouche, son épouse, élevait ses cinq enfants avec son traitement de professeur de français au lycée Fénelon et la solde de Jean-Baptiste mobilisé. Les lettres de son mari étaient envoyées sous le tampon de l'armée Sarrail, qui transmettait au GQG, et celui-ci à la place de Paris : un circuit privilégié dont ne pouvaient évidemment pas bénéficier les poilus.

La plupart de ses camarades de l'active avaient été tués, blessés ou faits prisonniers. Sarrail lui-même, laissant pousser sa barbe, semblait blanchir sous le harnais.

Le front ripait autour du «saillant» de Verdun, sans l'entamer moindrement. Le commandant déplorait cette guerre de siège qui pouvait durer cent ans. À quarante-quatre ans, il était temps pour lui de faire ses preuves au feu, au lieu de rester inactif dans un bureau d'état-major, même si, en octobre 1914, il n'avait guère d'espoir dans une conclusion rapide de la guerre. Raison de plus, écrivait-il, «d'apprendre à retourner la terre, pour s'enterrer jusqu'à la victoire».

Le bon apôtre! Au 121e, ceux du premier bataillon ne l'ont pas attendu pour s'installer dans la tranchée. Il comprend très vite qu'il ne peut rien apprendre à des briscards comme Duval de Champignier, champion du Tour de France 1913, au boxeur Joannin, à l'astucieux plombier nérisien Jules Massenot ou à Jules Bousquin, de la Genebrière, le premier fusil du canton, et encore moins au sous-lieutenant Jean Aumoine. Ces gens-là manient la pelle à la perfection et tracent la tranchée au cordeau. Ils savent, pour l'avoir maintes fois éprouvé, qu'il y va de leur avenir proche.

N'ayant rien à faire sur ce front devenu parfaitement immobile, le commandant est désespéré. Sa présence a le don de tranquilliser les secteurs. Hier Verdun, aujourd'hui la Haute Picardie. Puisqu'il ne sait guère que rédiger des rapports d'une écriture soignée, et que personne ne lui demande plus rien, il s'enterre dans son PC, écrit à son petit garçon Albert, élève de 6e au lycée Henri-IV, une lettre charmante où il décrit la tranchée. Définition? «Une tranchée c'est un fossé plus ou moins large précédé par un parapet de terre plus ou moins épais de manière à mettre les hommes à l'abri.»

Albert pourra-t-il éblouir ses camarades avec une telle littérature? Pas de hauts faits, rien que des précisions rassurantes dans la lettre du paternel : les hommes recouvrent le fossé de branches et de paille, de planches, de portes de maison, pour se protéger de la pluie. Le soir, ils fument la pipe, assis sur la banquette, pendant que les guetteurs surveillent les gens d'en face, distants parfois de cinquante mètres seulement, par les créneaux du parapet.

Restera-t-on longtemps dans cette position? Le commandant Latouche ne le pense pas, ne le souhaite pas. À preuve? Les W-C de tranchée sont installés très provisoirement dans une petite galerie annexe. Quand ils sont pleins, on les rebouche, et l'on ouvre une galerie plus loin. Rien de permanent ni de durable. Des latrines négligées, sans écoulement, sans purification, pour des troupes en campagne qui ne se soucient pas de se fixer durablement.

— Nous ne moisirons pas ici, dit Jean quand le commandant Latouche l'interroge. Nous n'aurons pas le temps de fumer matin et soir toute la terre picarde. Nous aurons torché les Boches avant.

Le père commandant ne manque pas de donner une leçon de morale à son fiston dans ses lettres quotidiennes : «Tu vois, lui écrit-il, que la tranchée n'est pas le paradis, le vrai courage ne consiste pas à se jeter plus ou moins bravement sur l'ennemi, mais à supporter les fatigues et les privations. Nos braves gens n'en seront que plus méritants et la France devra une belle récompense à tous ces pauvres diables, qui, par leur ténacité, auront permis à nos amis les Russes d'arriver et de dicter la paix à Guillaume, qui, sois-en persuadé, ne doit pas rire tous les jours à l'heure actuelle. »

Latouche s'émerveille de l'ingéniosité des soldats, qui s'aménagent des lits dans les parois du fossé. Il les décrit comme un Européen, voyageant en Amérique au XVIIIe siècle, l'aurait fait d'une tribu d'Iroquois ou d'Abencérages. Pour dormir, ils ont trouvé des couvertures, des peaux de bique. La garde dure vingt-quatre heures et les sentinelles mangent froid. En théorie, car le commandant Latouche est très surpris de voir le sergent Nisard faire du feu dans un boyau, comme si l'on pouvait impunément risquer de signaler une position à l'ennemi. Le front est si tranquille qu'on fait griller les premières châtaignes. En face, ils en font autant et la bonne odeur des marrons se répand d'une ligne à l'autre. Le commandant Latouche n'est plus persuadé de pouvoir un jour faire la guerre. Ici, en Picardie, on attend les Russes et l'hiver.

Quand la guerre s'immobilise, les hommes se surprennent à penser à eux-mêmes, à leurs familles. Ils se sentent seuls, abandonnés, inutiles, oubliés par l'arrière. Rien ne dit que la guerre se terminera «aux premiers marrons», puis «à la chute des feuilles», et pas davantage aux «neiges de Noël».

Les Allemands qu'on aperçoit en face sont très jeunes, (une nouvelle levée); quand ils sont plus âgés, ce sont des réservistes venus de Prusse. Ils s'organisent pour tenir, et ne cherchent pas, sur ce secteur du front, l'occasion d'attaquer. Tout juste répondent-ils par des salves nourries aux provocations inutiles de l'adjudant Castaldi, qui plante un képi au bout d'une perche pour attirer les tireurs ennemis et tente de les dégommer dès qu'ils se découvrent, comme à la foire. Le capitaine Gérard fait cesser ces pratiques.

Sur le front régularisé de Picardie, le courrier s'organise enfin au début d'octobre. Alors seulement, Jean reçoit une lettre de Marie lui annonçant la mort de son frère Léon. Il a vu tellement de gens mourir autour de lui, ses camarades, ses proches, qu'il ne voulait pas envisager la mort de ses frères, comme s'ils étaient, à son image, invulnérables.

Les quatre fils Aumoine avaient été, dans Villebret, comme un faisceau d'énergies rassemblées. Ils semblaient protéger de leur escorte rassurante la frêle Marie, leur mère, qui avait du courage pour quatre et leur avait insufflé sa force. Elle s'était toujours attachée à ce qu'ils restent proches les uns des autres, à prévenir les querelles, à désarmer les jalousies. La mort de Léon est une catastrophe qui les isole dans la guerre : à chacun son trou.

À la lettre de Marie, Jean répond avec tendresse. Il ne peut ni la rassurer – elle sait comme lui qu'il peut mourir demain – ni la bercer de vagues et vaines promesses de paix. Sa mère ne se paye jamais de mots. Elle n'est sensible qu'à l'intensité du présent. Son Jean est là, il lui reste. Il l'aime. Comme son Julien et son cher Raymond. Mais ils sont tous avec elle et sa pensée les rassemble encore. Jean ne songe pas à la consoler, il évite de rappeler les beaux jours de leur enfance, il lui demande son soutien. Chacun des frères a besoin d'elle, plus que jamais. Jean le premier.

Accablés de solitude, les hommes rentrent en eux-mêmes à la tombée de la nuit, quand le crépuscule, sur les collines de Picardie, n'annonce plus qu'une nouvelle aube de guerre. La joie disparaît de ces visages jeunes qui accusent déjà les rides de l'angoisse.

Jean pense à Clelia, éperdument. Ses lettres adressées à l'hôtel de Gramont-Caylus sont restées sans réponses. Qu'est-elle devenue ? Il repousse l'idée qu'elle pourrait ne plus l'aimer. Elle a pris de tels risques pour le sauver qu'elle fera tout pour le revoir.

«Mais que peut-elle? se dit-il. Sans doute a-t-elle été démasquée, arrêtée, malgré la protection de la comtesse. » Il revoit ses yeux admirables, son sourire attendri, mais ne retrouve pas le son de sa voix. Par là commence sans doute l'oubli des êtres, on ne les entend plus parler. Il s'en désespère.

Écrire encore, insister. Si elle n'est plus à Paris, ses lettres finiront par émouvoir la comtesse. Elle lui fera signe, lui donnera une piste, une explication, même fausse. De nouveau, au crayon, il écrit à Clelia, comme un prisonnier balance un message par la fenêtre, pour qu'un passant le ramasse et le porte à destination.

Je ne sais mon amour si tu es encore en France. Es-tu morte, es-tu vive, dans ce cataclysme de l'histoire? As-tu renié l'amour que tu me portais hier encore, aussi chaud qu'un enfant dans ton sein, quand nous étions des fugitifs? Cette idée me laisse sans courage. Dieu, que la mort me prenne si tu ne m'aimes plus. Je ne vis que pour toi, par ton souvenir, par ton image qui s'éloigne. Te reverrai-je jamais?

La trompette du soir gémit dans le crépuscule, accentuant l'angoisse.

Je songe à ces minces lignes de feu continues qui se font face et qu'il nous est impossible d'abandonner sous peine de mort immédiate. Qu'il serait doux d'en sortir, nu et sans armes, pour marcher vers toi, au risque d'en mourir — il faut que tu saches bien que ma vie ici perd chaque jour de son sens, puisque la guerre s'ingénie à tisser l'immobile, à me fixer au fond du trou, comme un insecte.

Autour de lui les hommes s'ensevelissent eux-mêmes, se cachent sous les couvertures, allongés au fond des niches creusées dans la paroi, comme le faisaient les premiers chrétiens dans les catacombes.

Je sens bien que tu n'es pas libre, ils t'ont rendue aveugle et muette. Tu ne sais plus rien de moi. Les souvenirs s'effilochent, tombent comme les illusions au dur vent de l'oubli. Tu cherches en vain à retrouver le fil fragile qui te conduit jusqu'à moi. Mais de la fente de la terre où je suis tenu captif, personne ne s'évade que par la mort. Nous sommes des millions, immobiles, au fond des lignes. Ton frère est peut-être en face de moi, hussard sans bottes. Que ne puis-je le rejoindre, pour lui parler de toi.

Une fusée blanche éclaire le front de sa lumière électrique, révélant les baïonnettes des veilleurs assoupis derrière leurs créneaux.

Adieu Clelia mon amour! Que la nuit te soit douce! Éteins les paillettes de tes yeux et endors-toi. Un jour peut-être je viendrai te réveiller. Jusque-là, je garde pour moi seul mon désespoir.

Clelia n'a jamais reçu cette lettre, pas plus que les autres. Le contrôle postal a fait son office. Un jeune officier écrit à une étrangère, probablement placée et gagée chez une comtesse. À ouvrir. Un sous-lieutenant arrivé par le rang souhaite trop vivement la fin de la guerre ? À suivre. À archiver. Le moral d'un officier est atteint. À transmettre à la sécurité militaire, pour examen.

Une enquête discrète établit que la jeune fille, en correspondance avec la Suisse, travaille à l'Ambulance américaine de Neuilly, parcourant la ligne du front. Qui l'empêche de transmettre des renseignements à Lausanne, où ils seront récupérés par les agents allemands ?

Un ami de la famille, travaillant au service du chiffre du 2ᵉ bureau de l'armée, avertit la comtesse de Gramont-Caylus. Une jeune personne de sa maison intéresse la sécurité. Le contre-espionnage a fait le rapprochement entre l'infirmière inscrite à l'Ambulance sous le nom de Bellini – nom de la marquise, sa mère – et la fugitive de retour d'Allemagne avec un sous-officier français qu'elle a aidé à s'évader.

On sait qu'elle s'informe au front des numéros des régiments d'infanterie. Sa véritable identité, Clelia von Arnim, a été clairement établie par les enquêteurs de l'ancienne ambassade française en Allemagne, en particulier par le consul à Munich. Un officier du service de renseignement est spécialement chargé d'avertir avec courtoisie la comtesse que sa jeune protégée est malheureusement indésirable sur le territoire de la République française en guerre avec l'Allemagne.

Madame de Gramont-Caylus a écrit à mots couverts à son amie Bellini, à Lugano. La *marchesina,* morte d'inquiétude, s'est dite prête à venir chercher son enfant à Paris. Inutile. L'officier ami s'est offert à reconduire lui-même Clelia chez sa mère. Ce baron de Cortepiana, agent français de renseignement, se rend justement à Lugano pour mission. Il fera un détour par le château des Bellini.

La comtesse présente très naturellement ce voyage à Clelia pour ne pas l'inquiéter. Sa mère souffrante souhaite sa présence. Elle se sent isolée en Suisse et cherche le réconfort de sa fille chérie, qui doit poursuivre ses études de littérature italienne au collège de Lugano. Quoi de plus normal? Sous quel prétexte la jeune Clelia refuserait-elle de se rendre au chevet de la marquise? Oserait-elle arguer d'un amour sans espoir pour un jeune français perdu dans les tranchées?

— Je vais m'ennuyer de toi, mon ange, dit Madame de Gramont-Caylus, mais ta mère m'a promis de te renvoyer dès la fin de l'année scolaire, pour t'inscrire cette fois aux cours de l'École du Louvre. Ils ont été interrompus par la guerre, mais nul doute qu'ils reprendront à la prochaine rentrée. Je sens bien qu'à l'Ambulance américaine plus d'un jeune garçon de Boston ou de Washington regrettera de ne plus voir tes beaux yeux. Ils devront patienter. Tu as eu largement ta part des horreurs de la guerre. Oublie-les dans les bras de ta maman, elle a besoin de toi, *carissima*, encore plus que moi s'il est possible.

Elle accompagne la jeune fille au wagon-lit du train de Bâle. Clelia est pâle, presque défaite. La comtesse est trop volubile, ses propos trop légers pour ne pas lui faire deviner les raisons de son départ. On veut l'éloigner. Elle ne peut en vouloir à ses proches. Vivre un amour fou dans un pays étranger avec un soldat ennemi relève en effet de la plus haute imprudence. Il est clair que la *marchesina*, sa mère, a été mise dans le complot pour l'éloigner de France à tout prix.

Le baron de Cortepiana s'est chargé des bagages et des formalités de passeport avec une diligence méritoire. Sur le quai, un autre agent des services secrets surveille discrètement l'embarquement, comme s'il craignait au dernier moment quelque fugue de l'enfant terrible. On ne prendrait pas plus de précautions avec une espionne. Il s'agit bien d'une expulsion discrète.

La comtesse a exigé de l'officier le nom et le secteur postal du jeune Français aimé de Clelia. Jean, qui se plaignait de ne recevoir aucune réponse à ses lettres, se voit enfin délivrer par un officier de l'état-major en mission sur le front une enveloppe blanche à son nom, marquée du chiffre comtal. Avec autant de fermeté que de délicatesse, on lui apprend que l'on connaît ses sentiments pour Clelia, qu'elle a tout fait pour le sauver et pour le retrouver, mais que sa mère souffrante l'a rappelée d'urgence en Suisse.

Il est trop galant homme, et, croit savoir la comtesse, trop honnête garçon pour ne pas comprendre que cette très jeune fille a besoin de l'affection des siens pour oublier des épreuves trop cruelles. Elle lui sait gré de sa compréhension et le prie d'accepter l'expression de ses sentiments d'estime et d'admiration pour son courage et sa valeur.

Jean reste longtemps prostré sur la banquette de la tranchée, gardant en main la lettre de vélin supérieur décachetée. Tout rentre dans l'ordre. Clelia est remise à sa famille. Un bel amour est fusillé sans procès, au nom des convenances, et il n'a rien à dire. Les liens les plus subtils seront tissés autour de Clelia, enfermée dans la cage dorée du palais de sa mère. Elle a volé à tire d'aile, le temps d'un été, au risque de se faire tuer pour lui.

La voilà perdue pour toujours. Son désespoir est tel qu'il peut attendre la mort, sur cette banquette de glaise. Le vélin blanc de la comtesse est un faire-part de deuil.

Ses proches, Jules Bousquin, André Biron, Maurice Duval comprennent que cette lettre au parfum de femme, qui ne provient pas du courrier ordinaire, contient une mauvaise nouvelle. Ils n'osent le questionner, mais restent à ses côtés.

Le commandant Latouche vient rompre le silence, s'adressant à Jean.

— Il me faut, dit-il, une équipe de volontaires pour capturer cette nuit des prisonniers chez l'ennemi. Il se passe des choses étranges non loin d'ici, un renforcement considérable d'effectifs à l'abri d'une carrière abandonnée. J'ai convaincu le colonel Migat. Qui suggérez-vous ?

— Moi, dit Jean.

— Vous n'y songez pas. Ce n'est pas un travail d'officier. Un sergent fera l'affaire.

— Nous sommes sergents, disent ensemble Bousquin et Duval, nous irons ensemble.

— Je vous le déconseille, dit Jean, sorti brusquement de sa torpeur. Franchir les lignes est une expédition dangereuse, risquée. Un seul homme résolu, connaissant les lieux, peut réussir. Pas trois.

— Soyez réaliste, dit le commandant. Pour convoyer vers nos lignes des prisonniers, vous devez être au moins cinq dans la patrouille.

— Nous y sommes, dit le clairon Biron. Quatre, plus Jules Massenot, ça compte.

— Tu l'engages sans lui demander son avis, proteste Bousquin.

— Tu sais bien qu'il aime les promenades sous la lune.

Le commandant n'a plus d'objection. Il déplie la carte d'état-major.

— Voici le secteur tenu par la division proche, la 25e de Saint-Étienne, autour de la ferme d'Attiche. Cette division appartient comme nous au 13e corps. La prise de la position, en face d'une ligne fortifiée ennemie, lui a causé les pertes les plus lourdes. Le régiment du Puy s'en est chargé.

— Je suppose qu'il a gardé la position, avance Bousquin.

— Certes. J'ai recueilli le récit du capitaine Bonnet, qui a donné l'assaut. Les ordres étaient de s'emparer de la ferme coûte que coûte, car elle est un observatoire de premier ordre sur toute la région. Le 86e a attaqué de nuit par surprise. Échec. Attaque reprise le 21. La ferme est à nous, mais un violent feu d'artillerie en chasse nos camarades. Ils repartent à l'assaut et s'en emparent, en y laissant un bataillon entier.

— La belle victoire, grogne Biron. Faut-il sacrifier les mille soldats d'un bataillon pour la conquête d'un seul observatoire?

— Quand cela évite des pertes beaucoup plus lourdes, assurément, poursuit Latouche avec agacement. Un autre bataillon entre en action et réussit à écarter l'ennemi. Mais le régiment est décimé, les officiers sont morts, les pertes très lourdes. À l'état-major, on n'annonce pas de relève. Le capitaine Bonnet m'appelle au secours, car il a constaté un phénomène anormal dans les lignes allemandes. La première tranchée en face de la ferme est presque vide. Mais elle se remplit en un rien de temps dès que nous attaquons. Les Allemands ont organisé leur position de telle sorte que son observation par nos guetteurs et même par nos aviateurs est devenue impossible. Bonnet est incapable de monter une opération spéciale de renseignement pour en savoir plus. Il demande de l'aide. J'ai obtenu l'accord de Migat et de la division. Ils acceptent de détacher de notre régiment, moins éprouvé, une équipe de choc pour en avoir le cœur net.

— Une promenade d'au moins une lieue dans les bois, en arrière des lignes ennemies, c'est un suicide. Quelle chance avons-nous de rentrer, demande Bousquin ?

Le commandant hésite. Ces hommes sont les meilleurs du régiment. Ils connaissent le secteur beaucoup mieux que lui. Il craint de s'être laissé entraîner par la détresse de Bonnet, son camarade de Saint-Cyr, et par sa propre passion du renseignement.

— C'est bon, dit Jean, j'irai seul.

— Et si tu te fais tuer, tu auras risqué ta peau pour rien, dit Jules Bousquin. Je pars avec toi. Nous devons être au moins deux pour rapporter les renseignements en cas d'accrochage. C'est l'évidence.

Les autres n'insistent pas. Ils lisent sur le visage déterminé de Jean qu'il accepte le concours de Bousquin, son frère, son ombre, son ami de toujours, parce qu'il ne peut s'engager dans une mission solitaire, purement suicidaire. Mais il n'a pas le droit d'y entraîner les autres. Ils comprennent et se résignent.

— Je le ramènerai, glisse Bousquin dans l'oreille de Biron. Cette affaire est une pure folie. Mais il veut partir se faire tuer. C'est ainsi. Je l'en empêcherai.

Ce jour-là, 6 octobre, Julien Aumoine se lave à grande eau devant le lavabo du dortoir. Il est le premier levé. Un grand jour, celui des épreuves au canon dans la clairière de l'Obélisque.

Il dirige le tir d'une pièce de 75, prend pour repère un arbre sec dont les branches dénudées forment une géométrie déliée dans le ciel, facilement repérable. La cible est un bastion constitué de fascines, identifiable à la jumelle. En quatre coups, Julien détruit l'obstacle. Même résultat sur une tranchée recouverte de branchages. Il obtient, de loin, la meilleure note de sa promotion et le maréchal des logis qui contrôle le tir le félicite chaleureusement.

Même bonheur au second exercice, dans une autre clairière de la forêt. Il est jugé sur la rapidité du déplacement et de la mise à feu d'une pièce attelée. Il prend le temps de se familiariser avec l'équipage et choisit de monter le cheval de tête. Sa capacité d'entraînement sur les hommes est telle qu'il est, une fois encore, mis au premier rang.

Ainsi se rattrape-t-il aisément des épreuves théoriques, où il est beaucoup moins à l'aise que ses camarades étudiants, grâce à son extraordinaire connaissance du canon et à sa virtuosité de cavalier. Il a de bonnes chances de pouvoir choisir son arme à la fin de l'instruction et s'en réjouit secrètement.

À quatre heures de l'après-midi, il est libre de parcourir les rues de Fontainebleau, fringant dans son uniforme, avec ses camarades au repos. Permission de minuit. Ils prennent le tram qui les conduit à la gare d'Avon, et le train pour Paris-gare de Lyon.

Il fend la foule des Parisiens de retour d'exode, rentrant dans leur ville désormais à l'abri, qui encombrent les quais de leurs bagages innombrables. Il se précipite dans le métro vers la station Opéra, tant il a hâte de faire sonner ses éperons et de parader sous ses galons d'or de margis sur les grands boulevards.

Pour oublier la guerre et ses drames, rien ne vaut assurément la capitale. Julien veut tout voir, mais aussi peut-être rencontrer, au hasard des trottoirs et des passages cloutés, cette jeune femme vêtue de noir du train de Fontainebleau, qui évoque à ses yeux la Parisienne, élégante, fine, active, pressée et cependant attentive. Est-ce un hasard s'il a choisi « Opéra » de préférence à toutes les autres stations ? La « première » a cité ce quartier comme si l'on ne pouvait pas vivre ailleurs. C'est là qu'il doit aller.

Éblouissement des façades ouvertes au luxe, au plaisir, à la curiosité, offrant à chaque coin de rue des spectacles alléchants.

Et d'abord les théâtres. À peine sorti du métro, Julien voit se dresser devant lui le décor d'un palais à rotonde. À l'affiche, il y a Réjane dans *Madame Sans-Gêne* de Victorien Sardou. Peut-il entrer pour réserver sa place ? La pièce se termine trop tard. Il manquerait le train du retour. Dans le sous-sol de l'hôtel Scribe, où les frères Lumière ont révélé aux Parisiens les premières bandes du cinéma, il trouve fermée la salle du Salon Indien. Mais il y a des salles de projection dans tout le quartier. C'est la nouveauté à la mode : les programmes changent chaque vendredi et présentent des courts-métrages « de caractère élevé et patriotique », selon la réclame.

Julien quitte la salle très vite. L'image de la guerre proposée au public parisien est fausse à hurler : des soldats joyeux, propres, disciplinés défilent dans les rues des villages de Lorraine, acclamés par la population. Aucune trace de combats, pas la moindre scène de guerre. Une farce lourdaude, sifflée par les enfants qui exigent des films comiques. Avec Max Linder dans *Max collectionneur de chaussures*, le public rit à gorge déployée.

Qui peut être tenté par les airs de tourlourou du Music-Hall, par les comiques troupiers ? Le public de guerre préfère les chansons lestes, les revues déshabillées. L'Olympia a rouvert ses portes, mais Julien ne lui accorde qu'une attention distraite. Il est beaucoup plus attiré par le café de la Paix, dont lui a parlé la dame en noir, et d'où sortent de nombreux officiers français et britanniques, sans doute en instance de départ pour le front. Il entre d'un pas décidé, commande au garçon un *Dubonnet* chaud, un vin cuit dont il a lu la publicité dans les couloirs du métro.

Y retrouvera-t-il la dame en noir ? Il ne connaît même pas son nom. Les rares jeunes femmes attablées avec des militaires ne portent pas de chapeaux, elles étalent les boucles blondes de leurs cheveux coupés déjà court, leurs

robes sans falbalas, très près du corps, montrant hardi-
ment leurs chevilles. La «première», si distinguée, rougi-
rait, pense Julien, de se trouver en compagnie de ces filles
légères. Pourquoi lui a-t-elle indiqué le nom de ce café? À
croire qu'elle n'y a jamais mis les pieds, ou qu'elle s'est
moquée de lui : les mousquetaires vont au couvent et les
militaires au boxon.

— Dites-moi, mon ami, demande Julien au vieux
garçon à tablier blanc qui observe d'un œil amusé ce
gamin de dix-huit ans, auriez-vous du feu?

— Certainement monsieur, dit-il allumant la cigarette
du jeune client tout en trouvant étrange qu'un simple
maréchal des logis se permette d'entrer dans un établissement fréquenté par des officiers supérieurs, comme un
blanc-bec égaré dans un mess.

— Connaissez-vous Patou? lui dit-il, presque à voix
basse, sans se compromettre, en avançant une pièce de
cent sous sur le marbre du guéridon.

— Monsieur l'officier a beaucoup de chance, répond
avec componction le garçon aux longs favoris blancs. La
maison de couture Patou est tout à côté, rue de la Paix.

Il consulte sa montre.

— Six heures moins cinq. C'est bientôt l'heure de la
sortie de ces demoiselles.

Elle est une des premières à franchir le seuil, au pas
pressé de ses bottines à boutons. Chapeau breton garni
d'un ruban rose, jupe claire et bouffante. Elle agite une
pochette blanche.

Julien s'avance, se croit reconnu. Elle ne lui accorde
pas un regard. Un lieutenant de hussards, en képi bleu

ciel et gants blancs, l'attend dans son tilbury pour l'emmener dîner au Bois.

Le trajet du retour vers Fontainebleau-Avon semble interminable dans les compartiments aux lumières en veilleuse.

« Comment un officier de hussards, se demande Julien presque à haute voix, peut-il se permettre de parader dans Paris, alors que son régiment exténué doit traîner ses chevaux sans fers dans les passes de l'Argonne ou sur les pentes des Vosges ? Quelque planqué d'état-major ! »

— Ou un officier de la Place, dit Émile Grosrichard, un artilleur venu de Moulins, à qui Julien se confie.

Les deux élèves de Bleau rentrent par le train des permissionnaires. Ils comparent leurs expériences décevantes.

— Les gens de la Place de Paris ont cru leur heure arrivée avec Galliéni, dit Grosrichard. Ils se voyaient déjà en tête des communiqués, au moment de l'avance de von Klück. Qu'ont-ils fait d'autre qu'attendre dans leur camp retranché, sans jamais rien voir venir ? Et depuis lors, ils font la fête.

Même si Paris semble triste aux Parisiens, tous feux éteints à partir de dix heures trente, elle est un paradis pour ceux, encore très rares, qui reviennent du front.

— Ces foutus Parisiens, dit Grosrichard, sont plus heureux qu'en temps de paix. Toutes les femmes sont à eux.

— Les cafés sont pleins, dit Julien. Je ne m'attendais pas à voir tant d'uniformes sur les boulevards. Ceux de l'arrière ont bien de la chance. Je me demande ce qu'ils peuvent faire.

– Les ministères, les dépôts, les cabinets ministériels, dit Grosrichard, les commissions d'achats, les comités de censure, les conseils de révision, la besogne ne manque pas quand on a un bon piston.

Julien se promet de ne plus jamais se rendre à Paris. Sa déconvenue lui donne à penser, très abusivement, qu'elle est la ville de toutes les illusions. Ceux qui se battent ne peuvent y trouver aucun réconfort. Ils n'y sont pas attendus.

Les vers de Rimbaud, appris par cœur en classe de français, lui reviennent brusquement en mémoire. Paris, « la cité sainte, assise à l'Occident ». Paris, martyre du siège de 70, capitale de la souffrance pour l'enfant de Charleville. Il a parcouru « ces boulevards qu'un soir comblèrent les barbares » sans émotion particulière. Il s'est attablé au café *de la Paix,* la « première » travaillait rue *de la Paix.* Oubliée dans Paris, la guerre. Pourtant les uhlans de von Klück y tiendraient le haut du pavé, si Léon et les autres n'étaient pas morts sur l'Ourcq.

Il retrouve sa sérénité le lendemain, quand il assiste à l'école d'artillerie aux résultats du classement par ordre de mérite. Avec ses camarades, au matin du 7 octobre, il se rend en cortège dans le théâtre de la ville, transformé en amphi. Grosrichard désigne le taureau sculpté par Rosa Bonheur sur la petite place, et ses attributs peints en rouge, *bene pendentes,* qui font la joie des artilleurs. Dans le théâtre tendu d'un grand rideau noir, les officiers ont fait afficher les noms des régiments où l'on recrute des cadres. Les élèves ont le droit de choisir en fonction de leur classement.

Julien se retrouve dixième de sa promotion, Grosrichard avant-dernier. Il est bon pour un régiment de 75 de campagne :

— Veinard, lui dit-il, tu as toutes tes chances pour l'artillerie lourde.

De fait, le major de la promotion, un polytechnicien, n'hésite pas. Ni le deuxième, ni les autres. Les 155 à canon court vont sortir des usines Schneider. On attend les prototypes. Pour les ingénieurs, c'est l'avenir. En outre, la «lourde» est plus sûre. On ne risque pas ses pièces en première ligne. Elles sont trop précieuses et peuvent tirer de loin.

Quand les choix sont exprimés, on retire les cartons du rideau noir. Il reste quelques affectations disponibles à Dole, à Besançon, pour les pièces lourdes. Mais Julien, son tour venu, annonce d'une voix ferme et forte : les crapouillots.

La salle applaudit à tout rompre. Il est le premier élève aspirant à choisir cette artillerie de tranchée qui commence à se mettre en place pour faire face aux *Minenwehrfer* des Allemands, dont le tir est meurtrier. Un pari dangereux : l'artilleur de tranchée se mêle aux fantassins et prend les plus grands risques.

Expert en 75, rompu au maniement des batteries à cheval, pourquoi Julien a-t-il choisi le combat de taupes ? Il s'est souvenu des paroles de Nivelle : «La tranchée, le symbole de cette guerre.» Plus de charges à la baïonnette, plus de hourras brillants des batteries cavalières. L'armée s'enterre pour survivre. Julien aussi. Le moyen de gagner, c'est de tenir. De tout son courage, il choisit l'arme la plus modeste, la plus efficace et la plus meurtrière, celle dont le nom fait peur, le crapouillot.

La nuit des Cinq Piliers

Le commandant Latouche a choisi, pour date de la mission du sous-lieutenant Aumoine, la nuit de pleine lune du 7 au 8 octobre. Jean et son ami Jules Bousquin ont arraché de leur capote les numéros de leur régiment et les insignes de leurs grades. Ils ont coiffé un passe-montagne de grosse laine qui leur recouvre une partie du visage. Poignard, revolver et baïonnette, avec un jeu de fusées à n'utiliser que dans l'extrême péril. Une carte au 45 000e, une lampe à acétylène, des cordes, un piolet de chasseur alpin, une boussole, et dans le sac des vivres pour deux jours.

Dans la journée, ils ont étudié les photos d'avion de la position allemande. Un sergent du 86e régiment du Puy est venu leur décrire l'attaque du 20 septembre, en détaillant bien les lignes de départ des contre-attaques ennemies.

Accompagnés du commandant Latouche et du lieutenant Gérard, le chef de leur compagnie, les deux hommes et le capitaine Bonnet, du régiment voisin, qui doit les conduire lui-même à l'avant des lignes, écoutent les ultimes recommandations pour une mission périlleuse.

«Nous avons tenté à plusieurs reprises, de reprendre aux Allemands le lieu-dit le Dessus-des-Carrières, à partir de la ferme d'Attiche, qui reste en notre pouvoir. Nous échouons à chaque fois : des renforts allemands surgissent en première ligne, alors que nous n'apercevons même pas leur parallèle de départ. Les tranchées d'Orsova et de Varsovie, peu occupées en apparence, et en temps normal par des troupes de la *Landwehr* (ainsi appelle-t-on la réserve dans l'armée allemande), sont inexpugnables, leurs défenseurs reçoivent, en cas d'attaque des renforts immédiats qui n'ont pas souffert des tirs d'interdiction de nos 75. Les paysans voisins de Dreslincourt, réfugiés dans nos lignes, assurent qu'il existe sous le bois de vastes réseaux de communications. À vous d'en repérer les entrées et de savoir de quels effectifs dispose l'ennemi sous terre.

La pleine lune devrait vous permettre d'avancer dans le bois de Dreslincourt, peu occupé par l'ennemi, et de repérer les entrées de souterrains gardées par des sentinelles, ajoute le capitaine Gérard. Ne prenez pas de risques inutiles. Tâchez d'intercepter une patrouille ennemie et de ramener si possible un prisonnier. Si vous ne pouvez y parvenir, trouvez une planque sûre dans le bois et observez dans la journée la marche des soldats.

— Nous déclencherons un simulacre d'attaque, intervient Latouche, pour provoquer un mouvement chez l'ennemi. Vous serez ainsi à même d'observer les allées et venues des troupes et, si possible, leurs points de concentration. Nous aurons enfin les éléments qui nous manquent pour engager une véritable offensive en direction du Dessus-des-Carrières. Des questions?

— Quelles sont les unités ennemies d'occupation ordinaire du secteur? demande Jules Bousquin.

— Nous avons eu affaire, ces jours-ci, au 53e régiment d'infanterie de *Landwehr*.

— Le capitaine m'a confié la lettre d'un officier capturé, dit le commandant Latouche. Un réserviste d'Essen, dans la Ruhr. Le haut commandement allemand n'a pas immobilisé en Picardie de troupes d'élites. Elles sont réservées à la course à la mer. Cette unité de *Landwehr* se compose de soldats de trente à quarante ans, peu propres aux coups de main rapides.

— Ils sont surtout là pour construire une ligne de tranchées solides, dit le capitaine Bonnet. Nos patrouilles les ont souvent surpris sur des chantiers. Ils plantent là leurs pelles et leurs pioches et disparaissent. Ils lancent des fusées fumigènes pour nous empêcher de les poursuivre. On dirait qu'ils sont rentrés sous terre, comme par miracle.

— L'officier allemand raconte dans sa lettre qu'il est peu au combat, sa troupe est occupée à poser des réseaux de barbelés. Les soldats sont victimes du temps froid et pluvieux, plus que des Français. Ils sont perclus de rhumatismes et toussent la nuit, pris de fièvre. Ils disposent d'une infirmerie très sûre et très sèche, à l'abri du vent et des tornades. Trois régiments de *Landwehr* seulement tiennent les lignes.

— Au cours de nos attaques, précise Bonnet, nous avons découvert que les réservistes n'étaient pas nos seuls adversaires. Ils étaient très vite renforcés par d'autres troupes, plus aguerries, et soutenues par des canons de 77 et des mitrailleuses portatives. Nous n'avons pas réussi à faire des prisonniers parmi ces troupes d'assaut, qui se retirent aussi vite qu'elles sont intervenues. Des patrouilles ont capturé et interrogé des soldats de la *Landwehr*. Ils refusent de donner le moindre renseignement.

— Dès que vous avez pu réunir des éléments intéressants, dit à Jean le capitaine Gérard, ne vous attardez surtout pas. Revenez aussitôt dans nos lignes et refusez le combat.

— Et si vous êtes pris, ajoute Latouche, gardez le silence sur votre mission. Dites seulement que vous aviez l'intention de faire un prisonnier.

Jean se contente de fixer la carte du secteur. Il ne pose aucune question, salue les officiers et rejoint sa tranchée à pas rapides.

— Si tu es le seul à en revenir, dit-il à Jules Bousquin, envoie cette lettre à Paris. N'y manque pas. Que je sois pris ou tué.

— Je n'en reviendrai pas sans toi, répond Jules.

Montés sur deux chevaux fournis par le capitaine, ils suivent Bonnet jusqu'aux ruines de la ferme d'Attiche, distante d'une lieue. Ils mettent pied à terre sans échanger une parole. La lune est déjà levée quand ils prennent leur dernier repas, dans une cave voûtée. Il sera bientôt temps de partir à pied dans le bois de Dreslincourt.

Un civil partage leur table.

— Votre guide, dit Bonnet.

L'homme salue du doigt sur la visière de sa casquette. Couvert d'une peau de mouton, chaussé de bottes de caoutchouc, couteau en main il tartine de fromage des tranches de pain bis qu'il mastique lentement, en les accompagnant d'un quart de café brûlant, arrosé de gnole. Sous ses sourcils broussailleux et grisonnants, ses petits yeux noirs fixent les arrivants. Il les jauge.

— Le père Tillon connaît la forêt comme sa poche, dit le capitaine. Il vous sera de la plus grande utilité.

— Braconnier ? demande Jules.

L'homme ne répond pas. À l'évidence, il connaît les gîtes de sangliers et les passages de lièvres dans les clairières. Mais il traque plutôt le Boche. L'armée le paie mieux que les charcutiers du canton.

— À soixante ans, dit Bonnet, il trottine comme un jeune homme. Vous aurez beaucoup de mal à le suivre.

Tillon jette un œil critique sur les gros souliers de marche de Jean et de Jules. Il fait un signe au capitaine.

— Changez de chaussures, dit Bonnet. Il ne veut pas s'embarquer avec des soldats à godillots. Prenez ces bottes courtes à semelles larges, elles ne font pas de bruit sur les feuilles mortes et s'enfoncent moins dans la boue.

— Pourquoi prendre un civil pour guide ? demande Jean.

— Les sentiers de la forêt sont un véritable labyrinthe, dit Bonnet. Les nôtres débouchent du côté des tranchées des Boches, faute de pouvoir se repérer. D'autres tournent en rond, pendant des heures, sans trouver la sortie. Vous ne pouvez vous en tirer seuls. La forêt est presque impénétrable. Il faut l'avoir parcourue toute sa vie, comme le père Tillon, pour s'y reconnaître, surtout de nuit. Sans lui, vous n'avez pas une chance.

Le vieux découpe une pomme dont il pique les morceaux, sans les peler, à l'Opinel. Il montre ses mains à demi gantées de laine, où seuls les doigts sont libres.

— Prenez ces gants, dit le capitaine. Les mains blanches ressortent sous la lune. Elles vous feraient repérer. Il faudra aussi vous maculer le visage.

Tillon se lève, toujours sans mot dire, il se barbouille de cirage noir, leur tend la boîte.

— C'est tout de même mieux que la boue, dit Jules Bousquin.

— Non, dit Jean. Ils nous prendraient pour des Sénégalais. Et dans ce cas, ils ne font pas de prisonniers. Je préfère encore la boue.

Le vieux range soigneusement son morceau de fromage dans sa musette, boit un dernier quart de café arrosé et leur fait signe de se préparer.

— Ce n'est pas l'heure, observe à sa montre le capitaine Bonnet. Nous avons dit dix heures.

Tillon montre la lune voilée de nuages, par l'ouverture de la cave.

— Le temps se couvre, dit le capitaine, habitué à interpréter les gestes silencieux du guide, et la pluie efface les traces de pas. Impossible de repérer ensuite les passages de patrouilles ennemies. Partez tout de suite. Vous avez une heure de bonne. Et parlez entre vous le moins possible. Tout s'entend dans la forêt.

Le capitaine prend Jean à part et lui confie :

— Monsieur Tillon nous a rendu des services signalés. Ses deux fils sont aux armées, l'un d'eux s'est fait tuer à la

Marne. Il vous conduira à l'entrée d'un souterrain qu'il est le seul à pouvoir repérer. Ne vous fiez pas aux apparences, cet homme est certes un sorcier, mais d'abord un patriote.

Jules Bousquin, à moitié rassuré, se saisit d'un Lebel au râtelier d'armes et d'une cartouchière. Le vieux fait des signes de dénégation.

— Pas d'armes à feu, dit le capitaine, sauf en cas d'extrême péril. Le moindre coup de fusil déchaînerait les Boches. S'il est pris, le père Tillon sera fusillé. Il est le seul à pouvoir nous aider. Il ne partira pas si vous gardez le fusil.

— C'est bon, dit Jules Bousquin, résigné. Nous nous battrons à l'arme blanche

— Grâce à Monsieur Tillon, vous irez droit au but, au point de départ de l'expédition. Il ne restera pas avec vous. Dès que vous serez en vue du souterrain, il reviendra. Son rôle est de vous mettre à pied d'œuvre, rien de plus.

— Soit, dit Jean.

Le vieux grimace un sourire. Il sait parfaitement que lui seul peut retrouver l'entrée de l'escalier qui conduit à la caverne. Il file en tête, suivi de Jules. Jean s'enduit le visage de boue et ajuste son passe-montagne. L'étrange patrouille prend à pas mesurés le sentier du labyrinthe.

Ils n'ont pas fait vingt pas que le guide se courbe jusqu'à terre, immobile. Il leur fait signe de se taire. Pétrifiés, Jean et Jules entendent distinctement un bruit de feuilles froissées, de branches écrasées. Ils s'abritent derrière le tronc d'un arbre. Le vieux s'est tapi derrière un roncier.

Les pas se rapprochent. Des bruits de bottes qui s'enfoncent dans la glaise. Les éclairs des baïonnettes sous la lune. Une patrouille de sept ou huit hommes défile devant eux à vingt mètres. Jean retient sa respiration, fait signe à Jules Bousquin. Il veut suivre les Allemands à bonne distance, planter là le guide.

Il prête l'oreille. Plus un bruit. La patrouille s'est volatilisée. Le guide est toujours tapi dans la ronçaille. Il fait signe de le suivre, dans la direction opposée.

— La patrouille est passée, se dit Jean, c'est le moment d'attaquer. Pourquoi ne pas marcher dans le pas des Allemands, entrer derrière eux dans la position?

Le guide fait signe que les abords sont minés. *Minen*, dit-il à voix basse. S'ils continuent, ils sauteront. La patrouille allemande suit un chemin balisé. Il montre les troncs d'arbre, marqués d'écriteaux. Il met le doigt sur des signes tracés en gothique, des initiales, des numéros. Il détache des broussailles un fil de fer à peine visible, montre les casseroles, les boîtes de conserve suspendues. S'ils s'y prennent les pieds, ils donnent l'alarme aux guetteurs cachés dans l'ombre. Les projecteurs s'allument, les mitrailleuses crépitent, ils sont perdus.

Il les entraîne à l'opposé, dans un sentier vite impénétrable. Les capotes s'accrochent aux ronces, les bottes trempent dans la boue. Le sentier débouche sur un tapis de fougères à hauteur d'homme, où Tillon l'ancêtre trouve son chemin sans hésitation. Ils ont du mal à le suivre, froissent les fougères, trébuchent sur les racines enchevêtrées.

Quand les fougères s'éclaircissent, des pruniers sauvages forment des masses sombres, hérissées d'épines. Dans ces refuges de sangliers, le vieux redoute de faire découcher une harde. Si les sangliers détalent, les *Mausers* partiront tout seuls. Il s'avance avec précaution sur un sentier qui s'infiltre dans la paroi répulsive, inhospitalière des épineux sombres. Jules et Jean rampent au ras des racines, pour éviter les épines et se redressent maculés de boue des pieds à la tête.

Impassible, le vieux désigne un rouleau de barbelés qui s'étire sur des dizaines de mètres. Il sort de sa musette une pince. Va-t-il se frayer un passage? Il leur fait signe d'approcher. Les Allemands n'ont pas repéré la brèche qu'il a patiemment ouverte, la nuit dernière, en rampant dans le réseau. De ses mains gantées, il écarte les fils, assez pour se faufiler prestement, et fait le geste de les remettre grossièrement en place, pour que l'ennemi ne se doute de rien. Jules a compris, il montre à Jean la manœuvre. Quand ils se retrouvent de l'autre côté du rouleau, Tillon glisse à l'oreille de Jean, désignant devant lui, dans la nuit, des rochers éboulés en calcaire blanc dont le sommet est bien visible sous la lune, à trente pas.

— Attention, position ennemie. Mitrailleuses.

Au lieu de s'approcher des roches, ils suivent le réseau de barbelés qui dessine sur le sol, de nouveau garni de fougères, des figures inégales de saillies et de retraits. Les hommes peuvent s'y cacher à l'aise.

Le guide s'immobilise. Il a perçu un bruit de feuilles froissées qui se rapproche. Une autre patrouille? Jules Bousquin sort son revolver de son sac. Tillon lui prend le poignet, le serre avec une force inouïe, comme pour le désarmer.

— Renard! dit-il en montrant l'animal à longue queue qui détale à toute vitesse vers les lignes françaises, bondissant entre les fougères.

Jules se retient de rire. Le renard vient de plumer les poules allemandes, les oies peut-être. Qui sait? Ils peuvent avoir un poulailler dans leurs abris.

Contournant les éboulis de roches, de nouveau bien visibles, le guide se met à plat ventre dans les fougères de la lisière, les soldats aussi. La clairière n'est pas tapissée d'herbes tendres, mais hérissée de ronces rampantes, de massifs serrés d'iris jaune sur fond de marécage, d'aubépines géantes et de bosquets de saules à grattons blancs.

De nouveau, un bruit de pas. Un soldat casqué se dérouille les jambes en marchant, sans méfiance, son fusil sous le bras. Jean Aumoine empoigne sa baïonnette, prêt à bondir. Le guide lui fait signe d'attendre. Le soldat allemand, un instant immobile devant la ligne des fougères, rebrousse chemin et s'éloigne.

— Sentinelle, murmure Tillon.

Jean Aumoine veut sauter sur l'occasion, neutraliser l'Allemand d'un coup de baïonnette, prendre son casque et son fusil, approcher impunément du centre de la position.

De nouveau le guide lui fait signe de rester tranquille. Une autre sentinelle fait les cent pas, rejoint son camarade, échange avec lui quelques mots. Ils disparaissent tous les deux dans la nuit, et ne reviennent plus.

Alors Tillon file comme un lièvre. Jean et Jules ont peine à le suivre. Il se jette dans un bosquet de saules, et montre, à dix pas, l'entrée de l'escalier soigneusement dissimulé aux regards par une toile de tente verdâtre.

— Ici, souterrain, dit le guide. Entrée du «chemin inhabituel». Il circule sous terre, sur deux mille mètres. Attention, Allemands!

Il repart en courant, courbé en deux, vers les fougères, abandonnant les deux amis à leur mission impossible. Jules et Jean sont au cœur d'une position ennemie, dont ils ignorent l'organisation et les défenses. S'ils n'agissent pas immédiatement, ils seront pris.

— J'y vais seul, glisse Jean à l'oreille de Jules, couvre-moi.

Il n'a pas le temps de bondir. La sentinelle revient, passe devant l'entrée du souterrain, gagne le bosquet de saules où sont tapis les Français. Jules Bousquin tire sans bruit sa baïonnette du fourreau. L'Allemand repère un éclat de lune sur la lame, il ajuste son Mauser. Jean lui saute à la gorge, pendant que Jules lui arrache son casque et l'assomme.

Il adopte le pas tranquille de la sentinelle pour s'approcher du souterrain, le Mauser sous le bras, la longue capote gris-vert dissimulant son uniforme. Son visage maculé de boue le rend méconnaissable. L'homme de garde à l'entrée de l'escalier de béton lui lance une phrase qu'il ne comprend pas. Jean l'a déjà bousculé, assommé. Il le traîne par les pieds en haut des marches. Jules l'a rejoint. L'homme est dépouillé, ligoté, laissé dans les ronces. Bousquin a pris son casque, son fusil et son manteau.

— Tu as noté le numéro, dit-il à Jean en désignant le casque à pointe recouvert d'une housse en *feldgrau* : 86ᵉ.

Dans les poches du soldat, Jean cherche ses papiers militaire : ils sont établis au nom de Gustav Roth, de Berlin. Il s'empare du portefeuille, et le fourre dans son sac. Bousquin n'oublie pas de se couvrir le visage de boue, comme son camarade.

Enfin ils descendent les marches abruptes, bétonnées, glissantes et étroites de l'escalier, en s'aidant de la rampe de fer fichée dans la paroi calcaire. Deux hommes en armes attendent en bas leur tour de grimper à la surface. Jean et Jules, sans perdre leur calme, poursuivent gauchement leur descente. Les autres les laissent passer sans mot dire, sans s'étonner de la boue qui couvre leurs capotes et leurs visages.

Ils suivent un souterrain coudé, obscur et désert, observent sur la paroi une inscription en allemand, éclairée par un lumignon, que Jean déchiffre « *zur Höhle, 2v1* ».

– Direction de la caverne, traduit-il à Jules.

Encore un souterrain, droit, obscur, et désert une fois encore. À croire qu'ils ont emprunté une issue de secours, peu fréquentée.

Au détour d'un pilier, ils sont éblouis. Une caverne immense, éclairée par mille cierges, comme une église. Des dizaines de soldats en tenue de quartier s'activent à l'intérieur, montant des échelles de meuniers en bois blanc qui conduisent à des bureaux de briques installés pour les officiers. L'aigle impérial, peint en rouge, indique l'emplacement de l'état-major d'une brigade entière : cinq mille hommes au moins travaillent à l'aise dans une ville souterraine composée de plusieurs carrières abandonnées, que relient d'étroits corridors, comme s'ils étaient à l'arrière du front. Des croix de Prusse ont été sculptées dans le calcaire.

Une inscription à tête de mort signale l'accès de la salle des explosifs. Des soldats charrient sur des diables bruyants des caisses de cartouches. D'autres véhiculent des obus alignés sur le plateau d'un chariot. Des équipes font courir des fils de téléphone le long des murs, pour joindre l'état-major aux différents postes d'observation en forêt. Des soldats du génie creusent la roche pour y suspendre des lampes électriques – faut-il en déduire que les Allemands disposent de groupes électrogènes ? Jean et Jules sont tombés sur une brigade d'infanterie d'assaut, dont les Français ignorent l'existence.

– Il faut repérer les sorties, dit Jean. Nous ne pouvons pas rester immobiles sans risques.

Ils marchent d'un pas rapide, côte à côte, fusil en bandoulière, comme s'ils rentraient au cantonnement après une mission. Ils franchissent ainsi plusieurs cavernes, sans être interpellés. Ils sentent une bonne odeur de soupe de pois cassés dans un réfectoire fait de tables de fermes, probablement saisies dans les environs. Ils aperçoivent des chambres aménagées, et même une infirmerie. Au-dessus d'une sorte de rotonde creusée dans la roche, une bouche d'aération envoie l'air frais de la forêt.

Un général en veste cintrée, décoré de la croix du mérite et de la croix de fer, entre dans un bureau avec ses officiers d'état-major, une carte à la main, comme pour préparer une opération. Tête nue, les cheveux blancs, le monocle à l'œil, il attend. Un aide de camp lui apporte les dernières photos aériennes.

Il ne se détourne pas quand les Français passent devant lui, attirés par un vaste couloir où se pressent des troupes en armes. L'infanterie s'aligne le long des parois, sur deux rangs, comme pour une revue. Les officiers font l'appel, les *Feldwebel* comptent les hommes.

– L'attaque de diversion, dit Jean, lancée par les nôtres. L'alerte vient d'être donnée par les guetteurs de surface. Ceux-là vont monter en ligne.

Il n'a pas le temps d'en dire plus. Un *Hauptmann*, portant sur sa casquette la cocarde noire et blanche de Prusse et l'insigne du 86e régiment de fusiliers de la Reine, *Königin,* aboie un ordre en les désignant de sa canne. Un *Feldwebel* s'avance vers eux.

– Kommen Sie her, schnell !

– Nous sommes pris, détalons, dit Jules Bousquin.

Ils remontent le souterrain à toute vitesse, pendant que le *Feldwebel* siffle deux hommes pour les lancer à leur poursuite. Ceux-ci n'osent pas tirer, de peur de blesser les hommes qui se regroupent dans les cavernes, prêts à gagner les différentes sorties de la place forte, et défilent dans les souterrains.

– Par ici, dit Jean.

Ils se cachent dans un magasin de vêtements récupérés sur le champ de bataille et remis en état. Mais ils sont immédiatement repérés par le *Feldwebel*, qui surgit comme un diable et siffle pour demander du renfort. La fuite éperdue reprend, d'une galerie à l'autre. Négligeant de lire les inscriptions en allemand, dont ils ne comprennent du reste pas le sens, ignorant le plan de la forteresse souterraine, ils ne peuvent aller loin.

Deux fusiliers en armes les capturent exactement sous la bouche d'air de la caverne. Le *Feldwebel* explique que ces hommes sont dangereux. Il faut les ligoter. Un obus français, tombé près du trou d'aération, provoque une déchirure de la voûte. Des cailloux et de la poussière tombent en rafale sur le groupe. L'un des gardes tombe à terre. Des infirmiers se précipitent sur le *Feldwebel* vociférant, couvert de gravats.

Jean Aumoine et Jules Bousquin sont déjà loin. Ils ont profité de l'explosion pour prendre la fuite. Personne ne s'étonne dans cette ambiance de les voir courir. Ils arrivent ainsi dans une carrière à ciel ouvert, sortie majestueuse de la caverne. Elle n'est guère utilisable parce qu'elle est sous le feu du canon français. Des sacs de sable en abritent l'entrée.

Jules et Jean, d'abord très surpris de la trouver déserte, vont vite comprendre. Des obus de 75 français tombent en rafale autour de la caverne. Ils doivent se précipiter dans un trou pour ne pas être hachés par les éclats. Aucun Allemand ne se risque à sortir pendant un tir de préparation. Quelques sentinelles sont sacrifiées dans les premières tranchées. Ce bombardement d'intimidation était prévu par le capitaine Bonnet sur une partie de la ligne allemande où il ne pensait pas que la patrouille pût s'aventurer. Pour l'état-major de la brigade ennemie, il signifiait le début d'une attaque.

Jules Bousquin avise un énorme bloc de pierre soutenu par des piliers naturels. Une carrière effondrée.

– Ici, dit-il, nous serons en sécurité.

Ils se blottissent sous une voûte plus solide que celle d'un blockhaus, pendant qu'autour d'eux les gerbes d'éclats viennent se ficher dans le calcaire.

Une demi-heure encore et la danse s'apaise. Le silence revient dans la forêt.

— Il faut partir, dit Jean.

Mais comment espérer découvrir un passage dans le rouleau de barbelés qui entoure la première position allemande ? Il faudrait retrouver la sortie vers le bois de Drelinscourt.

Il n'en est pas question. Les Allemands peuvent surgir d'une minute à l'autre. En cas d'attaque, il leur faut très peu de temps pour garnir les première et deuxième lignes de tranchée, à partir des carrières et grâce à leurs souterrains. Le bombardement ne leur a fait subir aucune perte notable. Ils sont frais pour la contre-attaque.

Heureusement l'assaut français n'a pas eu lieu et le bombardement des 75 a eu seulement pour effet de désorganiser la ligne des barbelés. Les tranchées allemandes sont par endroits recouvertes de coulées de terre. Jean et son camarade n'ont aucun mal à les franchir, d'autant qu'ils portent l'uniforme allemand. Elles sont à peine garnies de simples sentinelles, dont l'attention se porte très logiquement vers l'avant. Ils passent inaperçus.

Jean fait un signe à Jules : un des guetteurs, sonné par le feu, est assis, la tête dans les mains. Dans ce tronçon de tranchée, des hommes sont morts sur le parapet, écrasés d'obus. En face, plus de barbelés. Les fougères couchées par les éclats offrent un passage facile. Jean et Jules soutiennent l'Allemand, désarmé, et l'entraînent avec eux, péniblement, dans la direction des tranchées françaises.

Ils marchent longtemps en cherchant un sentier. Vainement. L'aube s'annonce à l'horizon. Il est six heures. Dans un quart d'heure, ils seront identifiés par les observateurs allemands à la jumelle, mais tout aussi dangereusement par les Français. Jules songe aux fusées chargées dans les sacs.

Elles pourraient signaler leur position, et leur permettre d'attendre des secours. Jules tente la mise à feu, pendant que Jean garde le prisonnier toujours inconscient, qui ne comprend pas pourquoi il est arrêté par deux Allemands.

La fusée ne part pas. La poudre est sans doute mouillée. Un bruit léger dans les fougères. Jean cherche son revolver.

— Ne tirez pas, dit un vieil homme qui brandit sa casquette au bout d'une canne. C'est Tillon, votre guide. Je viens à votre rencontre !

Ils l'embrasseraient presque. Tillon charge son sac plein de gibier sur son épaule et leur conseille, malgré le froid très vif, de laisser là leurs uniformes de Prussiens pour ne pas se faire tirer dessus par les Français. Il les guide vers une cabane recouverte de fougères, connue de lui seul, où deux capotes de biffins ont été mises de côté par le braconnier, après un engagement récent. Cela fera l'affaire, avec deux képis rouges sans manchons. L'essentiel est d'être clairement identifié par les guetteurs français au premier coup d'œil.

Le commandant Latouche se réjouit fort du succès de l'entreprise dont il s'attribue l'initiative. Il fait de Jean Aumoine son héros. Il a permis, assure-t-il, à l'état-major d'y voir plus clair dans le dédale du labyrinthe de Dreslincourt, de repérer les sorties de cavernes et leurs défenses, d'identifier la garnison de l'ensemble fortifié, d'interroger un prisonnier du 86ᵉ régiment des fusiliers de la Reine.

Jean affiche la lassitude désabusée d'un homme qui n'est pour rien dans le succès d'une aventure insensée. Plus on le berce de louanges, plus il se sent indigne : sans le guide Tillon, ils n'auraient pu ni entrer ni sortir de la zone ennemie. Ils n'ont pu ramener qu'un prisonnier déjà assommé par le canon, incapable de se défendre. Ils ne l'ont pas capturé, mais recueilli. Quant à l'aventureuse et folle équipée dans les cavernes, Jean Aumoine sait tout ce qu'il doit au sang-froid sans faille de son ami Jules Bousquin.

Quand il est cité à l'ordre de la 26ᵉ division, Bousquin est associé à cet honneur, et proposé pour un grade supérieur. Maurice Duval, André Biron, le caporal Joannin et le sergent chef Jules Massenot forment avec Jean et Jules Bousquin une sorte de groupe de choc, de groupe franc, songe avec insistance le commandant Latouche. La guerre de position rendra indispensables les coups de poing d'unités spécialisées, capables de franchir les lignes et d'exécuter des missions de renseignements ou de préparer des opérations de sape.

Jean Aumoine sort éprouvé de cette expédition où il a dû assommer de ses mains des ennemis sous leur uniforme, par surprise et dissimulation. Le commandant Latouche, fanatique du deuxième bureau, se réjouit du résultat de l'entreprise. Il entend se servir de cet exemple pour développer une action secrète, impitoyable, de petits groupes manœuvrant en dehors de leur unité, au besoin avec l'aide de civils, contre les positions inabordables de l'ennemi.

Considérant déjà Jean Aumoine comme un instructeur possible, il le propose immédiatement pour le grade de lieutenant.

Les renseignements recueillis à la suite de l'opération sont immédiatement exploités par l'artillerie. Bien qu'elle manque d'obusiers lourds pour attaquer la voûte des cavernes, elle déchaîne ses 75 contre les sorties repérées de la taupinière. Il devient ainsi possible de donner l'assaut aux premières lignes de tranchées, en empêchant les renforts ennemis de survenir sans risques.

La démonstration est aussitôt faite. Après la préparation d'artillerie, l'assaut donné par le premier bataillon du 121e contre les deux lignes de tranchées les plus proches surprend l'ennemi. Les réservistes de la *Landwehr* laissés en première ligne se défendent mollement, et les renforts du régiment de la Reine ne peuvent survenir, car l'artillerie française interdit les sorties. Le caporal Joannin franchit à l'aise, avec son escouade, le glacis de la forteresse enterrée. Il arrive le premier devant les Cinq Piliers, carrière à ciel ouvert, immédiatement abandonnée pour cette raison par les défenseurs.

– Prenez garde, avait dit Jean au capitaine Vincent Gérard, ils ont du canon de tranchée et des mitrailleuses en quantité à l'entrée des cavernes. Ils peuvent faire monter en ligne des renforts venus de la vallée de l'Oise. Les troupes enterrées sont les meilleures, les mieux armées, et sont parfaitement reposées. Attendez des renforts d'artillerie lourde avant d'attaquer. Seuls les coups au but dans les bouches d'aération pourront faire sortir le renard de son trou.

Ces conseils de sagesse n'ont pas été suivis. Le commandant Latouche a convaincu le colonel de la possibilité d'un succès spectaculaire, et la première phase de l'attaque a semblé lui donner raison : les Français sont parvenus sans dommage à l'entrée des cavernes.

Mais la suite est décevante. Si la carrière à ciel ouvert a été prise, les fusiliers du 121e ne peuvent progresser vers l'entrée du souterrain. Un feu de *Minenwehrfer* les prend de plein fouet et interdit toute approche. Les mitrailleuses crépitent, les fantassins du régiment de la Reine réussissent une percée qui permet aux portatives de se mettre en place à l'extérieur de la forteresse, à l'abri des piliers redoutables, et de rendre possible la reconquête progressive des boyaux, où les Français n'ont pas eu le temps de se retrancher. La retraite est inévitable. Sur l'ordre du capitaine Gérard, le clairon Biron la sonne à contrecœur.

Pour Jean, resté au repos avec Jules Bousquin, cet échec était prévisible. À ses yeux, la guerre de forteresse qui s'installe sur le terrain interdit tout espoir de mouvement. Pour emporter la décision, il faudrait encore plus de moyens d'artillerie lourde. La surprise, l'allant, le courage des attaquants ne suffisent pas. Le caporal Joannin revient de la bataille d'un pas traînant. Où le géant vient d'échouer, personne ne peut réussir.

Mareuil-la-Motte, Elincourt-Sainte-Marguerite, ces bourgs picards respiraient le bonheur en août 1914. La guerre les a transformés en centres d'accueil bénévoles pour soldats épuisés par les nuits en première ligne. Le bataillon Bernard du 121e régiment s'y tient au repos jusqu'au 15 octobre.

Jean essaie d'oublier le mauvais rêve de la nuit des Cinq Piliers dans une solide ferme épargnée par le canon allemand, où des garçons de seize ou dix-sept ans assurent les travaux des champs, sous la conduite de la mère et du grand-père. Les chevaux sont réquisitionnés, mais il reste les bœufs pour les labours d'automne, et Jules Bousquin ne résiste pas au plaisir de se mettre à la charrue pour tracer les sillons. La guerre est à six kilomètres. On entend le grondement des canons. Un soleil aigu d'octobre illumine, ce jour-là, les labours, fait briller les mottes fraîches d'une terre qui ignore encore les tombes collectives et les croix de bois gravées au couteau.

Bernard Loiseau, le maître de cultures, a laissé là ses betteraves à sucre et ses vergers de pommiers pour rejoindre au début d'août le 128e d'Amiens-Abbeville, aux ordres du colonel Lorillard. Il s'est bien sorti de la bataille des frontières, à la Ve armée du général Lanrezac. Il s'est battu sur la Meuse, dans les Ardennes, puis sur la Marne. Alors qu'il est en secteur sur l'Aisne, sa femme vient de recevoir sa première lettre. L'euphorie règne à la ferme où l'on accueille les soldats avec chaleur. Le sous-lieutenant Aumoine est logé avec son capitaine dans la grande maison de pierre, ils couchent dans les draps blancs d'une chambre ordinaire, pour la première fois depuis le début de la campagne.

Jean retrouve le bien-être qu'il éprouva dans le lit de l'hôpital de Sarrebourg, quand il recevait les visites quotidiennes de Clelia : les draps frais sur les pieds nus, l'édredon, la douceur des oreillers. Anne, la jeune fille de la famille, est l'ange souriant de la ferme de Mareuil-la-Motte. Son frère Philippe est parti volontaire à dix-huit ans dans les chasseurs à cheval. Elle sert, au matin, le lait bouillant et le café frais sous l'œil attentif de sa mère, qui coupe du pain pour les officiers.

Le commandant Latouche et Vincent Gérard parlent de l'avance probable des Russes vers la Silésie. Il est vrai qu'ils en savent peu de choses et que les nouvelles du front du Nord ne sont qu'à demi rassurantes. La guerre s'enlise, risque de durer. Pourquoi le cacher ? Il y a du courage à tenir quand on n'a pas encore les moyens de libérer le territoire, objectif premier de l'armée désormais.

Ni les sourires d'Anne, ni les propos de Gérard, ni les attentions de l'hôtesse ne parviennent à dérider Jean Aumoine. Son frère aîné tué, son amour enfui, l'éloignement de sa mère et de ses deux autres frères, tout ça l'enferme dans sa solitude, comme si les camarades eux-mêmes n'existaient plus.

Il n'a pas un sourire quand l'hercule Joannin roule dans l'herbe, torse nu malgré le froid, vaincu à la boxe française par Jules Bousquin. Il refuse de suivre Duval, qui lui propose une sortie à bicyclette jusqu'à Élincourt-Sainte-Marguerite. Ce climat de fausses vacances l'insupporte. Il préfère encore la tranchée.

Le soir, il se trompe de chambre, avise, sur la table de nuit du capitaine, une photo de jeune fille, une mèche de cheveux blonds pris dans le sous-verre. Il songe qu'il n'a pas le moindre souvenir de Clelia, pas même une lettre, qu'elle est entrée et sortie de sa vie sans laisser de trace. La reverra-t-il jamais ? La Suisse lui paraît aussi lointaine que la Sibérie : le pays des amours enfouies sous les glaces du quaternaire. Il faudrait, pour les réveiller, que les montagnes se plissent et se brisent, et que fondent les glaciers.

Quand il écrit à sa mère, il oublie de lui dire qu'il est nommé lieutenant à titre temporaire. Il ne se sent aucun mérite à faire coudre sur son uniforme par la jeune Anne, qui s'y offre, les deux galons dorés de sa promotion. Il avance en grade parce que les autres sont morts et que les officiers se font aussi rares à l'armée que les chevaux à l'écurie.

Joannin, près de lui, mouille la pointe de son crayon sur ses lèvres pour écrire à sa femme. Jean songe à rassurer Marie. Il est au repos dans une ferme de rêve, soigné comme un coq en pâte, lui écrit-il. La guerre semble s'arrêter, et les Allemands dormir dans leurs trous.

Il ne lui parle ni de ses exploits ni de la vie de tranchée. Il lui dit seulement qu'elle lui manque, et qu'il brûle de prendre le soleil avec elle, tous les jours à midi, à l'abri du mur de pierres plates du verger. Et puis il s'inquiète de Raymond. Quand part-il au front ?

Le 20 novembre, Raymond a rejoint avec ses camarades le 321ᵉ régiment d'infanterie. Un millier d'hommes entraînés en un temps record qui constituent la valeur d'un bataillon de renfort. Le départ pour le front a été décidé si précipitamment que Raymond n'a pas trouvé le moyen de rendre visite à Marie. Les camions du camp de la Courtine ont filé à travers le plateau des Millevaches pour conduire les recrues en gare d'Aubusson, direction Soissons. Elles prendront ensuite position avec les deux autres bataillons du régiment, au nord de l'Aisne, en secteur à hauteur de Vingré.

Les soldats s'arrêtent une journée à Soissons, ville très éprouvée par les combats de septembre. Ils passent devant la cathédrale, en partie détruite par les obus allemands, lesquels tombent encore tous les jours sur la cité martyre, sans ménager les églises ni les hôpitaux. Un quartier entier, dans le centre, est dévasté. Le maire, pris en otage, a été fusillé, les victimes civiles des bombardements sont nombreuses.

— La ville a servi de champ de bataille, explique l'adjudant Bourdon à Raymond stupéfait.

Dans les rues, des soldats en corvée et des voitures d'approvisionnement sortent des ruines des églises, transformées en magasins de fourrages. Les civils ont été pour la plupart évacués. Ceux qui restent sur place sont des vieillards qui ont refusé d'abandonner leur maison.

— La guerre n'est pas loin, dit Bourdon, dont l'épouse est Soissonnaise. Le ville a été libérée par la division coloniale le 12 septembre, mais elle reste en état de défense.

Sur un kilomètre, le long de la promenade du Mail, le bataillon défile devant des ouvrages de défense garnis de troupes. Il est midi. Les soldats s'alignent devant les roulantes neuves de campagne, à peine sorties des magasins de l'armée. Ils croisent leurs fusils en faisceaux sur l'herbe. Une popote les attend, soupe fumante.

— C'est mieux qu'à la Courtine, dit Raymond étourdiment. Il n'y avait pas moyen de manger chaud dans le palais des courants d'air qui nous servait de réfectoire.

— Ne te plains pas, coupe Bourdon. Et prie le bon Dieu d'en avoir autant en ligne.

Le capitaine Lacassagne, qui commande le bataillon de renfort, s'inquiète. Les agents de liaison du colonel Flocon, qui doivent les prendre en charge pour rejoindre le régiment, ne sont pas au rendez-vous. Ont-ils été retardés par les tirs de l'artillerie ennemie ? La canonnade, toute proche, allume des incendies. Les villages des alentours forment une ceinture de feu.

— Nous sommes à quatre lieues de Vingré, dit-il, et pas de camions prévus pour charger les hommes. Ils ont été sans doute détournés par l'état-major d'armée pour une mission plus urgente.

À quatre heures, ils sont enfin là, les envoyés du colonel : le lieutenant Fourtain et l'aspirant Bourdieu.

« Sur les collines dominant le nord du cours de l'Aisne, des combats furieux ensanglantent le front, expliquent-ils. Les Allemands veulent défendre cette ligne à tout prix et ils contre-attaquent sans répit pour rejeter définitivement les Français de l'autre côté de la rivière. Les pertes sont élevées dans le régiment. »

— Les cas d'indiscipline se multiplient, glisse le lieutenant Fourtain dans l'oreille du capitaine Lacassagne, et les ordres sont de punir avec la dernière sévérité. Le général Berthelot doit sous peu remplacer Villaret à la tête du corps d'armée, et Berthelot ne plaisante pas. Hier encore un chasseur du 60ᵉ bataillon de Brienne a été fusillé. Sans jugement.

— Comment est-ce possible ? demande le capitaine.

— Les ordres de Joffre, donnés au début de la bataille de la Marne : « Les fuyards, a-t-il dit, s'il s'en trouve, seront pourchassés et passés par les armes.» Ces ordres restent valables.

— Était-ce le cas du chasseur?

— On dit que l'homme quittait toujours son unité au moment des combats. Il réapparaissait, mais ne tenait aucun compte des avertissements. Du 20 au 26 octobre, au cours d'un engagement très chaud, il a de nouveau disparu. Il a été arrêté en civil dans les rues d'Arras par les gendarmes et emprisonné.

— On ne l'a pas exécuté immédiatement?

— Non, l'affaire est remontée devant le général Pétain, commandant du 33e corps d'armée. La 77e division, dans laquelle servait le chasseur, avait le moral au plus bas. Pétain a tranché. Il fallait faire un exemple. Le chasseur a été fusillé sans jugement, le lendemain.

— Vous m'inquiétez, dit Lacassagne, j'espère que le 321e se conduit bien.

— Pas de cas d'indiscipline notoire, pas de refus de monter en ligne, mais les soldats sont las d'être en tranchée sans être relevés. Ils voudraient des permissions, ou du moins un service du courrier convenable. Certains n'ont reçu aucunes nouvelles des leurs depuis le début et disent que c'est toujours les mêmes qui trinquent.

— J'ai peur pour mes bleus. Je ne veux pas qu'ils soient gangrenés par le mauvais esprit des anciens.

— Nous restons vigilants, dit le lieutenant Fourtain. Le colonel, suivant les instructions de la division, est prêt à sévir. Les nôtres se sont bien battus. Ils ont subi des pertes. Il est temps que le renfort arrive pour prendre leur place en première ligne.

— Dès ce soir?

– Naturellement. Les hommes qu'ils vont remplacer combattent en ligne depuis cinq jours en mangeant de la soupe froide. Il est grand temps de les relever.

La nuit tombe quand le bataillon de secours, sans attendre les camions, quitte la nationale de Compiègne pour franchir l'Aisne au pont de Port-Fontenoy après quatre heures de marche à pied sous la pluie. Il faut encore grimper sac au dos la côte de Nouvron, où la grand'halte est sonnée par le clairon. La troupe s'abrite sous la halle en buvant le café chaud de la roulante. Le commandement semble avoir des égards pour le poilu, du moins pour les bleus.

La soupe est servie à six heures. Le canon tonne sans discontinuer à moins d'une lieue. Mieux vaut nourrir les bleus avant la dernière étape.

– La bouffe à six heures, c'est tôt, dit Raymond.

– Oui, mais à minuit, c'est tard ! corrige l'adjudant. Les aides-cuistots ont le plus grand mal à arriver jusqu'aux tranchées. Ils se font souvent tuer en route.

La colonne par deux gagne la route boueuse de Nouvron à Vingré, les officiers en tête, à cheval. À cinq cents mètres du bourg, le bataillon se divise en petites unités et les hommes cheminent en file indienne, lourdement chargés, vers les points de départ des boyaux, voies d'accès très étroites à la position.

Émile Dutoit, un copain de Raymond, glisse sur la glaise. Raymond lui tend son fusil et prend son sac pour l'aider à se relever. Il n'est pas habitué aux promenades en campagne, Émile. Ouvrier du textile à l'usine des Fours à chaux, à Montluçon, il a toujours le bitume sous le pied. À peine est-il sur ses jambes qu'il chute de nouveau, glissant à l'entrée du boyau qui conduit à la première ligne de tranchées.

— Foutue recrue, incapable de faire un poilu, gronde l'adjudant Bourdon sans indulgence. Il le tire lui-même d'affaire pour ne pas entraver la marche de la section.

Les fusées d'artillerie éclairent la campagne dénudée d'une lumière blafarde. Armand Berthon donne à Jean le mot de passe :

— Courbez-vous, zone dangereuse !

— La nuit, les pointeurs boches visent toujours les mêmes passages, dit le caporal. Le guide les connaît bien. Il vous faut franchir l'obstacle un par un, en pressant le pas.

Un gros lourd de cent vingt tombe à ce moment précis, recouvrant le sentier, creusant un entonnoir de dix mètres. Un homme, deux peut-être, est enseveli sous l'avalanche.

« Émile Dutoit a disparu », crie Raymond Aumoine, lui-même recouvert de terre. Armand Berthon quitte son sac, sort sa pelle, demande de l'aide aux voisins. Ils sont quatre ou cinq à creuser dans les débris. L'adjudant Bourdon s'impatiente :

— Nous serons en retard pour la relève.

— Faut-il laisser les camarades mourir étouffés ? dit Armand Berthon.

Bourdon lui-même creuse, toute la section s'acharne. On finit par tomber sur les godillots d'Émile. Avec les mains, pour ne pas le blesser, on retire la terre. Son pauvre visage est bleu, ses lèvres sont blanches. Raymond approche sa gourde de ses lèvres. Elles bougent imperceptiblement. Il respire. Armand Berthon et l'adjudant Bourdon le tirent par les bras et les jambes. La colonne contourne l'obstacle et la zone dangereuse au pas de course jusqu'au prochain coude du boyau.

— Gare au deuxième coup! dit le guide. Il tombe généralement cinq minutes plus tard, toujours dans le même axe. Éloignez-vous.

Quand l'obus éclate, la section est déjà loin. Mais Raymond apprend plus tard qu'il a tué quatre fantassins de la section suivante, retardés dans leur marche par le cratère géant et le monticule de terre.

— Il faut tracer un autre sentier, dit le guide. Celui-là est devenu impraticable.

On approche de la tranchée. Raymond et sa section se rangent dans la parallèle pour laisser passer les anciens qui arrivent, un à un, ployant sous le sac, leur barbe engluée de glaise. Méconnaissables. Certains ont le crâne recouvert de pansements sales.

— Tiens, Javelon!

Le caporal Javelon, du deuxième bataillon, est voisin de Raymond, à Villebret. Ils ont fait ensemble l'école buissonnière. Il patauge dans la boue de la tranchée, sans avoir le temps d'embrasser Aumoine.

— Sale coin, lui dit-il en tordant sa gueule. Vivement les gelées. Pas un poil de sec.

Il ne gèlera pas ce soir. La lune est rousse : elle annonce la pluie de novembre, fine et incessante. La pluie froide a réveillé Dutoit. Il parvient à tenir sur ses jambes. Le caporal, Jules Porcher, installe les hommes de son escouade aux postes de guetteurs, ménagés sur le parapet de la tranchée. Les autres défont leur sac, pour déployer les toiles de tente et s'abriter dans la portion de terre qui leur est réservée. Raymond est choisi comme sentinelle par l'adjudant Bourdon. Il monte au parapet. Sa première nuit blanche à la tranchée.

Le lendemain, corvée de bois. L'adjudant a retenu la suggestion du caporal Dufour, nérisien d'origine et cantonnier en chef de la ville de Montluçon.

— Je ne voudrais pas de cette tranchée pour mes cochons, dit-il. Et l'on y fait dormir les hommes. Voyez la pente, elle rabat la pluie vers les boyaux. Il faut creuser pour avoir un écoulement, rejeter l'eau vers le dehors. Et sur le passage, étaler des kilomètres de caillebotis.

Dans le bosquet de bouleaux et de coudriers, cent mètres en arrière, on abat les branches en vitesse pour ne pas se faire surprendre par le canon. Elles sont aussitôt débitées, entrecroisées, clouées. Les porteurs de bouthéons sont ravis. Ces géniales marmites à tous usages, inventées par l'ingénieur Bouthéon, font la joie des poilus. Mais quand les aides-cuistots livrent la soupe en pataugeant dans la glaise des boyaux, ils arrivent avec deux heures de retard. Grâce aux caillebotis, ils plantent leurs godasses sur du bois propre et gagnent du temps.

— Des vrais bourgeois! dit Ernest Courazier, toujours jovial. Ce bûcheron de la montagne bourbonnaise plie sous le poids des bouthéons qui brinquebalent le long de ses jambes, fixés autour de son cou par des courroies. L'un d'eux lui cache la poitrine. Quand il le dépose à terre, il est vide. Un éclat d'obus a percé la tôle, la soupe est partie.

— Du diable, dit-il, celui-là m'a sauvé la vie et je ne m'en suis même pas rendu compte.

Les porteurs de gamelles risquent ainsi mille morts sur le trajet mouvementé qui va de la roulante aux premiers postes. Ernest Courazier était heureux d'être affecté à cette cuisine. Il se voyait déjà cuistot, sûr de ne pas mourir de faim et de boire son café tiède. Il a dû déchanter. D'autres savaient mieux que lui préparer la soupe au lard ou les plats de singe aux fayots. Il s'est retrouvé convoyeur, avec tous les risques du parcours et l'assurance d'être insulté en ligne parce que le jus est infect. Du moins couche-t-il au sec, près de la roulante chaude.

— Donne ton bouthéon en charpie. Je t'en ferai un vrai bijou, lui dit Maurice Dubost, apprenti ferrailleur à Néris. Un vase de fleurs pour mettre sur ta cheminée quand tu auras trouvé une fille, à Vichy.

— Si j'en reviens, dit Ernest. Il y en a tant qui n'en reviendront pas.

Les jeunes se rapprochent, ils savent qu'Ernest est la gazette du bataillon. Circulant dans les lignes, il donne aux uns des nouvelles des autres. Les gars attendent le rapport détaillé du bouthéonnier.

— Tenez-vous au sec, les gars. Ils sont devenus fous à l'état-major. Le moral flanche, qu'ils disent. Ils veulent des exemples. Et tâchez de garder vos doigts intacts en coupant les coudriers, sinon vous êtes bons pour le falot. J'ai entendu des officiers. Il paraît que dans un régiment du Nord, ils ont attaché cinq bougres, coupables de mutilations volontaires, pieds et poings liés dans les barbelés, en dehors de la tranchée. Ils y sont restés toute la nuit, pour prendre les balles des Boches. Les autres, écœurés, n'ont pas tiré. Il a fallu les fusiller nous-mêmes, au poteau, en plein champ, devant le régiment rassemblé.

Les soldats restent muets. Ils ne veulent pas croire au récit d'Ernest : des bruits colportés, pensent-ils, d'unité en unité, pour des faits concernant des bataillons inconnus d'eux, très loin sur le front d'Artois. Les nouveaux fantassins du camp de la Courtine n'ont pas pu échanger un mot avec les anciens du front.

L'adjudant Bourdon a veillé à entretenir leur moral en leur lisant le soir, sur recommandation du colonel, des citations des décorés du régiment. Les conditions de vie sont dures au front, des camarades tombent tous les jours, Raymond et les siens n'ont pas besoin du discours officiel. Ils ne songent qu'à défendre le pays, ils ne mettent pas la guerre en question. Ceux qui se coupent le doigt pour se dérober au devoir méritent un châtiment, estiment-ils. Mais d'ici à les fusiller, à les faire tuer par les Boches dans des conditions atroces, personne ne veut croire qu'un officier français puisse donner un ordre aussi barbare.

— Je vous assure, commence Ernest...

Bourdon l'interrompt. Des coups de feu crépitent sur la ligne. Un *Aviatik* la survole en cercles rapprochés. Sans doute prend-il des photos. Les poilus lui tirent dessus, au Lebel.

— Aux abris, vite.

Ernest se hâte d'attacher ses bouthéons vides et s'éloigne sans demander son reste. Les obus vont pleuvoir. Pendant cinq jours et cinq nuits, l'escouade se terre dans la tranchée. L'attaque a lieu dans un secteur voisin, elle est menée par un autre régiment français, mais le canon ennemi arrose toute la ligne et ses arrières immédiats pour empêcher l'arrivée des renforts. Il faut croire que l'ennemi dispose d'une artillerie nombreuse, car les tirs se succèdent plusieurs fois dans les vingt-quatre heures.

Pour Raymond, quel baptême du feu! Le 321e, décimé par les précédentes opérations, est encore aux premières loges. Les recrues du camp de la Courtine ne pouvaient imaginer l'horreur du bombardement, le bruit infernal des obus, les gerbes de terre rompant la ligne des tranchées, projetant en l'air les cadavres démembrés des camarades.

À côté de lui, Maurice Dubost vient de recevoir l'ordre de prendre son tour de vigie au parapet. À peine occupe-t-il la position, qu'il reçoit de plein fouet une giclée d'éclats. Il bascule dans la tranchée et meurt au milieu des camarades, tué devant l'ennemi dans sa vingtième année, le 22 novembre 1914 du côté de Vingré, après deux jours de front.

Cinq jours de cet enfer et les bleus sont ramenés à l'arrière, au repos relatif dans les ruines du village de Vingré. Les poilus font la queue devant une sorte d'épicerie de village, où l'on trouve à prix d'or des chocolats et des madeleines, ainsi que du papier et des crayons pour écrire à l'arrière. Plus de paysans dans les maisons détruites. Ils ont été évacués. Leurs fermes sont intégrées dans une ligne arrière de défense, à peine ébauchée, mais ou les soldats de la première ligne peuvent se replier en cas d'attaque, s'ils sont débordés. En période d'accalmie, ceux de l'avant y trouvent, à tour de rôle, un repos relatif.

Après une nuit à l'abri dans les fermes, l'adjudant Bourdon fait sonner le rassemblement. Il se croit encore à la Courtine et mène rondement son escouade. C'est l'ordre du colonel Flocon, un officier sexagénaire, ancien de Saint-Maixent, la dure école de l'infanterie : il ne faut pas laisser le soldat inactif, mais le protéger, au contraire, des rumeurs qui sapent le moral. Les renforts doivent être tenus à l'écart des briscards, toujours prompts à se plaindre. Pas question d'employer les nouveaux aux travaux de terrassement. Les former au contraire comme réserve d'attaque.

Les anciens, avant de remonter en ligne, admirent ces bleus qui se prêtent à la discipline de fer sans murmures et sans accuser aucune fatigue, comme si cinq jours de bombardements n'avaient pas suffi à leur briser les nerfs. Pendant que les jeunes rampent dans la boue, repartent en courant et apprennent à s'aplatir au coup de sifflet, Javelon et ses copains du 2e bataillon traînent les godillots et le sac, peu pressés de se retrouver au combat, ayant déjà beaucoup donné.

Les contacts entre les deux premiers bataillons, en campagne depuis le mois d'août, et les renforts du 3e formé à la Courtine sont difficiles, car Javelon descend des lignes quand Raymond Aumoine y monte.

Peuvent-ils s'entendre ? Quatre mois d'écart dans la date de leur entrée en ligne font une différence de mentalité. Jean Aumoine et Jean Javelon étaient partis au mois d'août avec l'illusion que le mouvement plus rapide de l'armée française pourrait venir à bout des lourdes masses allemandes. Ils croyaient alors au succès de la guerre de manœuvres. Elle a échoué douloureusement en Alsace, où avait été engagé Javelon, dans le 7e corps du général Vauthier, avec le 321e. Et le 121e a, à son tour, connu l'échec en Lorraine, lors de l'offensive sur Sarrebourg, au 13e corps du général Alix, limogé depuis et remplacé par le général de Villaret.

Raymond, arrivé au front, comme tous les bleus de son bataillon de renfort après la victoire défensive de la Marne et la stabilisation des fronts, n'espère plus que l'entrée massive, sur les champs de bataille, des Russes et des Anglais. On lui explique, dans les communiqués diffusés par les soins des officiers, que le grand-duc Nicolas poursuit Hindenburg jusqu'aux frontières allemandes. C'est au tour des alliés de la France de se sacrifier : aux Anglais de se renforcer, aux Russes de vaincre.

Les nouveaux venus au front n'ont qu'une idée : défendre le territoire. Dans la presse, aux popotes, on ne parle que de l'avance des Russes sur le front de l'Est. On leur passe le témoin, dans la course à la victoire. Aux Russes de terminer la guerre en obligeant les Allemands à traiter quand Berlin sera menacée – la décision ne peut plus venir du front de l'Ouest.

Ceux qui restent en ligne, les survivants d'août 1914, ont encaissé la désillusion d'une guerre courte. Les anciens traînent des pieds, ils deviennent des factionnaires des tranchées, n'ont aucune envie de risquer leur vie, puisqu'il suffit désormais d'attendre. S'il est vrai, comme dit le capitaine Lacassagne à ses lieutenants, qu'il faut seulement « s'armer de patience », pourquoi multiplier les coups de boutoir inutiles, alors que les Boches tiennent solidement leur front et ne montrent pour le moment aucun esprit offensif?

— Nous n'aurons pas les moyens de résister sur cette ligne du nord de la rivière, dit Jean Javelon à Raymond Aumoine, avant de suivre son escouade vers la tranchée. Ils préparent déjà des défenses au sud de l'Aisne au cas où nous serions bousculés. Si ceux d'en face attaquent, nous n'avons pas de canons pour nous défendre. Les renforts promis n'arrivent pas. Tout juste si les 75 ont encore leurs obus. Tu as entendu cette nuit leur artillerie? La nôtre a eu grand-peine à riposter, faute de munitions et de gros calibres.

— Pressons! dit l'adjudant Bourdon dans les oreilles de Raymond. Tu es en retard pour l'exercice!

Il veille sur ses bleus comme une poule sur ses poussins. Le capitaine Lacassagne s'en extasie. À croire que l'adjudant a eu connaissance des instructions du général Maunoury, qu'il a lui-même apprises par cœur : « L'essentiel, pour des raisons d'ordre moral, est que les troupes destinées à donner l'assaut ne pénètrent pas dans les tranchées et se trouvent, dès le moment où elles sont levées, sur le terrain même qu'elles auront à franchir au pas de course. » Voilà pourquoi les poussins de l'adjudant Bourdon doivent vivre à l'écart des poilus de la tranchée. Ils sont entraînés pour l'assaut et nullement astreints au creusement des points d'appui.

Le général Maunoury, commandant de la VIᵉ armée, dont dépend le 321ᵉ régiment, a bien prescrit de grands travaux, mais pour les briscards, qui n'y mettent aucun enthousiasme. Il faut faire monter en ligne des compagnies de territoriaux pour manier la pelle. Le commandement flotte, faute de moyens, cherche sa nouvelle tactique de guerre, attend les livraisons d'obus et de canons, et tous les jours les pertes s'accumulent à la suite d'attaques partielles de l'un ou de l'autre adversaire. Il ne faut pas s'étonner du mauvais moral des vainqueurs de la Marne. Ils se sont sacrifiés pour la victoire. Ils n'ont gagné que cent kilomètres de terre française. Les Allemands sont encore là, bien retranchés sur l'Aisne.

À son troisième jour de repos, l'escouade de Raymond respire : la pluie et le canon ont cessé. L'adjudant Bourdon n'a pas sonné le réveil en fanfare, comme s'il voulait laisser à ses recrues un jour de vraie détente avant de remonter en ligne. Pourtant une sonnerie résonne assez proche, sur un terrain vague, ouvert au vent aigre, au sud du village de Vingré. Des roulements de tambours, comme pour une prise d'armes, demandent le silence.

Raymond quitte son cantonnement pour aller aux nouvelles. Il rencontre l'abbé Balmont, l'aumônier du 321e régiment, qui lui dit, le visage défait :

— On va fusiller six soldats. Les poteaux ont été dressés dans la nuit.

— De notre régiment ?

— Non, mais de votre division, la 63e, celle du général Jullien. Ils sont du 298e de Roanne.

Raymond et ses camarades s'avancent vers le terrain situé à quatre cents mètres des tranchées. Les six poteaux sont alignés. Les compagnies du 298e forment le carré. En tête, ceux de la 19e, celle des accusés. Parmi ceux-ci, un caporal dégradé et quatre soldats nu-tête, en chemise.

Un vent violent souffle de l'ouest. On vient d'arracher les hommes à la cave humide où ils étaient enfermés. Ils clignent des yeux. Au petit jour, un adjudant est venu leur annoncer qu'il était l'heure de mourir. Ils ont eu juste le temps de se confesser. Ils marchent vers le lieu de l'exécution. On leur lie les mains au poteau.

Le commandement claque la salve du peloton. Les douze hommes choisis pour l'exécution tirent au cœur. Un officier donne le coup de grâce. Les corps sont aussitôt enlevés.

Les soldats de la 19ᵉ compagnie éclatent en sanglots. L'émotion gagne toute l'unité. Les officiers sont perplexes. Faut-il faire jouer *La Marseillaise*? Le colonel Pinoteau semble hésiter à ordonner la dispersion. Un lieutenant regarde fixement ses bottes, hébété. Le chef de bataillon lui envoie un coup sec sous le menton.

— Paupier, lui dit-il, relevez la tête[1]!

Pour les bleus du 321ᵉ, voisins de secteur des soldats de Roanne, cette exécution est un drame.

— C'est un grand malheur, dit à Raymond, les larmes aux yeux, l'abbé Balmont, soldat du 321ᵉ. Mon collègue, l'abbé Dupont, les connaissait tous. Ces hommes sont innocents. Dieu ait leur âme. Il faut prévenir les familles, faire écrire leurs camarades.

L'abbé Balmont, tout juste sorti du séminaire de Moulins, est l'ami du troupier, soldat lui-même, au

---

1. Un arrêt de la Cour de cassation paru au *Journal officiel* du 18 février 1921 a permis la réhabilitation des victimes de Vingré, soit le caporal Paul Floch, les soldats Pierre Gay, Claude Pettelet, Jean Quinault, Jean Blanchard et Jean-Marie Durandet, tous du 298ᵉ d'infanterie de Roanne. On trouve dans l'arrêt de la cour le récit du drame.

premier rang des assauts pour secourir les mourants. Il dit vrai, l'émotion le porte à soulager sa conscience.

— On les a choisis au hasard, dit-il. Ils n'ont rien fait de plus que leur lieutenant.

Et l'aumônier raconte ce qu'il a appris de son collègue l'abbé Dupont, du séminaire de Besançon, aumônier du régiment de Roanne : le 27 novembre, à la tombée de la nuit, un caporal et cinq hommes étaient en faction dans la tranchée de première ligne, en avant de Vingré. À leur gauche deux escouades, aux ordres de leurs caporaux.

Le poste de guet est surpris et enlevé sans combat par une patrouille allemande, les hommes prisonniers. Dans la tranchée tenue par les escouades, c'est la panique quand on voit l'ennemi surgir. Quelqu'un crie : « Voilà les Boches ! »

Tous les hommes reculent dans le boyau de liaison entre la ligne de l'avant et la position de résistance. Ils tombent à l'arrière sur le lieutenant qui les entraîne aussitôt vers la tranchée principale, où ils retrouvent leurs esprits. Tous repartent, sur l'ordre du commandant de compagnie, à l'assaut de leur tranchée et l'occupent sans coup férir : les Allemands sont partis, abandonnant les guetteurs prisonniers.

— Il n'y a pas de quoi condamner les hommes. Ils ont obéi, suivi leur chef.

— Hélas, ils ont reculé, abandonné sans combat, à cause de la surprise, la première ligne de défense. Le lieutenant a fait un rapport, transmis au colonel, puis aux généraux. Le commandant du corps d'armée estime qu'il faut faire un exemple, que les cas de non-obéissance aux ordres se multiplient. Il ne trouve aucune excuse aux hommes qui ont abandonné leur poste, quelles que soient les circonstances. Ils doivent être punis. Le redressement du moral l'exige.

— Même si la tranchée a été reprise ?

— Les chefs en font une affaire de principe. Ils discutent pour savoir si l'on doit exécuter les vingt-quatre hommes qui se sont repliés, ou douze, ou six seulement. Quand l'abbé Dupont essaie d'intervenir, il est écarté. Les officiers ne songent qu'à faire un exemple.

— Comment a-t-on désigné les six hommes ?

— Par hasard, ils étaient soi-disant les plus proches des Allemands. Il n'y a pas d'autre raison.

Raymond Aumoine rentre à son cantonnement avec ses camarades perturbés, accablés. Le lendemain, ils doivent remonter en ligne. Seront-ils à la merci d'un nouveau coup de main de l'ennemi, si la tranchée n'est pas assez bien gardée ? Qui est à l'abri d'une panique ?

— Que vont penser les gens de leur village, à voir ainsi ces hommes déshonorés ? demande Armand Berthon, le maraîcher de Malicorne.

— Ils vont penser le pire, dit l'aumônier. Des fusillés ! Les curés refuseront de faire prier pour eux à l'église, les cloches du deuil ne sonneront pas le glas de leur vie, les élèves se détourneront de leurs enfants à l'école, leurs femmes n'auront droit à aucune pension, les orphelins à nul secours. Il faut les aider. Les aumôniers s'arrangeront pour éviter la censure, transmettre aux familles la lettre collective écrite par les camarades des victimes pour leur dire qu'ils étaient innocents. Tous les témoignages doivent être produits.

— Ne l'ont-ils pas été au procès ? interroge Raymond.

— On a jugé dans la hâte, sur la foi d'un rapport d'officiers qui n'étaient pas présents à l'action.

— On n'a pas condamné tout le monde, dit le caporal Jules Porcher, de son métier instituteur à Montmarault. S'il y avait des coupables, ils étaient vingt-quatre, et pas six, dans la tranchée.

— Coupables de quoi ? demande Dutoit, l'ouvrier des Fours à chaux. De panique ? S'il fallait fusiller tous ceux qui ont eu la trouille.

— C'est selon, intervient Raymond. Quand un gars se tranche l'index, il prémédite. Il sait ce qu'il fait parfaitement. C'est comme un déserteur. La sanction est juste.

— La mort ? demande Dutoit.

— Certainement pas, répond l'aumônier qui trouve ce châtiment injustifiable aux yeux d'un chrétien. La mort n'est pas une sanction. Elle est une réaction brutale, irraisonnée, dans certains cas inadmissible. Elle entraîne le châtiment de la famille innocente et c'est insupportable. Cette armée est celle de la nation. Il faut être digne d'y être incorporé. Un mauvais soldat doit être chassé de l'armée, renvoyé chez lui, assumer lui-même sa honte. Ou alors il faut admettre que combattre pour la patrie n'est pas un honneur, mais une contrainte.

— Les justes, dit Raymond, ne doivent pas se rendre coupables d'actes de barbarie. On raconte que les officiers allemands, revolver au poing, postés au bout de la tranchée, tirent sur les fuyards. On comprend que leurs hommes les descendent dans le dos pendant les assauts. Mais il faut punir. C'est trop facile de se mutiler pour ne pas risquer sa peau comme les copains.

— La désignation arbitraire des coupables est inquali-
fiable, dit le caporal instituteur Porcher. Pourquoi le
caporal Floch est-il mort, et pas le caporal de Vogüé, qui
commandait le poste attaqué par l'ennemi ? Pourquoi pas
le caporal Venat, présent aux côtés de Floch dans le
mouvement de retraite ? Je dis que cette exécution est un
retour en arrière de deux mille ans. Nous n'avons plus à
critiquer la barbarie allemande. Nous sommes tous
redevenus des barbares.

— Dire qu'on en fusille six au lieu de douze par
décision du commandement, c'est inhumain, approuve
Raymond. Où est la justice ? Si, comme vous le dites,
l'abbé, l'armée est celle de la nation en armes, le moins
que puissent faire les chefs est de respecter les hommes.

— Il reste, dit Armand Berthon avec son bon sens, que
les Allemands sont chez nous, et non l'inverse. Et que le
devoir républicain, c'est de les chasser. Comme en 93.

— Cela n'autorise pas les chefs de l'armée française à se
conduire comme des Prussiens, dit Raymond. Nous
sommes ici par notre volonté, par notre amour de la
patrie.

— Cette exécution est indigne de nous, les soldats
citoyens, dit Porcher, indigne de ceux qui viennent de
mourir et qui étaient des braves.

Le village en ruine est tranquille. Pas un coup de
canon. Aucun gradé pour l'appel du soir. Pas le moindre
adjudant. Bourdon lui-même est absent. Ils ont honte,
deux fois honte. Pour les hommes qui ont manqué,
croient-ils, au devoir. Pour la sanction qui les frappe au
hasard, à l'aveuglette, à la romaine.

L'adjudant Bourdon finit par se montrer, il s'assied à l'écart, sans dire un mot. Les hommes sont réconfortés de sa présence muette. Il comprend leur doute, il le partage. Où est la République, la levée en masse, tout ce qu'il enseigne aux recrues, dans la décimation sur ordre? Ils étaient vingt-quatre, on en fusille six. Rien à dire, ni à redire, rompez!

La guerre semble respecter le crépuscule des innocents. On entend seulement les coups de pioche des territoriaux qui creusent la tombe des fusillés qui ont été exposés toute la journée dans le champ.

— J'étais placé, dit l'abbé, près du commandant de compagnie au moment du supplice. Il a dit, après la lecture de la sentence : «On vient de condamner six innocents.»

Les hommes se lèvent, l'un après l'autre, drapés dans leurs couvertures, et gagnent à pas lents le fond du champ de l'exécution, livré au vent glacé de novembre, où l'on dépose enfin les victimes au fond de la tombe. Personne ne les retient. Pas un officier ne se montre. Ils peuvent s'approcher à loisir.

Les territoriaux, en se signant, jettent des pelletées de terre sur les cercueils de sapin. Les noms des victimes sont gravés sur une croix de bois. Pas de grade indiqué pour le caporal Floch. Une seule mention : «Morts pour la France».

Les sables de Poperinge

Les poilus du 121ᵉ régiment d'infanterie ne passeront pas les fêtes de Noël en Picardie. Ils ont été évacués à Montdidier, le 13 novembre 1914, avant de prendre le train pour les champs de bataille du nord.

Un voyage harassant. Le commandant Latouche ne sait pas lui-même au juste la destination de son unité. Le colonel Migat ne lui a pas fait de confidences. Secret militaire : il tient seul, dans un pli fermé, reçu de l'état-major, la délimitation du secteur du front où il doit prendre position. Jean et ses camarades voient défiler les gares, du compartiment de 3ᵉ classe qu'ils ont pris d'assaut au départ. Moreuil, Amiens, Doullens, Saint-Pol-sur-Ternoise, on file toujours plus vers le nord.

— Ils se battent sur l'Yser, dit le sergent Massenot en lisant *L'Écho du Nord,* négocié à une dame obligeante de la Croix-Rouge sur le quai d'Amiens. On dit que l'affaire est presque terminée. D'après les journalistes, les Anglais ont débarqué des canons lourds très efficaces, les *Long Tom*, qui tuent les Boches par milliers.

— Propagande, dit Jean. Tous les communiqués sont menteurs. Ils se gardent bien de dire la vérité. En rentrant des Cinq Piliers, avec Jules Bousquin, nous avons traversé un village abandonné, tout près de nos lignes. Je m'étonnais de n'y voir personne, ni ami, ni ennemi. Je n'ai pas pu m'en approcher, l'odeur était trop forte. Les cadavres français et allemands pourrissaient sans qu'on puisse les enterrer, à cause du canon tonnant sans discontinuer. Crois-tu qu'ils vont écrire dans les journaux que nos bleus, montant en ligne dans certains secteurs, trouvent dans les barbelés les cadavres des anciens de leur régiment, morts depuis un mois ?

— Nous ne sommes plus seuls, dit Massenot qui poursuit sa lecture. Les Anglais sont remontés de l'Aisne vers les Flandres pour barrer à l'ennemi la route de la mer. Nous allons les renforcer.

— Tu disais que cette bataille était terminée.

— Sans doute pas tout à fait. Les Britanniques ont livré de durs combats au sud et à l'est d'Ypres.

— Une ville belge ? demande Bousquin.

— Bien sûr. Un enjeu majeur pour la bataille. Les Anglais avaient contre eux le prince Rupprecht de Bavière en personne, avec tous ses corps d'armée lancés pour la prise d'Ypres.

Jean tend l'oreille. Les Bavarois ? Ceux qu'ils ont combattus à Sarrebourg ?

— Et les Prussiens, et les Saxons, complète Massenot. Et les divisions de la Garde de l'empereur. Toute l'Allemagne a défilé dans les tranchées sanglantes d'Ypres. Toute la jeunesse des universités, dit *L'Écho du Nord,* a trouvé la mort dans les sables des Flandres.

— Ils n'auront plus d'officiers, dit le sergent Nisard, s'ils ont envoyé leurs étudiants au casse-pipe.

— Pas plus que les nôtres, dit Jean, qui trouve insupportable tous les bruits tendant à faire croire au poilu que l'Allemagne est à bout de forces et qu'elle va manquer de soldats, alors que la population allemande est deux fois plus nombreuse que la française.

Le train poussif approche de Saint-Omer, tout près de la frontière belge. Beaucoup d'uniformes anglais sur les quais. On détache plusieurs wagons du convoi pour les orienter aussitôt vers Hazebrouck.

— Nous sommes bons pour la Belgique, avance Nisard quand le train stationne en gare d'Armentières. Voici les Écossais et les Indiens. L'élite de l'armée anglaise. Des jupes, des turbans. Les Anglais ont ramassé des troupes partout dans le monde.

Des jeunes femmes revêtues de la cape bleu sombre des infirmières de la Croix-Rouge britannique offrent aux poilus français du café chaud par les fenêtres.

— Nous allons sauver Calais, voler au secours des Anglais, dit Jean. Ils ne le disent pas dans ton baveux ?

Ils expliquent que le *Kaiser* a dû repartir à Berlin. Il comptait faire son entrée solennelle à Ypres. Mais la belle cavalerie du général Allenby a chargé, et les méchants uhlans ont disparu.

— C'est une bataille d'anéantissement, dit Jean en regardant la carte publiée par le journal : quatre corps d'armée de part et d'autre, plus qu'en Lorraine. Les Allemands ont réussi à prendre Saint-Éloi, sans doute un village wallon perdu en pays flamand. Je suis sûr que c'est notre point de destination. Une patte d'oie stratégique :

de Saint-Éloi, au sud d'Ypres, partent deux routes, l'une vers Armentières, et l'autre vers Lille.

— C'est parfaitement exact, dit le commandant Latouche qui vient de grimper sur le marchepied du compartiment. Nous descendons à Messines, sur la route de Saint-Éloi. Nous allons aider nos amis belges.

— Et les Anglais enfoncés, ajoute Jean Aumoine. Ils demandent des secours d'urgence. Voilà pourquoi on expédie nos divisions l'une après l'autre.

Le train ne part pas. La locomotive ne crache plus de fumée. Un homme d'équipe enlève les lanternes de l'avant, comme si le convoi devait repartir en marche arrière.

Les lieutenants français sautent sur le quai, fendent la foule dense des Écossais pour s'informer auprès du chef de gare qui, dans son étroit bureau où il accroche au mur, encore fraîches, les dépêches du télégraphe, fait des gestes d'impuissance en montrant le téléphone qui ne répond plus.

Un officier anglais s'approche du commandant Latouche, carte à la main. C'est un major du service de liaison britannique avec l'armée française, comme l'indique l'insigne aux deux drapeaux nationaux entre-croisés qu'il porte à la poitrine. Latouche le salue sur le quai en claquant des talons.

— Votre colonel m'envoie vers vous, lui dit avec un sourire le *major* dans un français impeccable. Il me dit que vous comprenez l'anglais. Je dois vous expliquer comment on rejoint Messines par la route. Il faut savoir que la voie de chemin de fer vient de sauter, détruite par les canons lourds allemands. La gare de Messines a fait en plus l'objet d'un raid particulièrement réussi de *Taube*, qui l'a en partie incendiée à la bombe.

— Partons par la route, dit Latouche, pourquoi s'attarder ici ? Vos camions nous mettront à pied d'œuvre.

— *Unfortunately,* nous ne disposons pas pour vous transporter du moindre *truck.* Le gros bourg de Messines est le point de concentration de votre régiment, la base pour l'attaque de Saint-Éloi, que nous mènerons ensemble, contre les Bavarois, avec le corps de sir Douglas Haig. *So you must walk about six miles.* Des hussards d'Allenby vous précéderont. *Good luck to you.*

La route, encombrée de convois d'artillerie et de ravitaillements dans un sens, de civils belges fuyant la bataille dans l'autre, a été dégagée par les hussards anglais qui marchent au pas élégant de leurs chevaux bouchonnés comme s'ils sortaient de l'écurie. Les fantassins français n'ont qu'à les suivre. Des charrettes réquisitionnées portent les sacs.

Après trois heures de marche assez facile, le premier bataillon fait son entrée dans Messines, et les éclaireurs anglais le dirigent aussitôt vers le champ de foire. Le colonel Migat installe son PC provisoire à la mairie et déplie les cartes d'état-major que lui confie un officier de liaison de l'armée belge, Camille Mertens, un lieutenant des guides en colback noir. Il trace au crayon rouge, pour Migat, la position exacte des armées alliées. En apercevant la poche avancée de l'armée allemande en direction d'Ypres, les officiers français sont perplexes.

– Vous voyez bien que nous sommes envoyés en catastrophe, dit le lieutenant Jean Aumoine au colonel Migat. À nous de colmater les brèches, de recoller les pots cassés, comme pendant la retraite sur la Meurthe.

Sans faire de commentaire, celui-ci montre les ordres venus de l'état-major. Jean Aumoine ne connaît aucun des noms des généraux signataires des télégrammes.

– Nous ne savons même plus le nom du général de notre division. Il a changé quatre fois depuis août, dit le capitaine Gérard, impatienté par l'incompétence répétée des chefs désignés par le grand état-major.

– Général Hallouin, répond Migat sobrement comme si le nouveau divisionnaire était un parfait inconnu, promis lui aussi au limogeage à bref délai. Quand au détachement de Belgique auquel nous sommes intégrés, il est aux ordres d'un cavalier, d'Urbal.

L'officier belge désigne les positions françaises, marquées au crayon rouge sur sa carte :

– Vous avez en ligne, à vos côtés, quatre corps, dont le 16e de Montpellier, et le 20e de Nancy, sans compter les survivants de notre armée belge. Sans parler de deux corps de cavalerie au complet.

– Nous sommes en force, commente Migat. Enfin à égalité avec les Britanniques. Sur la ligne d'Ypres, ils se sont sacrifiés les premiers, il faut le reconnaître.

– Ils ont perdu plus de 50 000 hommes dans la bataille, précise Mertens. Mais ils sont décidés, comme nous-mêmes, à tenir à tout prix ce front.

– Nous ne sommes rattachés à aucun corps d'armée, constate Gérard en dépouillant les télégrammes venus du PC de la division.

– Voyez quelle confiance Joffre peut avoir en nous, répond, non sans ironie, Migat en haussant les épaules. Il sait bien qu'en fait le Commandement n'a pas trouvé d'autre unité disponible.

– Joffre nous a constitués, poursuit Migat, en division autonome, libre de ses mouvements, prête à intervenir dans les coups durs. Nous faisons partie du détachement spécial constitué pour la Belgique, le DAB. C'est un honneur qui doit se mériter.

– Dixmude tient toujours? demande Jean Aumoine.

– La ville a succombé, comme Saint-Éloi, en dépit de l'héroïsme de vos fusiliers marins et des Sénégalais du général Grossetti, un Corse qui a du cœur, dit Mertens. Les Belges s'en souviendront longtemps. Il est resté seul, assis sur un pliant, sous la grêle d'obus qui massacrait ses troupes. Avec l'amiral Ronarc'h et ses fusiliers marins, il est entré vivant dans la légende du Nord.

– Je suppose, avance le capitaine Gérard en étudiant la carte, qu'on nous envoie pour stabiliser le front d'urgence, empêcher la percée allemande sur Dunkerque, Boulogne et Calais, qui obligerait les Anglais à rembarquer.

– Sans doute, répond le colonel, avare de ses paroles. Préparez les hommes au départ, nous marcherons demain avec le 9e corps de Tours. Le 121e attaquera avec le 114e de Saint-Maixent-Parthenay, les Vendéens de la division Guignabaudet. Nous allons leur donner un coup de main pour reprendre Zonnebeke. L'artillerie suit-elle?

– Le 53e de Clermont est en place, toute notre artillerie divisionnaire avec ses quatre groupes, dit Latouche, et deux mille coups par pièce.

Les officiers regagnent leurs compagnies alignées, faisceaux formés, roulantes chaudes, sur le champ de foire de Messines. Les maisons n'ont pas encore trop souffert des tirs d'artillerie. Elles alignent le long de la chaussée d'Ypres leurs pignons en escaliers de tendres briques roses et leurs toits d'ardoise.

Partageant avec les siens le rata tiède de l'intendance, Jean Aumoine prend à part Jules Bousquin, son copain du hameau de la Genebrière, un ami d'enfance à qui il peut tout dire.

— Nous avons devant nous les Bavarois. Ils sont plus durs que les Boches.

— Je voudrais savoir si les unités sont les mêmes qu'en Lorraine. Tu serais d'accord pour monter avec moi une patrouille de nuit et déboucher dans leurs lignes ? Il faudrait ramener des prisonniers pour les interroger. Le commandant Latouche nous soutiendra, le renseignement, c'est sa marotte.

— Nous n'avons pas encore de secteur attribué, fait remarquer Bousquin, perplexe. Pourquoi se presser ?

— Fais confiance aux chefs, nous serons bientôt en ligne, aujourd'hui même. Et cette nuit, nous pouvons agir.

Jean ne peut pas mettre son projet à exécution, car il est envoyé comme officier de liaison par le colonel Migat au PC de la division Guignabaudet, qui a conquis le village de Zonnebeke. Il traverse Ypres à cheval, accompagné par son fidèle Jules Bousquin, qu'il a pris pour aide de camp.

Ypres est ravagée de fond en comble par l'artillerie allemande. Les rues sont encombrées de matériaux de toutes sortes dégagés à grand-peine par les territoriaux, aidés des civils belges. Des trams incendiés gisent sur le flanc, au milieu des avenues pavées. Les pompiers éteignent à la lance un quartier en flammes.

— C'est pire qu'à Soissons, dit Jules, et le canon frappe tous les jours. Si la bataille continue, ils vont finir par raser la plus belle ville des Flandres.

Ils se hâtent d'en sortir, s'engagent sur la chaussée de Zonnebeke, vers l'est, dépassant les attelages d'artillerie qui prendront position derrière les premières lignes. Le PC de la brigade est dans un ancien moulin à vent qui a perdu ses ailes, une sorte de cône haut de vingt mètres, très effilé, recouvert d'ardoises, sur la butte dite de Frezenberg. Sans doute le général a-t-il choisi cet endroit très repérable pour y installer, faute d'un meilleur emplacement, un observatoire. On y découvre la plaine glacée, recouverte de neige.

Jean Aumoine présente son ordre de mission au capitaine Dubois, chef d'état-major de la brigade, qui l'introduit immédiatement dans la grande salle ronde du moulin aux murs blanchis à la chaux.

— Je suis heureux que vous preniez la relève, dit-il. Depuis octobre, les nôtres ont beaucoup souffert, surtout le 114e de Saint-Maixant.

Des lampes à acétylène éclairent la carte murale. Le ciel gris et bas ne donne qu'une faible lumière à la bâtisse aux rares fenestrons.

— Le 114e régiment a enlevé Zonnebeke aux Bavarois à la baïonnette, une mêlée sanglante où nous avons laissé

123

la moitié des effectifs et une bonne partie des chefs. Le colonel Simon qui commandait la brigade…

— Mes ordres portent le nom du général Guignabaudet, interrompt Jean Aumoine.

— Il est déjà passé au commandement de la division, pour cause de limogeage de l'ancien titulaire, un cavalier inepte et inapte. Le colonel Simon l'a remplacé à la tête de la brigade, nommé général à titre provisoire. Pas pour longtemps en effet! Nous avons dû l'évacuer presque aussitôt, il est devenu fou.

— À ce point? s'inquiète Jean.

— Lors de la prise du village de Zonnebeke, poursuit l'officier, nous avions perdu beaucoup d'hommes. Le capitaine Maillet avait été tué à la tête de sa compagnie. Simon, voyant les Allemands contre-attaquer, est sorti de son PC en criant : «Sabre au clair!» Le 125e, un bon régiment de Poitiers accolé au 114e et survenu en renfort, risquait de se faire décimer aussi par le feu dans cette charge insensée. Heureusement pour les poilus, le colonel Deschamps et le capitaine de Lamaze ont gardé leur sang-froid et recommandé aux hommes de s'enterrer et de ne pas perdre une seule balle. Simon invective alors Deschamps, il lui crie, l'épée haute : «Vous ne me laisserez pas manger par ces cosaques. Faites hurler vos hommes!» Deschamps a fait un signe. J'ai été chargé de me «mettre à la disposition» du colonel Simon, général de brigade provisoire aussitôt effondré, tombé de cheval, criant des phrases sans queue ni tête. En fait, je devais le soustraire à son commandement. Je l'ai remis au major Laffitte, pour évacuation. Il n'a pas eu un geste de protestation.

– Qui commande aujourd'hui votre brigade ? demande Aumoine, inquiet. Comment peut-on, sous le feu, changer l'un après l'autre tous les chefs des grandes unités ?

– On a placé la brigade aux ordres directs de Guignabaudet, nommé à la division. Un vrai chef, celui-là, calme, résolu, toujours présent en première ligne. Briant, le colonel du 114e viendra plus tard. Il cédera son régiment au lieutenant-colonel Benoist, dès que ce dernier sera sorti de l'hôpital. Allons voir Briant au PC du 114e où il se tient toujours.

Briant n'a pas de temps à perdre à recevoir des visiteurs extérieurs comme Jean Aumoine. Il se radoucit en lisant, sur son ordre de mission, le nom du colonel Migat, qu'il respecte.

– C'est bien, dit-il, vous venez à notre secours. Vous êtes les pompiers du feu.

Son poste ressemble à un atelier de menuiserie entouré de planches, d'échelles, avec des appentis de brique sous des toits de tôle. Ses cartes sont dépliées dans l'abri, où il vit à la lueur des lampes. L'œil vif, la moustache courte, le colonel porte des bottes d'artilleur et la médaille militaire sur sa vareuse. Il peste contre les téléphonistes, qui réparent trop lentement sa ligne. Il est vrai que le fil a été cassé six fois dans la journée par les obus ennemis.

– Nous avons perdu des hommes, dit-il, à cause de la foutue négligence des groupes d'attaque à Zonnebeke. Le village était enlevé depuis trois jours que des Allemands se cachaient encore dans les caves. Personne n'avait pensé à les fouiller. La nuit, ils ressortaient, tiraient des coups de feu, organisaient la panique. Nos soldats, dans le noir, s'entre-tuaient. Quand vous serez en secteur, jeune homme, dit-il à Aumoine, n'oubliez jamais les caves, c'est le nerf de la guerre dans cette plaine de sable. Guignabaudet a dû signer un ordre spécial pour que les chefs de compagnie fassent fouiller le moindre recoin.

— J'ai ordre de préparer la montée en secteur du 121ᵉ, dit Jean.

— Le capitaine Dubois vous fera visiter. Nous vous attendons avec impatience. Les hommes sont en ligne depuis plus de trois semaines et ils commencent à avoir les pieds gelés à force de prendre des bains toute la nuit dans les tranchées.

— Il y a deux jours, dit Dubois, nous avons repoussé la dernière attaque des Allemands. On n'a pas encore eu le temps d'enterrer les morts, dont les corps sont recouverts de neige. À peine a-t-on relevé les blessés. Plus tard on portera nos camarades en terre dans le cimetière de Saint-Jean.

Jean trouve la Picardie riante comparée à cette vaste plaine aux maisons incendiées, éventrées, pillées de fond en comble. Du haut du moulin, dont il grimpe l'escalier derrière Dubois, il scrute le plat à l'infini, ponctué de rares bosquets d'arbres, et de la masse sombre du bois du Polygone, unique dans la région, encore tenu par l'ennemi. Il pleut sur la neige et des flaques de boue recouvrent les chaussées pavées où glissent les roues des voitures de l'intendance tirées, pour cause de pénurie, par une seule monture.

Dubois conduit à cheval son hôte à la gare de ravitaillement de Vlamertingue. Les caisses de munitions, les boîtes de singe et les tonneaux de gnole s'entassent dans la rue, sous la neige. La route est une patinoire. Les sapeurs du génie alignent des planches sur la chaussée pour permettre aux soldats d'avancer sans s'enfoncer dans les flaques de boue glacée.

Des centaines de braseros, à peine livrés par chemin de fer, attendent d'être enlevés sur les bords de la route. Des zouaves au repos, chéchia rouge enfoncée jusqu'aux yeux, brûlent des lattes minces de cageots pour se réchauffer les mains. Dans le vaste entrepôt, des piles de sacs de jute vides, de planches, de madriers, du ciment. Impossible de trouver ces matériaux sur place. Pas de forêts profondes ni de scieries, encore moins de cimenteries. Il faut les faire venir par le chemin de fer.

— Pour gagner la tranchée des premières lignes, explique Dubois, il faut passer par là ! Et ce n'est pas l'avenue des Champs-Élysées !

Il montre à Jean un tronçon de boyau sinueux du côté de Frezenberg. Les soldats ont creusé le sol à deux mètres cinquante, selon le règlement. Mais le sable des parois s'éboule assez rapidement. Un ruisseau d'un mètre de tirant d'eau stagne au fond du fossé. On pourrait y élever des alevins.

— Impossible d'y tenir, dit le capitaine. Il faut cimenter, recouvrir de caillebotis. On doit ajouter des planches sur plusieurs épaisseurs, monter des parois d'un mètre au moins avec des sacs de sable, construire une fortification de campagne.

Jean avise des monceaux d'arbalètes sur les parois abandonnées.

— Une invention du grand quartier général, dit le capitaine en souriant. Il tire un papier à en-tête du GQG de sa sacoche de cuir.

— Lisez plus tôt : « Dans les régions où fonctionnaient en temps de paix des sociétés d'arbalétriers, nous écrit Joffre, on peut faire usage de leurs armes pour le lancement jusqu'à 80 mètres des charges montées sur des bâtons. »

— Est-ce possible ?

— Ils voulaient nous le faire croire, nous persuader de jeter des grenades avec ces engins. Mais cela ne marche pas. Les hommes refusent de s'en servir. Ils ont peur que la grenade ne leur pète dans la gueule. Ils ne veulent pas plus des brouettes blindées, ou des boucliers d'assaut qui pèsent une tonne. Les pieux à charge de mélinite, pour faire sauter les barbelés, seraient plus efficaces si les poilus arrivaient à approcher sans se faire tuer, porteurs de ces cannes à pêche géantes.

Dans ce paysage désert, la chaussée n'est jamais vide. Les derniers civils belges gagnent le sud. Ils poussent leurs vaches, traînent des brouettes basses à haute roue, chargées à ras bord de vêtements et de vivres. Les curés marchent avec les familles, les enfants regroupés dans les charrettes.

Bons bougres, les fantassins de corvée donnent du chocolat aux gamins, du vin aux hommes. Ces gens ont tout perdu, ils ne savent pas où ils vont. Derrière eux des blessés, le bras en écharpe ou la tête enturbannée, se dirigent vers la gare d'évacuation sous la houlette d'un infirmier. Pas assez de voitures pour les transporter.

Jean a sous les yeux toutes les misères de la guerre. Au carrefour de Broodseinde, où tant de Français sont morts, les survivants s'abritent comme ils peuvent dans des maisons aux toits percés. Les lourdes capotes semblent habiller des obèses, tant ils enfilent de pull-overs les uns sur les autres pour se garder du froid humide et du vent. Plus de casquettes : des passe-montagne.

Les mitrailleuses sont installées sur des dalles de ciments coulées à un mètre du sol, dans des postes entourés de sacs de sable. La tôle ondulée recouverte de sable protège par endroits de la pluie. Pas de branchages dans les environs. Les rares arbres ont été déchiquetés par le canon.

L'eau de la tranchée est polluée par les cadavres enfouis sous la terre projetée par les obus. Les chevaux pourrissent le long des chaussées quand la canonnade a surpris un convoi en marche. Des corvées d'eau sont organisées pour transporter, à partir de tonnes tirées par des mulets, les bidons par centaines en première ligne.

– La nuit, dit le capitaine, il n'est pas rare de voir brûler des fourgons d'artillerie touchés par l'ennemi. Les munitions et les obus explosent dans un bruit terrifiant. Plus d'églises dans le paysage. Les artilleurs des deux camps visent d'abord les clochers et les moulins, les seuls observatoires de la région.

Dans une tranchée sinueuse, les soldats nettoient leurs fusils englués de boue et affûtent leurs baïonnettes sur une meule de village, actionnée à la manivelle. D'autres font cuire des saucisses sur trois briques, dans une poêle paysanne chauffée par du charbon de bois.

— Nous y serons à la nuit tombée, pour la relève, dit Jean. À notre tour de prendre le bain de pied!

L'arrivée du 121e, le 15 novembre 1914, dans le secteur de Zonnebeke semble stimuler les Allemands, qui lancent, dès le 22, une brève et violente contre-offensive de bienvenue, comme si les corbeaux de la plaine avaient annoncé en croassant le changement de la garnison française.

Jean et ses camarades, en première ligne dans un hameau avancé de Zonnebeke, sont réveillés à l'aube par un bombardement fracassant, suivi de peu par les hourras des assaillants. Au corps à corps, ils se rendent compte que ces soldats ont moins de vingt ans. Pour ces derniers, c'est un baptême du feu.

Le caporal Joannin donne le signal de la résistance en tirant par une fenêtre toutes les cartouches de son magasin. Il recharge tranquillement son Lebel, comme à l'exercice. Le sergent-chef Jules Massenot, d'une lucarne du toit effondré, tire au hasard sur la chaussée où les *Feldgrau* avancent en lignes serrées de tirailleurs.

Une mitrailleuse française, brusquement démasquée dans la maison d'en face, les ajuste de flanc. C'est un carnage. Les *Feldgrau* tombent morts les uns sur les autres, éclaboussés de boue neigeuse. On entend les hurlements des officiers qui dirigent la seconde vague d'assaut, plus nourrie que la première.

Une batterie divisionnaire de 75, avancée au plus près, les prend sous son feu, mais des obus égarés abattent les murs de la ferme et la mitrailleuse française se tait, anéantie par les éclats des obus de son camp. Il y a des pertes. Massenot lance une fusée de détresse du haut du toit pour signaler aux artilleurs la position de la compagnie. Le tir de l'artillerie française cesse enfin.

Dans le jour glauque, les tirailleurs allemands cernent les bâtisses de briques qu'ils tentent de forcer. Mais le capitaine Gérard a fait empiler des sacs de sable devant les portes et les fenêtres. Il peut soutenir un siège. Les renforts allemands affluent, le hameau est cerné, les tirailleurs en *feldgrau* débordent la position française, s'avancent en courant vers Zonnebeke.

Le capitaine Migat a prévu le danger de submersion. Il a pris soin d'installer dans une tranchée bien protégée, à l'entrée du village, la meilleure section de la compagnie de mitrailleuses commandée par André Bouin, promu sergent-chef et sans doute bientôt aspirant. Cet instituteur sorti de l'école normale de Moulins est arrivé par le rang, grâce au soutien vigilant du colonel, qui a repéré ses dons d'organisation et son sang-froid au feu. Fils du secrétaire de la mairie de Villebret, il s'est imposé, à vingt-deux ans, par son courage, mais aussi par sa compétence dans le maniement délicat des Saint-Étienne, souvent enrayées et fragilisées par la boue des Flandres.

– À toi, Lascot, la giclée d'accueil, commande Bouin.

Le tac-tac crépite, visant au ras du sol. Les premiers assaillants tombent, les autres tirent à vue, sans toucher leur cible. Le sergent Lascot enquille les bandes sorties par Gaston Lannier d'une caisse de munition éventrée à la hache. Lascot balaye le terrain sans relâche et Lannier, employé municipal de son état à Montluçon, chargé dans la ville de l'entretien des parterres floraux, arrache les bandes de la caisse comme des pots de fleurs, à toute vitesse.

Le tireur le plus précis est Maurice Lefort, déserteur d'un autre régiment d'infanterie, réintégré en Lorraine dans le contingent de renforts d'appoint où figurait Jean Aumoine. L'ancien imprimeur anarchiste se révèle au front un véritable artiste de la mitrailleuse, capable de dépanner l'engin dans les cas les plus désespérés et de régler les tirs les mieux ajustés. Migat lui a fait confiance.

Les Allemands ont encaissé trop de pertes. Ils renoncent à attaquer de front. Le *Hauptmann* commandant la compagnie d'assaut a ordonné de se mettre à l'abri du feu et de s'approcher de l'ennemi par bonds successifs et par petits paquets. Les Allemands s'abritent derrière le moindre obstacle et progressent rapidement en direction de la redoute des deux mitrailleuses françaises. Un coup d'œil au périscope : le sergent Bouin voit la manœuvre. Il fait cesser le feu, attendant que l'ennemi se découvre.

De nouveau les hourras ! À vingt mètres, les Allemands courent sur l'obstacle, grenade à la main. Bouin ordonne le feu. Une seconde trop tard. Une explosion dans son réduit. Les éclats fusent de partout, tuant Lannier, blessant Bouin à la tête. Mais Lascot et Lefort accablent les assaillants d'un tir précis, imparable. Leurs cadavres à casques à pointe s'amoncellent contre les sacs de sable.

Le flot des attaquants emplit la longue rue du village. Pour les *Feldgrau*, c'est un martyre. Le colonel Migat a donné l'ordre de poster des tireurs sur chaque toit, à chaque fenêtre. Ils fusillent à bout portant. L'ennemi reflue en désordre, poursuivi par les mitrailleuses de Lefort et Lascot et par le troisième bataillon, qui dégage le hameau cerné où la compagnie du lieutenant Gérard continue à résister en dépit des pertes.

Au crépuscule, ces hommes se replient enfin, épuisés, sans munitions dans leurs cartouchières. Le régiment compte ses morts : trois cents hommes. André Bouin ne reverra plus le clocher de Villebret, et Madeleine, sa mère, recevra la visite sinistre des gendarmes. Il meurt de sa blessure dans les bras de Jean Aumoine.

La première compagnie est mise au repos dans le bourg de Saint-Jean, où les officiers sont accueillis chez l'habitant. Le lieutenant Aumoine pense d'abord aux Bouin, les instituteurs de Villebret qui lui ont appris à lire et à écrire, pour leur faire la relation de la mort de leur fils unique. Il ne veut pas laisser une plume officielle s'en charger. Sans être très proche d'André, il sait trouver les paroles qui touchent. Le père de la victime est un patriote. Mais le sacrifice de son enfant risque de l'accabler de douleur. Quant à la mère, elle ne pourra pas s'en remettre.

Par le même courrier, Jean Aumoine dit à Marie qu'il est sorti sain et sauf d'une bataille acharnée, qu'il a franchi indemne un mur de feu, sans une brûlure, et que par malheur tous n'ont pas eu cette chance. Il compte sur elle pour remonter le moral de Madeleine Bouin, pour l'aider à surmonter son désespoir.

Écrira-t-il à Clelia? À quoi bon? Il sait que ses lettres, adressées à l'hôtel de Gramont-Caylus, lui seront retournées.

Il soupçonne même le service des renseignements de l'armée d'arrêter les courriers suspects, ceux de la liste noire. Tout ce qu'il peut dire est relu, épié, annoté, classé. Du moins le craint-il. Le commandant Latouche passe une partie de son temps à décrypter les lettres saisies sur les prisonniers allemands. D'autres officiers sans doute, au centre de tri postal des armées, effectuent la même besogne, pour le compte de la sécurité militaire, sur les lettres des poilus, et tout particulièrement des officiers.

La maison où il réside à l'arrière des lignes est d'aspect bourgeois, tenue par un couple dont le fils est au front, carabinier dans l'armée du roi Albert. Il se bat, dit la mère, du côté de Rainscapelle. Elle met à la disposition des officiers un tub à eau chaude, du savon, des brosses pour les uniformes et même des pantoufles. Elle insiste pour qu'ils prennent leurs repas à la maison et s'ingénie à leur servir des lapins de garenne et des coqs de basse-cour arrosés de bière belge.

En buvant le cognac de son hôte, le commandant Latouche, qui écrit tous les jours à son épouse pour la rassurer, tient un discours lénifiant qui exaspère Jean Aumoine. Il trouve admirable que les alliés soient tous présents en force sur ce front et combattent ensemble sans la moindre difficulté de liaison au niveau des états-majors. Il souligne l'entente du général d'Urbal, qui va devenir bientôt chef de la VIIIe armée, avec les officiers britanniques et l'état-major du populaire roi Albert, le «roi-chevalier», qui commande lui-même ses soldats de son quartier général de la Panne. Il parle comme un article de l'*Illustration,* cette luxueuse livraison destinée à montrer aux gens de l'arrière la guerre sous un jour favorable.

Jean Aumoine pense aux cadavres français et allemands accumulés dans les rues de Zonnebeke, qu'il faudra plusieurs jours pour dégager si l'on ne veut pas que l'air empesté empêche l'occupation des lieux. Combien d'André Bouin allemands, sortis de leur université, sont venus mourir sur les pavés des Flandres sans autre résultat notable que de prolonger les deux lignes de front jusqu'à la mer ? Et les Allemands, malgré leurs sacrifices, n'ont pas pu contraindre la petite armée britannique à rembarquer, en la repoussant vers les ports.

— L'occupation de la Belgique est insupportable aux dirigeants de Londres, dit le commandant. Ils feront tout pour la libérer. Vous verrez qu'ils lèveront une armée nationale pour renforcer leurs effectifs sur ce front. Ce qu'ils n'ont jamais fait dans leur histoire.

— Cela promet une guerre longue, dit Jean.

— Sans doute. Nous passerons Noël en ligne. Mais si les Russes accentuent leur poussée sur Berlin, on peut espérer la paix pour janvier, surtout si les Italiens, les Roumains et les Japonais nous rejoignent.

— Je ne vois pas de si tôt les Japonais en Belgique, dit Van Assum, leur hôte. L'ingénieur géomètre, chargé de l'entretien des canaux de la région, relève ses lunettes sur ses cheveux blancs et tend à ses hôtes le *Times*, journal britannique livré aux officiers du corps expéditionnaire. Les Anglais eux-mêmes ne sont pas favorables à l'entrée en guerre des Japonais. Sans doute ont-ils peur qu'ils ne se jettent sur la Chine.

— Ils ont bien des Hindous en ligne. Et qui mènent la vie dure aux Allemands. Ils les égorgent la nuit, au poignard, en rampant vers leurs tranchées sans faire le moindre bruit.

— Les Canadiens débarquent au Havre, assure le commandant Latouche. Les Australiens et les Néo-Zélandais recrutent. Lord Kitchener, le ministre de la guerre, veut une armée de cinq cent mille hommes. Nous les aurons d'ici peu.

— En attendant, les Belges sont pillés de fond en comble, leurs villes sont détruites, leurs ressources en hommes limitées et la guerre fait rage sur leur territoire, dit Jean.

— Et vous verrez qu'à l'heure de la paix, constate mélancoliquement Van Assum, personne ne nous en saura gré, les Anglais moins que quiconque. Ils nous enverront la facture de notre libération.

Dans la tranchée de Vingré, en Picardie, le front est définitivement stabilisé grâce aux travaux des territoriaux qui ont construit des boyaux convenables, des positions de repli et des niches bien abritées pour les mitrailleuses. Les bleus du 321e régiment d'infanterie, où sert Raymond Aumoine, montent aux créneaux dans un secteur tranquille et tiennent le front seulement trois jours d'affilée, pour parfaire le reste du temps leur instruction.

Il est convenu, promis, qu'on doit les ménager, les réserver pour les futures offensives que mijote Joffre dans son nouveau quartier général de Chantilly, une grande maison bourgeoise où il s'est installé le 29 novembre.

Les jeunes du 3e bataillon sont gâtés. Ils sont au repos non pas à cinq cents mètres des premières lignes, mais à trois ou quatre kilomètres, à Haute-Braye ou Saint-Christophe-sur-Berry. Ces bons traitements ne sont pas gratuits. Il est entendu qu'ils doivent s'initier sans trêve au maniement des armes nouvelles, grenades et boucliers de tranchée, et améliorer leur exercice.

Raymond supporte mal le froid de décembre. Il gèle à moins dix, moins douze dans sa tranchée. Marie et Marguerite lui tricotent à tour de bras pull-overs, chaussettes de laine, cache-col, qu'elles lui expédient par le nouveau service organisé des colis aux armées. Il ne manque pas de mitaines, de caleçons molletonnés ni de ceintures de flanelle. Il peut en distribuer aux plus démunis. Les familles pourvoient aux lacunes de l'intendance. Elles envoient des lampes et des réchauds pour la soupe et le café.

C'est bien pour la tranchée. Mais quand il est au repos à l'arrière, Raymond recherche d'autres satisfactions, et d'abord d'avoir le moins froid possible la nuit. Il préfère coucher dans les écuries, à la rigueur dans les étables, plutôt que dans les granges. Il s'est réservé, avec son copain Dutoit, une étable bien close, de quatre veaux et six vaches. On redécouvre les mérites de la chaleur animale.

— Au Moyen Âge, dit l'instituteur Porcher, les vaches couchaient avec les hommes à la ferme. Nous sommes revenus à ces temps-là.

— Oui, mais les serfs n'avaient pas de pinard, dit le cantonnier Dufour.

— Celui de l'intendance est imbuvable, dit Émile Dutoit. Quant à celui des commerçants, à un franc le litre, c'est cher de la cuite.

— Nous avons protesté auprès du colonel, dit Porcher. Il nous a répondu qu'il allait fermer les boutiques des mercantis. Ce n'est pas mieux pour nous. Il devient impossible de boire, même à prix d'or, autre chose que de la piquette bromurée.

— Il est vrai qu'à la ferme on peut se procurer de l'eau-de-vie de pomme que la patronne vend pour presque rien. La maison est bonne. Le colonel lui-même y loge.

— Mais pas dans l'écurie, dit le cantonnier Dufour. Ces bougres-là s'arrangent toujours pour avoir de bonnes chambres et des draps frais.

À partir du 14 décembre, plus d'illusions sur la victoire prochaine. Même l'adjudant Bourdon admet «que la victoire des Russes est une blague». L'ouvrier Dutoit explique posément qu'il y aura «du vilain en France», si la guerre dépasse le mois de mars. Bourdon hausse les épaules.

— À Pâques, dit-il, tout sera fini.

Il distingue, dans la compagnie, deux sortes de poilus : ceux qui passent leur temps dans d'interminables parties de manille coinchée, et les autres, qui écrivent et attendent la distribution du vaguemestre. Raymond reçoit des lettres de sa mère, de Marguerite et plus irrégulièrement de ses frères. Les femmes se plaignent du retard du courrier. Et les hommes du front, pour la plupart, éprouvent dans la douleur l'absence des femmes. Ils s'habituent mal à la séparation.

Mais les colis, avant Noël, arrivent par milliers avec leur cargaison de gâteries, de chocolats, de sirop contre la toux, de cognac et de cigares. Pour les plus heureux, du champagne. Le capitaine Lacassagne, toujours strict, a décidé de distribuer les paquets uniquement à la veille de Noël, afin que les soldats ne fassent pas la fête avant.

— Pas de réveillon, leur dit-il. Pensez à vos camarades qui occupent jour et nuit les tranchées boueuses du Nord, et qui y risquent leur peau.

Des murmures dans la troupe. On compte bien faire la fête jusqu'à l'aube et peut-être même, si l'on ne revient pas en ligne cette nuit-là, faire un tour sur la route d'Attichy, où un cabaret de fortune accueille des filles aimant le soldat.

— Prends garde! a dit le major à Raymond, venu consulter pour un mal de gorge, et qui l'interroge sur la propreté des filles. On compte déjà trois cent mille véroles dans l'armée française.

L'avertissement n'empêche pas le Montluçonnais de rechercher l'ambiance des cafés du canal à lanterne rouge. Il est déçu. La fille qu'il se réservait a le bourdon. Elle est pourtant blonde et pulpeuse comme il les aime, avenante dans sa robe de soie verte largement décolletée. Quand elle a bu une fine champagne avec une moue d'entraîneuse blasée, cette fille de vingt ans se prend d'amitié pour lui parce qu'il ressemble à son frère.

— Je m'appelle Albertine Barnouin, lui dit-elle, sur le ton de la confidence. J'ai quitté Lille avec ma famille, aux premiers uhlans. À Paris, le Secours catholique nous a dirigés vers Le Havre, où il y avait de l'embauche. J'ai travaillé dans une usine de poudre. Mes cheveux, dit-elle en tirant sur une mèche bouclée, ne sont pas blonds, ils sont verts, à cause des vapeurs de cuivre. J'ai failli les perdre et crever d'étouffement dans les sales odeurs. Un Italien m'a recrutée pour travailler, m'a-t-il dit, dans un salon de danse comme serveuse. Les bals sont interdits à l'intérieur, mais ici, au front, tout est permis. Et les rencontres ne manquent pas, parfois vingt par jour.

– Prends le train, sauve-toi, dit Raymond. Tu vas mourir des maladies. C'est assez que nous risquions notre peau. À Montluçon dont je viens, pas de poudrerie, tu pourras être embauchée dans le textile.

Il est trop tard. Les yeux verts d'Albertine deviennent flous. Le retour à la vie normale, et même la fin de la guerre, n'ont plus de sens pour elle. Elle se lève sans mot dire, après une caresse sur les cheveux de son confident d'un soir, pour aller à la rencontre d'un artilleur aux bottes luisantes. Raymond rentre seul à son étable, la tristesse dans l'âme. Il n'imaginait pas que la guerre pût aussi détruire les plus belles filles du pays.

Noël est triste à la tranchée recouverte de neige. Les bleus ont repris leur secteur, deux jours avant la fête, et non sans récriminer. Le lieutenant-colonel Flocon a insisté. C'est à lui qu'ils doivent cette faveur!

– Bah! dit l'adjudant Bourdon, c'est au tour des anciens de passer à l'arrière. Ne l'ont-ils pas mérité?

– Ainsi personne ne pourra nous empêcher de faire la fête toute la nuit, dit Jean Dufour. Les chefs seront occupés ailleurs!

Une telle réflexion, chez un caporal exemplaire, trahit un certain agacement.

— Lever demain à six heures, précise Bourdon, pour la remise en état des tranchées. On dirait des poubelles sales, pleines de poux, de merde et de papiers gras.

— Raison de plus pour ne pas se coucher du tout, grommelle dans sa moustache Armand Berton, le maraîcher de Malicorne, qui a vite appris à râler comme un ancien.

Sous la neige, les lointains des collines picardes ressemblent aux Vosges. Le froid reste très vif, mais n'empêche pas les soldats de chanter. Puisqu'ils ne peuvent assister, avec le colonel, les officiers et les soldats des autres bataillons, à la messe de l'abbé Balmont, dite dans les ruines de l'église de Vingré, ils entonnent entre eux des chants de Noël. Dans la tranchée d'en face, à cent mètres, les Allemands font de même. Vont-ils fraterniser ?

À minuit, les fusées éclairent le paysage. Le canon tonne, sans trop d'ardeur du côté français. Les artilleurs ont reçu des ordres, comme si l'état-major craignait une trêve de Noël. Les Allemands répliquent par quelques salves. Puis tout retombe dans le silence. Aucune fusillade. À croire que le secteur est privilégié.

Le colonel Flocon sait que des opérations ont été prévues ce soir-là par l'état-major de Chantilly dans le Nord et même dans les Vosges. Rien de grave sur le front de leur VIe armée. Les bleus peuvent réveillonner dans la paix relative de la tranchée. Les fusiliers allemands se gardent bien de se manifester aux créneaux.

De leurs doigts gourds, protégés par des mitaines, les poilus découvrent les cadeaux venus de l'arrière, enfin libérés par le colon. Le lieutenant Moulinet, de garde dans son trou, se joint aux hommes et leur propose d'ouvrir des boîtes de foie gras expédiées par sa mère.

Raymond pique des tranches avec son couteau et les étale sur du pain bis comme s'il mangeait des rillettes. Le caporal Dufour estime que rien ne vaut un pâté de lapin au genièvre, et Dutoit fait réchauffer un saucisson de Lyon, cadeau de sa jeune épouse, intact sous sa croûte feuilletée. Le vin ne manque pas pour arroser l'ordinaire, y compris le champagne du lieutenant Bériot, qui vient d'en recevoir une caisse.

Au dessert, entre les poires au vin et le pain d'épices, le convoyeur de soupe Ernest Courazier fait tintinnabuler ses bouthéons dans le boyau.

— Un peu plus, tu laissais passer minuit, lui dit Bourdon.

— Ils m'ont retenu au village, confesse Courazier. La gnole y coulait à flots.

Il a du mal à tenir debout sur le caillebotis devenu glissant avec la neige. Les hommes ne négligent pas sa tambouille, bien au contraire. Ils sont heureux de manger chaud. Les haricots de mouton sont versés des bouthéons dans des bassines, les réchauds s'allument. La bonne odeur remplit de joie les poilus.

— Ceux d'en face n'ont rien à bouffer, rien à boire, dit Dutoit très éméché, je vais leur balancer une grenade de champagne, ça les changera.

— Garde-t'en bien, dit Bourdon.

Mais l'autre est déjà parti. Tous se pointent aux créneaux. Émile, en zigzagant, parcourt cinquante mètres vers l'avant, hèle les Boches, qui ne tirent pas un coup de feu. L'un d'eux saute de la tranchée, les bras ouverts, sans armes, se précipite vers Émile qui n'échappe pas à l'accolade.

Il revient, les poches pleines de cigarettes et de chocolats, sous les applaudissements de la compagnie.

— Cadeau du *Kaiser*, dit-il. En échange, je leur ai donné, en plus, du camembert.

— Tu aurais pu t'en dispenser, dit le lieutenant Bériot, furieux qu'on ait distribué son champagne à l'ennemi. Le meilleur cadeau qu'ils auraient pu nous faire, ce n'est pas de nous offrir leur tabac, c'est de foutre le camp.

— Ben quoi! dit Émile, ils font la guerre comme nous! Demande à l'abbé. Son pape a bien dit que pendant la nuit de Noël, c'était la trêve.

Blamont hésite à répondre. Ils sont 25 000 comme lui, aumôniers sur les lignes, ayant troqué la soutane contre le pantalon rouge. C'est vrai, Benoît XV a parlé. Mais Joffre et Falkenyahn ont répondu par le canon. Que dire à ces hommes?

— Pensez à vos camarades du Nord, qui n'auront pas cette nuit le moindre répit. Les fraternisations sont indécentes quand les nôtres meurent au combat.

— On fait bien la même guerre, ajoute le lieutenant Bériot, mais l'un contre l'autre. Les Allemands la font chez nous et l'on n'est pas chez eux. Je te conseille de reprendre la conversation avec les Boches quand ils seront partis. Il est encore beaucoup trop tôt. Demain, hélas, ils te tireront dessus.

Pendant la nuit de Noël, la 26ᵉ division, où reprend sa place le 121ᵉ régiment, abandonnant le front à l'est d'Ypres, est déplacée tout entière vers Poperinge, gros bourg belge situé près de la frontière française. La mission est de tenir la ligne des tranchées de Poperinge jusqu'à Nieuport. Les combats font rage sur les bords du canal de l'Yser. Les alliés veulent à tout prix tenir Nieuport.

Toute l'armée anglaise est présente, avec des renforts frais débarqués à Calais, une artillerie nombreuse qui tonne jour et nuit. Les Belges se battent sur leur sol, et leurs carabiniers ont parqué leurs chevaux sur l'arrière pour prendre position dans la tranchée, avec les lanciers en tuniques bleu roi, recouvertes de peaux de mouton, qui ont troqué la lance pour le fusil. Une armée interalliée se bat pour tenir les ports de la mer du Nord. Si les Allemands s'en emparent, ils ont des chances de gagner la guerre.

L'état-major de Joffre renforce constamment ses unités dans le nord, mais il manque de renseignements sur l'importance des troupes allemandes qui prennent position le long du canal de l'Yser, où se joue le sort de Nieuport. Les quelques captures de prisonniers permettent de supposer l'arrivée de divisions de renfort, composées de tout jeunes gens. Le commandant Latouche, toujours avide de renseignements, propose à Jean Aumoine de constituer une sorte de corps franc pour franchir de nuit le canal et faire prisonniers des soldats ennemis du côté de Bischoote.

Nouvelle mission impossible, que Jean accepte aussitôt. Il est si désespéré que seule la perception du danger l'arrache à sa torpeur. Latouche s'en est-il rendu compte? Le sent-il prêt pour toutes les besognes? Il a fait preuve d'une telle résolution dans l'affaire des Cinq Piliers qu'il prend le risque de le lancer dans une nouvelle aventure.

Il lui présente alors un lieutenant de dragons, Emmanuel de la Sablière, qui a participé, dans la 5e division de cavalerie de Reims, commandée par Allenou, aux opérations sur les bords du canal de l'Yser.

Des bottes de fantassin allemand aux pieds, sa longue capote de cavalerie serrée par des cartouchières croisées, la carabine à la main, le lieutenant a l'allure d'un franc-tireur sans troupes. Il juge Aumoine d'un seul coup d'œil. Son regard brillant de fièvre, ses mèches noires, son visage dépourvu de barbe pouilleuse ou de moustache sale lui inspirent immédiatement le respect. Pour l'aristocrate, un homme qui trouve le moyen de se raser tous les matins dans l'enfer des Flandres est digne de confiance.

Jean Aumoine reste sur la réserve. Il veut bien risquer sa peau, et celle des siens, à condition d'être maître du jeu. Il n'a pas envie d'être sous les ordres du dragon, même s'il connaît parfaitement la topographie du secteur. Mais quand le fringant cavalier propose de lui-même de se joindre au corps franc comme guide, il se place en quelque sorte aux ordres de Jean.

– Le pays est plat, dit-il pour montrer sa compétence. Rigoureusement plat comme la main. La plaine, envahie de roseaux sur les bords du canal, est coupée de fossés profonds. Impossible aux voitures de s'aventurer en dehors des routes enneigées. Les fantassins pataugent dans cet océan de neige molle. Pour défendre Bischoote, le 41e régiment d'infanterie de Rennes a pratiquement disparu. Il n'en reste que quatre cents soldats. Pas même un demi-bataillon. Un simple lieutenant de réserve les commande et ils ont repassé le canal sur des ponts de bateaux, dans une retraite qui ressemblait à de la panique.

— Les Allemands sont en force? demande Jean.

— Ils ont creusé trois lignes de tranchées et s'y terrent pour l'instant, comme s'ils préparaient une nouvelle attaque. Nous sommes très inférieurs en nombre et en moyens. Si nous voulons tenir sur le canal, votre renfort est bienvenu, mais nous pouvons avoir devant nous un corps d'armée entier, se ruant à l'assaut comme ils l'ont fait à Ypres et à Dixmude. Et pour les recevoir, dans ce secteur précis, que des territoriaux! Nous les avons encadrés afin qu'ils ne reculent pas en désordre sous le feu intense des canons allemands. Hier encore, nous avons dû chasser l'ennemi qui tâtait nos défenses.

— Une attaque de grande envergure?

— Non point. Les Allemands d'une unité de *Landwehr* semblaient mous, presque découragés. Les *Feldwebel* sortaient leurs revolvers pour pousser les jeunes recrues à franchir le pont de Steenstrate dans la direction de Lizerme.

— Ont-ils réussi à percer?

— Panique dans nos rangs. La première ligne recule en désordre. Un colonel de la réserve est limogé sur-le-champ. Un lieutenant perd la tête, donne des ordres incohérents. Il est arrêté et passe en conseil de guerre. J'ai vu un colonel d'infanterie braquer, pistolet au poing, les fuyards de la territoriale qui abandonnaient la tranchée. Demain, cela peut recommencer.

146

– Pourquoi ne pas avoir repris Bischoote ? demande le commandant Latouche.

– Impossible d'y entrer, reprend le dragon. Les Allemands auraient pu le faire, même eux ne s'y sont pas risqués. Le village est rempli de morts et de blessés abandonnés sans secours, entre les deux lignes. Un officier de l'escadron cycliste, envoyé par nous en reconnaissance, a parlé de mille cadavres, français et allemands, abandonnés sur les lieux. Ils sont, dit-il, « à moitié mangés par les cochons et en pleine putréfaction ». Les blessés sont morts de faim. Notre artillerie bat en vain les ruines, pour empêcher l'ennemi de s'y installer, ce qu'il ne parvient pas à faire. Depuis plus de deux semaines, ils tentent d'assainir Bischoote en brûlant les corps, par crainte des épidémies.

– Ils y sont entrés enfin ?

– Nous n'en savons rien. L'odeur des cadavres, rabattue par le vent dans nos lignes, reste effroyable. Les Bavarois ont creusé, de nuit, leur première ligne de tranchées à l'avant du village, tout près du canal qu'ils battent de leurs feux.

– Le projet est de traverser le canal sur deux barques, avec cinq hommes, en profitant du brouillard, dit le commandant Latouche, et de tomber de nuit sur un poste allemand pour ramener des prisonniers. L'opération ne doit pas durer plus d'une heure. Vous serez, au retour, soutenus par l'artillerie. Objections ?

– Nous savons d'expérience, dit Jean, que les Allemands ne tiennent en première position qu'une poignée de réservistes pour éviter les pertes dues au bombardement, les renforts n'arrivent qu'en cas d'attaque. Nous risquons de capturer des soldats qui n'apporteront aucun renseignement intéressant.

— Ce n'est pas votre but, dit Latouche d'un ton tranchant. La nuit du 24 décembre est celle de Noël et les Bavarois sont pieux. Je crois savoir que les officiers de l'état-major du *Kaiser* se rendront individuellement dans les tranchées, pour apporter des cadeaux du *Kaiser* et soutenir le moral des jeunes troupes. Leur capture serait inestimable, surtout s'ils ont sur eux le plan des positions et les points de concentration des renforts.

— La nuit de Noël démobilise les troupes, les Allemands comme nous-mêmes, dit Emmanuel de la Sablière. Pas d'occasion plus favorable pour une opération de ce genre. Je connais le terrain comme ma poche. Nous devons réussir.

— Vous avez votre équipe? demande à Jean Aumoine le commandant Latouche.

Jean veut les consulter d'abord. Mais Bousquin, Massenot, Joannin, Nisard et Duval sont toujours prêts à le suivre, si dangereuse soit la mission. Pour lui. Parce que c'est lui.

Ils partent deux heures plus tard, à plat ventre sur des radeaux légers, montés sur des sacs imperméables et gonflés d'air, qu'ils conduisent à la rame en prenant soin d'éviter le bruit. Le courant du canal est faible, la traversée facile. L'alerte n'est pas donnée en face, d'où parviennent, portés par le vent, les chants des Bavarois.

Les sept Français ont de l'eau à mi-jambe quand ils débarquent, glissant sur les rives glacées. Jean leur fait signe de se courber, puis de ramper. Emmanuel de la

Sablière, les bottes trempées et crottées, bondit le premier, un poignard en main. La sentinelle allemande n'a pas le temps de crier. Les six hommes au visage maculé de boue sautent dans le poste de guet, baïonnette au poing. Les Bavarois lèvent les mains pour se rendre. Joannin et les autres les assomment pour qu'ils ne puissent appeler à l'aide.

— Seizième régiment d'infanterie, *Landwehr* de Bavière, dit Jean à voix basse en montrant au lieutenant de dragons le numéro inscrit sur la housse d'un casque à pointe.

Il le coiffe aussitôt, et les autres en font autant, même la Sablière. Ils allongent les corps des Allemands captifs, les dissimulent sous une toile de tente. Joannin pousse la conscience jusqu'à les recouvrir de pelletées de neige.

Emmanuel de la Sablière regarde sa montre.

— Les officiers sont en retard, dit-il à Jean.

— Peut-être ne visiteront-ils pas les premières lignes, répond l'autre.

Des pas sur le caillebotis du boyau annoncent une arrivée. Un *Feldwebel* éméché surgit du boyau de liaison, suivi d'un soldat porteur de bouteilles de vin du Rhin. Il chante à tue-tête *Heilige Nacht*.

— *Gut Weihnachten kamaraden*! crie-t-il à la cantonade.

Il est aussitôt ceinturé, garrotté, désarmé, ficelé, et le porteur de *Rheiwein* laisse tomber son précieux chargement, qui éclate sur la dalle de ciment. Joannin l'assomme net et bougonne en désignant le verre brisé :

— Quelle pitié. Un aussi bon vin !

Jean prend le Mauser d'une sentinelle, s'engage dans le boyau confortable, lequel, entièrement tapissé de caillebotis, zigzague en angles droits bien tracés jusqu'à la seconde ligne. Il ne peut aller loin. Les *Zieg! Heil der Koenig!* le retiennent. Les officiers sont là, en visite dans le secteur.

Les soldats, à demi ivres, se sont levés pour les saluer. Ils entonnent le *Deutschland über Alles* devant les officiers au garde-à-vous. Le premier porte un casque de colonel sans housse, comme à la parade, étincelant sous les lueurs de brasero de sa pointe en or et de sa plaque d'argent. Les soldats sont nombreux, ils se sont rassemblés autour des visiteurs pour ne rien perdre du spectacle. Comme si la trêve était respectée, et les Français complices. Les Bavarois, si catholiques, ont-ils eu connaissance, par leurs aumôniers, du message du pape?

La cérémonie se poursuit d'un bout à l'autre de la tranchée. Les officiers vont de poste en poste, suivant les secteurs, jusqu'au village en ruine de Keyem, un des points d'appui de leurs lignes. Ils doivent visiter les blockhaus de mitrailleuses installés dans les maisons détruites, dont les caves intactes servent d'abris aux soldats pendant les bombardements. Les batteries de 77 défilées derrière la troisième ligne de tranchées se gardent bien de tonner, pendant la visite, sur les villages de Ramscapelle ou Nieucapelle où sont retranchés les Français, de peur de tirs de représailles.

Jean ne peut avancer sans se heurter aux troupes nombreuses qui garnissent la deuxième ligne.

— Impossible de donner l'assaut, se dit-il : même ivres, ils sont tous en armes.

Le dragon l'a rejoint.

— Ils vont revenir, dit-il. Pour leur propagande, il est bon de montrer les officiers aux premières loges.

Les Allemands ont repris leurs chants de Noël, auxquels s'ajoutent quelques refrains mélancoliques. Jean Aumoine et Emmanuel de la Sablière retournent dans l'avant-poste, où les soldats français se réchauffent en buvant à la régalade du schnaps saisi dans les poches des capotes des prisonniers.

— C'est une visite importante, dit la Sablière aux hommes rassemblés autour de lui. Ces officiers viennent d'un quartier général, je ne sais lequel.

Il cherche à regonfler le moral de la patrouille, qu'une trop longue attente risque de lasser. Jean leur avait certifié que tout serait bouclé en une heure. Mais la visite se prolonge. Ils risquent de se faire repérer.

— C'est une visite officielle, poursuit Emmanuel. Ils ne doivent oublier personne. Les officiers de la presse militaire les accompagnent sans doute pour publier des reportages sur Noël au front. Ils n'ont pas moins de deux cent cinquante mille soldats en ligne dans les sables des Flandres. Toute l'Allemagne, et d'abord le *Kaiser*, a les yeux fixés sur eux. Il ne se console pas d'avoir manqué son entrée triomphale dans Ypres, sur son cheval blanc.

Jean lui fait signe de se taire. Les hommes reprennent leurs postes, surveillent les prisonniers. Le silence dans le camp allemand, puis de nouveau les vivats! Des bruits de bottes sur le caillebotis. Les officiers boches avancent dans le boyau, sans méfiance.

Ils aperçoivent, mal éclairées, les silhouettes de Joannin et de Massenot, coiffés tous les deux d'un casque à pointe, vêtus de capotes allemandes. Jean et Jules Bousquin se plaquent contre la paroi, à l'entrée. Ils laissent passer les deux gradés, et le *Hauptmann* de service qui les suit. Ils leur sautent dessus, les mains à la gorge, pendant que le caporal Joannin étend à terre le *Hauptmann* d'un coup de pelle sur la nuque.

L'alerte est donnée sur toute la ligne allemande. Le colonel responsable du secteur, surpris de ne pas voir les officiers revenir plus vite du poste de première ligne, envoie une ordonnance, laquelle découvre, dans le réduit, les corps des sentinelles entravées et inconscientes. Un coup de sifflet dans la nuit fait taire les chanteurs et les fusiliers montent aux créneaux.

Le colonel mobilise des équipes du génie pour tenter une traversée du canal. Des projecteurs puissants trouent la brume, pour éclairer la berge opposée. L'un des radeaux est très vite repéré. Un mitrailleur ouvre le feu : un tir trop imprécis, il manque sa cible.

Jean et ses camarades souquent ferme. Les officiers désarmés ont refusé de se laisser lier les mains. Ils sont restés assis, le buste droit, sur le fond des radeaux, tenus en respect par les baïonnettes effilées de Nisard et de Joannin, chargés personnellement de les garder. Un colonel d'état-major et un lieutenant de cavalerie, se dit Jean en découvrant les grades sur les épaulettes des captifs. Une nouvelle rafale de mitrailleuse crépite, quand les radeaux ne sont plus qu'à deux ou trois mètres du bord français.

Le premier radeau réussit à aborder. Jules Bousquin saute sur la berge, mais le colonel allemand arrache brusquement sa baïonnette des mains de Nisard grelottant de froid et la plante dans le dos du lieutenant de la Sablière. Jules Bousquin intervient trop tard, le dragon est à l'agonie quand on le tire sur la berge. Il maîtrise aisément l'officier allemand, qui lève bientôt les bras pour se rendre, croyant sa dernière heure arrivée.

L'équipe française de secours est déjà là, surgie de la tranchée. Au mépris du danger, Latouche la dirige en personne. Il a rampé avec ses hommes à travers les joncs jusqu'au rivage. Il s'empare du prisonnier et l'entraîne aussitôt vers les tranchées. Le colonel porte un uniforme d'officier d'infanterie d'un grade élevé.

Une rafale de mitrailleuse troue l'un des sacs imperméables du deuxième radeau et déséquilibre l'embarcation conduite par Jean, qui chavire aussitôt. Les hommes tombent lourdement dans l'eau glacée.

Joannin se redresse le premier. Il prend difficilement pied dans la vase. À côté de lui, Jean, entièrement plongé dans le canal, est au bord de l'asphyxie et ne parvient pas à trouver appui sur le fond glissant. Le géant le tire par sa capote. L'eau glauque ruisselle sur tout son corps quand Jean touche enfin la berge, exténué, toujours soutenu par le caporal.

— Le prisonnier! crie-t-il aussitôt. Il s'est noyé!

Jules Bousquin, bravant les rafales, s'empêtre dans la vase pour sortir de l'eau le second officier allemand avec l'aide de Maurice Duval, de Champignier, peu familier de la course en marécage.

— L'Allemand est blessé! crie-t-il. Regarde, il perd son sang.

L'homme est épuisé, presque inanimé. Son visage est entièrement boueux, comme s'il avait rampé dans la vase.

Ses cheveux blonds ruissellent d'eau sale. C'est un lieutenant des dragons de Bavière, en manteau et bottes. Jean
demande à ses camarades de lui retirer sa lourde houppelande. L'officier pousse des cris déchirants, comme si on
lui arrachait les bras.

Les tireurs d'en face ont-ils reçu l'ordre de cesser le feu
pour ne pas prendre le risque de tuer leurs officiers
disparus? Les Français ont tout loisir de hisser le grand
corps du blessé sur la berge, où il gît, presque mort.

— Le bras, dit Jules Bousquin qui a réussi à découper à
la baïonnette le drap épais de sa houppelande. Il est
presque arraché!

L'homme respire à peine. Deux brancardiers du
service de Santé, envoyés par Latouche, interviennent
aussitôt. Ils s'emparent de l'officier, pendant que Jean
presse les rescapés de la patrouille de déguerpir au plus
vite. Les Allemands, leur dit-il, peuvent tenter de franchir
le canal pour récupérer les prisonniers.

Massenot porte sur son dos Nisard évanoui. Duval tire
par les bottes l'officier français touché à mort, pendant
que Latouche lui soulève les bras. On ne peut plus rien
pour le lieutenant Emmanuel de la Sablière, tué à vingt-
deux ans, sinon l'enterrer décemment.

Jean se penche sur le visage de l'Allemand pour tenter
la respiration artificielle, le bouche-à-bouche des sauve-
teurs en rivière, qu'il a appris jadis d'un maître nageur sur
les bords du Cher. Entreprise vaine. Il n'obtient aucun
résultat.

— Ne nous retardez pas, mon lieutenant, disent les
brancardiers. Il faut gagner le poste de secours au plus
vite. Cet homme est en danger de mort.

Le tir de l'artillerie française prend à partie la rive opposée du canal, interdisant toute tentative de poursuite. Les obus de 75 éclatent sur la première tranchée, avant qu'on allonge leur tir sur l'ensemble de la position. Les Allemands finissent par riposter, de toute la puissance de leur artillerie lourde. Ils matraquent pendant une heure les tranchées où les Français fêtaient avec leurs pauvres moyens la nuit de Noël, puis finissent par renoncer quand il devient clair qu'ils n'ont pas de débarquement à redouter.

Jean conduit lui-même son prisonnier au poste de première urgence. Comme s'il voulait à tout prix l'arracher à la mort. Est-ce pour obtenir de ce grand blessé des renseignements? S'il n'était bavarois, se donnerait-il tant de mal?

– Il a perdu du sang, dit l'infirmier qui examine la blessure. Il ne faut pas tarder à l'amputer. Évacuation immédiate!

Une piqûre antitétanique, une autre pour stimuler le cœur. On peut à grand-peine nettoyer la plaie. L'os de l'omoplate est saillant. Le blessé reprend pourtant des couleurs, il geint, puis hurle.

– C'est bon signe, dit le major, c'est un gaillard, il se remettra.

– Ne le quittez pas, dit à Jean le commandant Latouche qui a rejoint le groupe entraînant le blessé sur un chariot sanitaire. Il revient à lui. Il faut l'interroger dès que possible. C'est un gros poisson. Un lieutenant d'ordonnance de l'état-major du *Kronprinz* de Bavière. Nous avons saisi sur le colonel d'infanterie le plan des unités allemandes à visiter. Il nous livre le détail du dispositif ennemi de défense. La conversation de celui-ci sera sans doute tout aussi passionnante, s'il s'en remet.

Jean regarde avec attention le visage émacié du lieutenant. Cet homme parlera-t-il un jour? Il a vu des blessés bien moins atteints passer l'arme à gauche à l'hôpital, pour cause de gangrène. Comment cette plaie ouverte ne se serait-elle pas déjà infectée dans l'eau nauséabonde du canal?

Il a suivi le chariot jusqu'à la tente du chirurgien-major. L'Allemand a de la chance. Les blessés français, victimes du bombardement, ne sont pas très nombreux. Le major peut l'opérer immédiatement.

Jean assiste à l'amputation. On allonge le corps du dragon bavarois sur une rude table de bois, probablement saisie dans une ferme. Pendant que l'infirmier le chloroforme, un aide retire d'une marmite d'eau bouillante un scalpel qu'il tend au major. Le bras de l'officier aux galons dorés chute sur le sol boueux. Désinfecté, cautérisé, le blessé est évacué vers l'arrière, une couverture de laine sur le corps.

Jean s'est emparé de sa vareuse et de ses effets personnels. Il sort avec précaution d'une poche le portefeuille du lieutenant. Il en tire une photographie jaunie le représentant avec son père en uniforme de colonel, en compagnie de sa mère et de sa jeune sœur. À n'en pas douter, c'est Clelia. Jean regarde les papiers d'identité : lieutenant Erik von Arnim, de Munich.

Le crapouillot

Les poilus l'ont surnommé «crapouillot» parce qu'il ressemble à un crapaud. Ce canon de tranchée ne possède ni roues, ni pattes palmées, mais une gueule énorme de mortier. Il est mis en batterie par deux hommes qui le portent sur des brancards, telle sainte Radegonde à la procession de Poitiers. Il est capable de lancer jusqu'à cinq cents mètres des obus-torpilles, bourrés de cheddite, qui creusent des entonnoirs profonds de quatre mètres dans les tranchées adverses. Il répond de son mieux au feu meurtrier des *Minenwerfer* d'en face.

Choisir l'artillerie de tranchée, surtout en ce début 1915, est un pari courageux pour un jeune aspirant-officier. Julien Aumoine, engagé volontaire à dix-huit ans en février 1914, n'ignore pas que ces engins sont loin d'être au point, que les accidents sont fréquents, que les biffins sont peu aptes à leur maniement. Il sait aussi qu'un artilleur doit accepter de partager la vie du fantassin. Aucun de ces inconvénients ne l'a fait changer d'avis : il a demandé à servir dans les mortiers de tranchée, appellation noble des crapouillots. L'adjudant Duplan, instructeur à Bleau, tente une dernière mise en garde :

— Au début, personne ne savait comment faire. Ils sont allés chercher dans les arsenaux des vieux obusiers de la guerre du Mexique qui ont du mal à partir, quand ils ne pètent pas au nez des servants.

— Les biffins n'en peuvent plus de servir de cible sans pouvoir riposter, s'obstine Julien. Grâce au crapouillot, ils ne se laisseront pas enterrer vivants sous les seaux à charbon des Boches!

— À quel prix! répond seulement l'adjudant, à bout d'arguments. Ce sous-officier, blanchi sous le harnais, est devenu une compétence, une autorité en matière de mortiers. Les bureaux de l'état-major font converger vers lui tous les rapports possibles sur les canons et obusiers de tranchée.

Il entraîne dans son antre Julien, dont il n'a cessé de repérer, au cours de l'instruction, l'intelligence ouverte. Ensemble, ils détaillent d'abord les nombreuses photos que les écoles à feu lui ont fait parvenir, en provenance de tous les secteurs du front.

— Pour ne pas rester sans réponse aux torpilles de l'ennemi, dit l'adjudant à Julien, les fantassins ont bricolé des douilles d'obus de 75. Ils ont fabriqué des crapouillots nains qu'ils mettent à feu avec des allumettes. L'état-major a dû interdire les pratiques de ces «crapouilloteurs» : trop de victimes.

— A-t-on renoncé pour autant à lancer une vraie fabrication d'engins modernes?

— Impossible, évidemment, répond l'instructeur, rien ne peut empêcher les biffins d'exiger la fourniture d'obusiers :

en cas d'attaque, ils sont la seule parade à leur portée. Le crapouillot est la sécurité du poilu. Une arme simple, que chacun peut manier et déplacer au gré des besoins.

Julien ne monte pas immédiatement en ligne à sa sortie de l'école de Fontainebleau. Ses supérieurs exigent qu'il se perfectionne dans les engins de tranchées, dont l'usage est encore empirique, et les modèles disparates. Les chefs veulent former très vite, pour toute arme nouvelle, des spécialistes confirmés, encadrés, endoctrinés, pourvus d'un manuel de tir du parfait crapouilloteur.

— D'abord, dit Duplan, connaître les engins. J'ai fait rassembler ici tous les prototypes disponibles dans les arsenaux, pour que nos ingénieurs puissent les adapter. Tu seras inutile à la tranchée si tu ne connais pas les mortiers aussi bien que le 75. J'ai fait venir plusieurs spécialistes du front.

Il présente son élève au capitaine René Marchand, de l'école à feu de Dombasle, expert incontesté des mortiers de 15 à 30 cm.

— L'avenir, affirme d'emblée l'officier à Julien, c'est le mortier léger, plus maniable.

— Mais il y a des 180 de tranchées, et même des 245, objecte Julien. Je peux vous le dire, j'ai reçu leurs gros cadeaux sur ma batterie avancée en première ligne. Qu'est-ce que le « seau à charbon » ? Des mortiers en bois fretté de ligatures en fil d'acier, mis à feu par des détonateurs à mèches et propulsant des charges de 25 kg à cinq cents mètres. Ils nous déchargent tranquillement leurs seaux sur la tête, à la vitesse d'un chemin de fer de campagne.

— *Minenwerfer,* cela veut dire lance-mines, dit le capitaine.

Il montre un de ces engins, pris aux Allemands sur le front des Vosges, un mortier capable d'envoyer une tonne à mille mètres par un projectile à fusée.

— Les bombes éclatent avant de s'enterrer, explique le capitaine, ce qui les rend redoutables. Leurs ailettes leur donnent, en principe, toute la précision désirable. On peut abriter ces engins dans des sapes. Ils deviennent alors invulnérables. Ils tirent leurs projectiles par une cheminée d'aération dont l'inclinaison est calculée avec précision selon l'angle voulu.

Julien examine le *Minenwerfer.*

— Pas de culasse?

— Non. Deux hommes le chargent par la gueule, trois autres le changent d'emplacement en le tirant eux-mêmes, à la bricole. Ses petites roues sont orientables dans la position du tir.

Le capitaine ne cache pas sa satisfaction de voir enfin un jeune sorti de Bleau s'intéresser à la première innovation capitale de la guerre.

— Les Allemands, poursuit-il, ont compris les premiers que l'artillerie aussi devait s'enterrer, et pas seulement l'infanterie. Le *Minen* est un canon sans roues et sans chevaux. On comprend que la plupart de nos fringants polytechniciens s'en détournent avec dégoût. Il pue la sape.

Julien, le plus brillant cavalier de sa promotion, devra renoncer aux bottes de cuir fauve, au sabre courbe et aux pistolets de fonte des officiers d'artillerie à cheval de la République.

— L'artillerie sera à pied ou elle ne sera plus, dogmatise

le capitaine. Je salue en vous l'un des premiers aspirants de cette école à l'avoir compris. Je ne peux m'empêcher de regretter que vous ne soyez pas plus nombreux. La guerre n'est pas affaire d'exploits, mais d'efficacité.

Julien songe à son frère Léon, au commandant Dubaujard, à Robert Nivelle, à tous ceux qui ont cru aux batteries volantes, à la surprise par le canon à tir rapide, élégant et brillant comme un cheval de concours. Léon, comme tant d'autres servants et serviteurs du 75, a accumulé les exploits, il en est mort.

— Qu'avons-nous à opposer aux Allemands ? interroge-t-il avec anxiété.

— Le plus sérieux est le canon de 58 démontable et transportable sur un chariot tiré par quatre hommes à la bricole. On enquille la tige calibrée des torpilles dans l'âme lisse du canon, et le tour est joué. La tige porte à son extrémité libre la charge, qui peut être énorme. Cette technique permet aussi d'utiliser des 75. La nouveauté, c'est le projectile, pas le lanceur.

Passionné, Julien s'attarde devant les modèles de torpilles à ailettes, guidées avec précision jusqu'à la tranchée ennemie.

— Vous entrez dans le tout petit club des artilleurs français capables de gagner cette guerre par une révolution du feu, lui dit René Marchand, ancien major de Polytechnique. Ne gâchez pas vos chances par trop de précipitation. Prenez le temps qu'il faut pour vous instruire. Venez me voir à Dombasle. L'enjeu est immense.

Une «révolution»! Séduit par le langage de Marchand, Julien a demandé l'autorisation de le suivre en stage dans son école du feu. Comment étudier autrement qu'en tranchée les effets nouveaux des crapouillots, baptisés ainsi avec un peu de mépris par les brillants officiers aux bottes cirées des batteries d'artillerie à cheval?

La révolution, a expliqué Marchand, c'est de concevoir l'artilleur comme le serviteur du poilu, répondant à la demande sur l'instant; c'est de tirer le canon avec de la boue plein les mains, un périscope en guise d'observatoire, des hommes déplaçant la pièce et non plus des chevaux. Les dragons, les hussards et les cuirassiers sont tous descendus à la tranchée, troquant leur carabine imprécise contre le Lebel. Pourquoi pas les artilleurs?

À Dombasle, Julien rencontre d'autres jeunes, séduits comme lui par l'arme nouvelle. Ont-ils assez souffert, les artiflots, du mépris des poilus, les accusant pêle-mêle de leur tirer dessus, d'être absents à l'heure de l'attaque, de se défiler à la moindre alerte pour sauver leurs pièces, de mener une vie à part de privilégiés du front, de subir un minimum de pertes...

– Ces reproches ont de moins en moins cours, affirme le capitaine Marchand. Une seule catégorie de combattants est en train d'émerger, toutes armes confondues : ceux des tranchées. Nivelle lui-même l'a compris, sans doute parmi les premiers. Toute l'armée, et d'abord l'artillerie, doit s'enterrer, sous peine de disparaître. Le crapouillot, c'est la nuit du 4 août des officiers d'artillerie. Ils immolent leurs privilèges sur l'autel de l'infanterie.

Ceux qui font le choix de l'artillerie de tranchée sont toujours, c'est vrai, les plus jeunes, les plus battants. Le camarade d'instruction de Julien a presque son profil, à une année près : ce Louis Bonardi écrit un journal depuis le début de la campagne. Julien demande à le lire, le soir dans la chambrée, pour comparer leurs expériences. Louis s'est engagé comme lui, à dix-huit ans, mais dès février 1913. Le 2 août de l'année suivante, il quittait la caserne d'Orange avec ses galons de brigadier. Dès le 24, il était maréchal des logis. Il avait vingt ans, et déjà, derrière lui, nombre d'officiers et de camarades blessés ou tués dans les batailles des frontières.

Il connaît l'odeur putride des cadavres et les hécatombes de chevaux. Il a fait tirer sa pièce à 120 coups par heure dans les plus dures batailles. Il a bricolé, débricolé ses attelages des milliers de fois, pour éviter le tir des contre-batteries et reposer un peu ses bêtes après l'effort. Il a dormi sur les avant-trains, bouffé du singe et des galettes pendant des jours et des jours, pris des chevaux à l'ennemi pour remplacer les siens. Il a défailli au goût du pain frais, après vingt jours de privation et se serait damné pour cette cigarette *Maryland* payée douze francs à un mercanti qui l'avait volée dans la poche d'un Anglais mort. Il raconte à merveille les délices d'une piaule chauffée et d'un bain parfumé à la lavande dans une ville de l'arrière. Julien se reconnaît dans le récit de cet aîné d'un an. Tous deux sont frères d'armes.

Comme Julien, Louis Bonardi a la baraka. Des obus de 77 ont eu beau cribler de leurs éclats sa tente plantée dans un champ de Lorraine, pour la Toussaint de 1914, il en est sorti indemne. Depuis lors, il a pris l'habitude de faire construire à ses hommes des cagnas sous terre.

Personne ne s'est porté volontaire, en décembre, à la batterie de l'officier corse, quand des bombardiers étaient requis pour les tranchées avancées. Trop dangereux. « Mutisme général ». Un artilleur a été désigné d'office par le capitaine, mais Bonardi a pris sa place. Puis un autre volontaire s'est présenté, Hugues, que le colonel a repoussé : pas plus d'un artilleur au danger par groupe, a-t-il décrété. Pas question de transformer ses hommes en crapouilloteurs !

Bonardi, qui avait vu l'aviateur Pégoud, un as des as, seul dans son Morane blindé, abattre un Albatros le jour de Noël, voulait s'engager dans l'aviation, comme sous-officier observateur. Refusé. Le colonel avait enfin consenti à le détacher à l'école de feu, pour qu'il s'initie au maniement du canon de 58 de tranchée. Louis a suivi ce stage avec acharnement et sa formation se termine. Demain, il abandonne Dombasle et le capitaine Marchand afin de monter en ligne. Julien arrive, Louis s'en va. Julien le regrette.

— Je te rejoindrai bientôt, lui dit-il. Garde-toi de prendre des risques. Nous sommes si peu nombreux à connaître le mortier de tranchée. Si rares à prendre des risques mortels pour lutter enfin, à armes égales, contre un ennemi sans cesse à la recherche d'innovations techniques.

— J'envisage l'idée de la mort avec calme, dit gravement Louis Bonardi, si elle m'est réservée, et sans peur. Que grâce à Dieu je la voie venir avec courage, en soldat, et sur le champ de bataille. J'ai toujours sur moi un papier pour qu'en cas de malchance on avertisse ma sœur Maria, qui m'est chère, dans mon château, en Corse.

Une accolade de chevaliers des temps anciens. L'aristocratie des tranchées, née spontanément, sans tambours ni
trompettes. Une reconnaissance mutuelle, beaucoup plus
que de la camaraderie. Julien détourne les yeux. Il ne
peut regarder la mort fixement depuis qu'il a vu mourir,
tout contre lui, son frère.

Un bombardier n'est plus un artilleur. Le capitaine
Marchand le répète sans cesse. Il doit se préoccuper des
emplacements à établir dans la tranchée, ou derrière la
ligne, et rester en contact permanent avec les chefs des
compagnies d'infanterie afin de régler ses tirs d'après
leurs instructions.

Il a fait des essais en tirs réels avec tous les engins de
tranchée disponibles, tous les types possibles de bombes à
ailettes. Julien a démonté le petit canon de 58, pièce par
pièce, étudié la composition des projectiles, les modes de
mise à feu. René Marchand n'a rien négligé pendant les
trois semaines du stage.

Rien n'est plus avantageux pour le front qu'une
instruction solide. Il déplore qu'on envoie trop vite les
recrues en ligne. Il fait bénéficier les candidats bombardiers
de toute son expérience d'officier du feu. Le canon de 58,
aménagé en crapouillot, est selon lui le meilleur engin de
tranchée qui soit. Il n'est malheureusement pas doté des
projectiles qu'il mérite. Les ingénieurs de l'arrière ont des
progrès à faire.

Les couacs sont parfois tragiques. Louis a raconté à
Jean que son premier essai au front, dans le secteur

tranquille où le capitaine avait basé son équipe expéri-
mentale, a été parfaitement calamiteux : sur ordre du
colonel de l'infanterie, il a tiré une bombe sur un petit
poste allemand beaucoup trop proche de la tranchée
française, dix mètres à peine. Le projectile est monté droit
en l'air, mais sans fixer sa trajectoire, faute d'ailettes bien
étudiées. « Nom de Dieu ! a crié Bonardi, le voilà qui
pique droit sur l'endroit où je suis avec les *pitous* » (ainsi
appelle-t-il les fantassins).

La bombe éclate à deux mètres à peine devant lui.
Louis Bonardi est renversé, assommé presque. Quand il
revient à lui, il est entouré de biffins, le visage en sang.
Pas de tués, mais quelques blessés.

Les fantassins étaient fous furieux. Le colonel les a
calmés à grand-peine. À sa surprise, alors que les gradés
de l'infanterie lui recommandaient de ne plus tirer sans
certitude absolue, Louis Bonardi, inspecté par un officier
d'état-major de la brigade, s'était entendu dire par ce
brillant spécialiste de l'artillerie de tranchée que de tels
accidents étaient inévitables, et qu'il fallait surtout continuer.

« Sans doute, se dit Julien, mais il faut être sûr de son
matériel. Trop de torpilles et de bombes reçues en ligne
n'ont pas été vérifiées. On risque à chaque tir de blesser
ou de tuer des camarades, faute de pouvoir diriger les
torpilles vers leurs cibles. »

Les attaques allemandes au *Minenwerfer* lèvent toute
hésitation au matin du 15 janvier 1915. Il faut répliquer
avec les moyens réunis, la section d'apprentis bombardiers (seize hommes) du capitaine Marchand et leur
matériel au complet. Ils sont désormais bien protégés

dans des abris blindés, cachés dans les bois. Les fantassins ne les boudent plus : accablés par les tirs ennemis qui bouleversent la ligne de tranchée, ils sont heureux d'entendre leurs bombardiers répliquer. Une vraie camaraderie s'établit entre eux. C'en est fini de la rivalité des armes.

Dans le secteur de Dombasle, en Lorraine, les tirs s'accroissent de semaine en semaine, afin d'entraîner les volontaires, leur permettre de dominer leurs engins. Les bombardiers sont critiqués dans le détail, sur chacun de leurs tirs. Le capitaine René Marchand ne pardonne pas la moindre erreur ou négligence. Ainsi Julien fait-il un apprentissage exemplaire, qui lui permettra de devenir à son tour instructeur si l'occasion s'en présente.

À la fin du mois de janvier, le capitaine prend son élève à part :

— On peut considérer votre formation comme achevée, lui dit-il. Vous devez maintenant réintégrer le 5e de Besançon, hier encore aux ordres de Robert Nivelle.

— Il ne commande plus le régiment ?

— Général de brigade, mon bon ! Depuis le 27 octobre 1914. Il s'est si bien conduit devant Soissons, dans les durs combats de décembre, qu'il est en passe de recevoir le commandement de la 61e division, celle des Bretons de Brest et de Nantes, une des meilleures de l'armée. On avance vite dans l'artillerie, quand on sait se battre et prendre des risques tout en ménageant les hommes.

Julien n'a aucune envie de rejoindre son régiment, puisque son colonel n'y est plus.

— Soyez sans crainte, Nivelle connaît ses artiflots, le rassure Marchand. Il s'arrangera bien pour rattacher à son artillerie divisionnaire son cher 5ᵉ RAC. Vous devez rejoindre votre unité. C'est un ordre. Il appartient à votre nouveau colonel de constituer lui-même les sections de bombardiers qu'il offrira, sur leur demande, aux compagnies d'infanterie. Considérez-vous dès maintenant comme sous-lieutenant en titre. Je vais faire homologuer votre grade de fin de stage, et partez confiant! De grands événements se préparent.

Julien ne peut rêver d'une promotion plus rapide : brigadier à la Marne, maréchal des logis sur l'Aisne, aspirant à Bleau, le voici doté, le jour de ses 19 ans, du galon d'or de sous-lieutenant, avec l'insigne des bombardiers de tranchée. Quand il se présente au dépôt d'artillerie du quartier de Lyon, dans un uniforme neuf, le commandant de place le fait appeler.

Volontaire à 60 ans, le comte de la Fouillère est un fantassin assez titré. Comme ses ancêtres chevaliers partant à la Croisade, il a quitté – mais en voiture – sa gentilhommière de l'Allier, toute proche de la ferme des Aumoine. Julien le reconnaît sans peine : il porte beau dans son uniforme impeccable, sous ses cheveux et sa barbe d'un blanc de neige. Mais son visage est triste.

— Je suis heureux de vous revoir, mon cher ami, si tôt galonné et plein de fougue. J'ai appris que votre frère Léon avait trouvé une mort glorieuse sur la Marne. Hélas! Mon fils Hubert a connu le même sort. Et me voilà cloîtré dans ce dépôt, sans pouvoir donner ma vie pour le pays. Vous partez ce soir-même pour la Belgique, à la tête d'une batterie de renfort. Je vous recommande de ne point vous attarder dans la place. Les pièces et les chevaux sont déjà embarqués. Les hommes vous attendent.

Le comte de la Fouillère! Julien ne l'a jamais vu que le dimanche, à la fin de la messe. Un de ses fils était sorti de Saint-Cyr, comme son père, démissionnaire de l'armée en 1902 pour des raisons politiques. Il n'avait pas supporté de servir sous un ministre anticlérical qui mettait les officiers en fiches dès lors qu'ils allaient à l'église, en leur refusant tout avancement.

Julien s'étonnait de voir cet homme si étranger au monde des campagnes, et cependant si proche des gens du village, porter l'uniforme de l'armée de la République. Enfant, un de ses jeux, avec ses camarades d'école primaire, était de filer dans le maquis des terres comtales pour y dénicher le tombeau du chevalier de Malte. Dans les ruines respectables, envahies de ronces, ils cherchaient un trésor, mais n'osaient s'approcher du château.

Les enfants de la Fouillère ne fréquentaient ni l'école publique, ni le lycée. Ils suivaient les cours d'institutions religieuses à Montluçon et à Moulins, et Julien n'avait guère d'occasions de les rencontrer. Ils vivaient à part, dans leur monde, et ne recevaient jamais.

« La guerre rapproche tous les Français et les humanise, songe Julien au moment de prendre congé. Elle a fait sortir de son trou ce gentilhomme, chevalier de Malte, qui ne parlait à personne. »

Le comte de la Fouillère lui donne l'accolade et lui dit, avec de l'émotion dans la voix :

— Revenez-nous vite, rapportez-nous la victoire. Nous avons déjà tant souffert.

– Nous avons gagné, dit Julien, nous gagnerons encore. Avec l'aide de Dieu et du 75.

– Le Ciel vous entende !

Julien a juste le temps de se mettre en tenue de campagne et de quitter le dépôt. Hervé Girard, un vieil adjudant de quartier, l'accompagne à Perrache, où le train militaire est formé. L'homme est soucieux. Il a perdu l'une de ses recrues. Ce territorial quadragénaire, qui a pour mission d'acheminer les renforts au front, craint toujours que les libations du départ ne réduisent son effectif ou qu'on lui ramène ses ouailles entre deux gendarmes.

Les trente artiflots ont pris place dans un wagon de troisième classe. Julien choisit de s'installer avec eux, plutôt que de monter en seconde, comme son grade l'autorise. Il veut les connaître et les prendre en main. Ils ont rangé dans les filets havresacs et sacs de toile, ainsi que les longs sabres qui leur battent les jambes. Les mousquetons sont regroupés au fond du compartiment, crosse à terre. Tout semble en ordre, mais Girard cherche toujours son homme et scrute à la portière, une dernière fois.

Le train s'arrache lentement au quai. L'adjudant se résigne, il a l'habitude. Lors du dernier convoi, il n'a trouvé que deux hommes au rendez-vous du départ. Les autres avaient déserté pour aller faire la fête à Paris. Les gendarmes ramènent toujours les égarés, non sans rédiger un rapport au commandant de la Place.

Au moment où Girard, désespéré, s'apprête à refermer la portière, un grand gaillard bondit sur le marchepied du compartiment.

– Il ne fallait pas vous faire de bile, mon adjudant, dit-il, essoufflé. Dans le civil, j'étais receveur sur les chevaux de bois qui tournent, qui tournent... Je sais monter et descendre en marche...

Apercevant un officier dans son groupe, le retardataire claque les talons de ses bottes et se présente :

— Brigadier Leflot, de la 9ᵉ batterie. À vos ordres, mon lieutenant.

— Nous sommes au complet, dit Julien sans autre commentaire.

Les hommes restent roides sur les banquettes, comme s'ils avaient avalé leur sabre. Ils n'osent s'exprimer devant l'officier. Pourtant, Alfred Gloton, lyonnais comme son copain Leflot, offre au sous-lieutenant du saucisson qu'il tire de son sac. Julien accepte, boit le beaujolais de l'adjudant Girard à la régalade, évoque ses classes, son premier départ au front et les exploits du colonel Nivelle, le père du régiment. Peu d'échos chez les canonniers. Il demande qui veut suivre le peloton de brigadier. Pas de réponse, et moins encore de questions.

Au premier arrêt, à Dijon, Julien se résigne à changer de wagon, après un signe amical à la petite troupe. Pour cette bleusaille, il est un gradé, et rien d'autre. Il a beau se dire que tout changera au front, où le feu établit une terrible égalité, il vient, non sans tristesse et un certain embarras, de se rendre compte au contact de ces canonniers qui ne connaissent encore que la vie de caserne que le grade est une frontière. S'il la franchit, il déroge.

— Mon nom est Richard Straw, dit le lieutenant d'aviation britannique à Julien.

Ils sont seuls dans le compartiment à banquettes moelleuses, d'un gris Trianon, dont les dossiers s'ornent de dentelles blanches. Le jeune Anglais lui offre une cigarette *Dunhill* en lissant sa moustache blonde et mince. Il porte, malgré son jeune âge, la *Victoria Cross,* et parle très correctement le français, presque sans accent.

— Je vois que vous êtes un bombardier, dit-il en désignant l'insigne de Julien. Je le suis aussi, sur votre *Morane-Parasol*, que je viens d'essayer à Dijon. Je lâche les bombes sur les gares, c'est ma spécialité. J'aime faire sauter les trains.

Une si franche nature ne peut qu'amuser Julien, qui parle à son tour crapouillots et seaux à charbon. Mais la présence d'un officier anglais à Dijon l'intrigue.

— Vous, Français, vous avez une avance sensible pour l'aviation, dit Straw. Depuis la traversée de la Manche par votre Blériot, nous nous sommes mis à votre école. Nos ingénieurs et les vôtres doivent travailler ensemble. Je suis venu tester vos innovations, pour en trouver l'application chez nous. Dommage que nous ne puissions acclimater aussi votre *Gevrey-Chambertin*, dit-il en souriant. Trop de brouillard en Angleterre!

Julien, qui ne connaît guère, en matière de grands crus que le champagne et le saint-pourçain, demande s'il s'agit d'un nouvel appareil. Straw éclate de rire. L'aviateur, amateur de *Morane*, est aussi fin testeur de *Claret* et de *Burgondy*. Il dit raffoler des vins français et déclame le vers d'*Henry V*: «Heureux comme Dieu en France».

— Les Allemands en Champagne disent-ils autre chose? grommelle Julien, vexé.

L'Anglais tire de la poche de sa vareuse une flasque de gin parfumé au genièvre. Il tend à son compagnon un minuscule gobelet d'argent qu'il remplit presque à ras bord. Julien, d'habitude plus sobre qu'un âne du Poitou, boit d'un trait l'étrange breuvage pour ne pas désappointer l'Anglais.

Ils ont tout loisir de converser et de boire. Dix heures sont nécessaires pour atteindre la prochaine étape, le Bourget. Après quelques arrêts dans des gares obscures de la ligne de ceinture autour de Paris, le train militaire traverse la banlieue noyée dans le ciment des petites villas et des immeubles gris, ponctuées de cheminées d'usines et de réservoirs à gaz rouillés. Il stoppe souvent en pleine campagne, ce qui permet aux officiers de se dégourdir les jambes sur le ballast.

— Je vous invite ce soir, dit Straw. Pas chez Maxim's, il est fermé, mais au café de la Paix. On y dîne assez correctement.

Julien connaît les lieux. Il y a cherché, sans trop d'espoir, la dame en noir, l'élégante « première » de chez Patou, qu'il a finalement retrouvée au bras d'un lieutenant de hussards. Mauvais souvenir.

— J'ai trente canonniers dans ce train, dit-il à l'Anglais, je ne puis les abandonner.

— Croyez-vous pouvoir les empêcher de gagner Paris ? C'est si près, et le train ne repart du Bourget qu'à l'aube.

L'Anglais a vu juste. Quand Julien, à la recherche de ses hommes, ouvre la porte du compartiment de troisième classe, les oiseaux se sont envolés. L'adjudant-convoyeur Girard se lamente.

— C'est toujours pareil! Impossible de les retenir, ils m'auraient passé sur le corps! Je leur ai demandé de rentrer à minuit. Ils ont haussé les épaules.

— C'est la guerre, dit Straw. La discipline, c'est pour le front. Pas ici, à Paris. *Take it easy,* demain il fera jour.

Il entraîne Julien vers la sortie, où une voiture l'attend. Le Français peut-il se douter que dans un instant il va revoir la dame en noir rencontrée quelques mois plus tôt dans un train du front, et dont il n'a cessé de rêver?

— Henriette! dit Richard en franchissant la porte du café de la Paix, j'étais sûr que vous m'attendiez! Mon bonheur est double, à voir l'exquise Gaby. Cher Julien, je vous présente ma très chère Henriette Duval, la muse française de l'Entente Cordiale, et son amie Gabrielle Tardy, «première» de la mode parisienne, créatrice de la jupe-cloche.

C'est bien elle! Julien la reconnaît immédiatement. L'inconnue de chez Patou salue le jeune soldat comme s'ils ne s'étaient jamais rencontrés. Ses yeux vert de jade brillent pourtant d'un éclat amusé sous la voilette de son chapeau coquin, un minuscule *tambourin* planté vers l'avant, orné d'une aigrette argentée tenue par une épingle en diamant.

«Six mois déjà», se dit-elle. En fait, elle l'a très vite reconnu. A-t-il mûri, le petit artilleur du train de l'Aisne! Le voilà déjà gradé, galonné, rasé de frais. Mais qu'il est gauche et emprunté!

Elle a tendu sa main gantée de noir à Julien, d'un geste gracieux et un peu étudié. Il l'a prise, l'a serrée sans la baiser. Il attend que l'Anglais s'installe dans son fauteuil pour s'asseoir à son tour. Straw, à l'aise, nourrit aussitôt la conversation de propos badins qui provoquent, chez Henriette, des rires en cascade. Il est d'autant plus difficile au Français de participer que les deux amis s'expriment dans un anglais parfait.

Henriette Duval, native de Choisy-le-Roi, a théâtralisé son nom. Elle s'appelle en réalité Bonnet, et elle a appris l'anglais grâce la méthode de Berlitz, le célèbre pédagogue américain dont les écoles font le tour du monde. Chez Patou, elle occupe un poste de relations avec les clientes de Londres et de New York. Pour elle, Richard est le type achevé du séducteur. Elle le couve de ses yeux fardés et rit du moindre de ses traits d'humour, comme si elle assistait, dans une loge des boulevards, à une pièce de Feydeau.

Julien reste toujours muet. À sa droite, Gabrielle, qui pousse elle aussi de petits rires de connivence tout en faisant tinter les glaçons de son verre de Marie Brizzard, l'impressionne sans doute plus qu'elle ne l'irrite. Que la «première» puisse sortir chaque soir avec un ami différent l'intimide. Quelle chance a-t-il de séduire une femme aussi courtisée, *parisienne* jusqu'au bout de ses ongles peints, lui, l'enfant de Villebret? La jupe noire laisse voir de fines chevilles et des chaussures italiennes à haut talon. Elle accepte la cigarette que lui offre Richard. La flamme du briquet d'or éclaire son teint, délicatement maquillé, mais autour des yeux seulement et sur ses lèvres rose pâle.

«Pourquoi perdre mon temps?» pense Julien au souvenir de l'officier en uniforme bleu ciel, à brandebourgs d'argent, qui l'avait attirée dans ses bras sans vergogne. «C'est une fille de chez Maxim's. Elle ne voit que des gens du monde, même si elle n'est qu'une employée de la maison Patou. »

— Nous dînons tous ensemble, bien sûr, lance-t-elle à l'adresse de Richard, tout en glissant un coup d'œil dérobé vers Julien.

Le voilà distingué, sans même avoir dit un mot. Et intimement sûr que l'invitation lui était destinée. Il n'en est pas plus à l'aise pour autant. Plongeant dans le menu, il s'aperçoit qu'il ne connaît pas les plats. Il ignore tout de ce russe Strogonov qui a donné son nom à une recette de bœuf, et même du veau de Marengo d'origine italienne. Il se demande comment un restaurant aussi distingué ose inscrire à sa carte des alouettes « sans têtes ». L'évocation d'un massacre des messagères bleutées, que seules débusquent les faucilles des moissonneurs en été, lui crispe un peu les maxillaires.

« *Alouette, je te plumerai!* » fredonne négligemment Richard.

Un air à la mode dans les popotes britanniques. Pourquoi s'acharner contre l'oiseau du bonheur de vivre? se demande Julien.

Gabrielle, obligeante et discrète, le conseille. Il suit ses avis avec soulagement. Elle a le bon goût de parler peu, mettant ainsi Julien à l'aise.

La pétulante Henriette aux yeux bleus de lapis-lazuli fait la conversation comme si elle recevait déjà, dans son hôtel de Chelsea, les invités de Richard Straw, son époux. De fines perles, serties en boucles d'oreille, donnent à son profil des airs aristocratiques. Elle parle en français, mais ne s'interdit pas, pour répondre à *l'humour* affecté du major, quelques réparties dans un anglais irréprochable, lancées avec un sourire d'excuse ; on dirait un peu une lady que sa condition retient de paraître au premier plan, attentive à laisser la vedette à ses hôtes. Seule une certaine ampleur des gestes trahit sa véritable identité et dément quelque peu son port impérial.

Un déjeuner dans un restaurant parisien est une épreuve, pour qui n'y est pas accoutumé. Julien, notre paysan, en oublierait presque de tenir son rang de héros du front, s'il ne prenait soin de calquer son comportement sur celui de Gabrielle, et de constamment lui sourire, comme s'il ne tenait vraiment qu'à elle de l'avoir pour chevalier servant. Dans ce café de la Paix, fréquenté par des munitionnaires et des officiers de l'armée des Indes au teint rouge brique de buveurs de *whiskey*, il se croit à la cour d'Anne de Beaujeu, dans le palais des Bourbons.

Le doute le tenaille et retient ses élans, paradoxe inconcevable pour l'artilleur de Robert Nivelle, capable de détruire à lui seul une section d'infanterie de *Feldgrau* à l'assaut. Il retrouve, dans le regard de sa compagne, léger comme un papillon qui jamais ne se pose, la discrétion naturelle de la dame du train de l'Aisne.

Mais l'éclat de ses yeux verts n'est jamais aussi vif qu'après les saillies de Richard Straw. Sans avoir pour l'Anglais la complaisance admirative d'Henriette, elle ne peut s'empêcher de trouver désopilante la narration qu'il entame de ses découvertes en Bourgogne. Un vrai morceau de Swift, dans *The Tale of a Tub*. Que Straw s'étonne, en jouant de son sourcil monté en accent circonflexe, à l'idée que *l'Hôtel-Dieu* de Beaune soit réservé au commerce des vins – hommage éclatant de la divinité au *Claret* – et le tour est joué, la poudre aux yeux jetée : voilà les filles séduites, peste l'artilleur !

Julien sait gré à Gabrielle de tourner de temps en temps son regard vers lui, mais regrette aussitôt la nuance de sérieux dont il est teinté et qu'il prend pour de la contrainte. C'est l'Anglais qu'elle admire, parce qu'il la fait rire. Quant à lui, elle se croit obligée, songe-t-il avec une pointe d'amertume, de le gratifier d'une attention et s'en acquitte au mieux, avec la sollicitude d'une élégante pour un jeune héros.

« Elle prend les airs, se dit Julien, des dames de la Croix-Rouge. Se croit-elle à l'hôpital ? »

Il n'est pas encore en mesure de comprendre à quel point il l'intimide autant qu'elle le fascine. Qu'il reste silencieux sur ses exploits, concédant à l'Anglais la vedette, n'est pas un fait de sa bonne éducation ou de sa pudeur naturelle, mais le désir d'être vu tel qu'il est. À vingt-quatre ans, Gabrielle a connu nombre d'officiers *chics*, élégants et beaux parleurs. Ils meublent le boudoir de ses souvenirs. Ce colosse au regard d'enfant n'a pas besoin de faire étalage de mots d'esprit ou d'histoires piquantes pour être remarqué. Sa force, sa jeunesse suffisent à l'imposer.

Il revient de la Marne, et l'Anglais de Bourgogne. Comment la Parisienne serait-elle insensible à l'hommage d'un de ces jeunes rescapés du massacre qui a sauvé le pays, et d'abord Paris, ville abandonnée même par le président de la République ? Non, le sérieux de Gabrielle est hautement respectueux et admiratif.

«Celui-là, se dit-elle, n'a rien de commun avec les officiers de l'arrière, les cascadeurs de revue militaire aux selles en peaux de panthère, les paradeurs de salons aux fume-cigarette en or. Il revient du champ des morts»... et la «première» de chez Patou, si mondaine, si frivole quand il s'agit de sa «vie parisienne», est secrètement émue. Julien n'a pas besoin de parler pour se faire entendre.

L'inconscience est-elle le propre du héros? Julien ne se voit pas tel qu'il est, n'imagine nullement ce qu'il représente aux yeux de la jeune femme, si différente de toutes celles qu'il a connues. Il croit devoir, pour emporter la décision, risquer une initiative téméraire. Sourd aux récits brillants de Richard Straw, étonné lui-même de son audace, il prend avec résolution la main de Gabrielle. Elle ne la retire pas.

L'aviateur insiste pour que la soirée s'achève dans une boîte prisée par l'armée britannique, le Princess'Bar, à la Madeleine.

Les bals sont interdits dans Paris depuis la mobilisation. Rien ne donne à penser que ce bar d'aspect moderne et cossu, décoré de drapeaux alliés et offrant ses *shakers* nickelés à la convoitise des clients, est un *dancing* clandestin, toléré par la police et connu de tous les officiers britanniques. À l'entrée de Richard, le barman se précipite pour lui offrir la meilleure table, bousculant de jeunes officiers de cavalerie canadiens, nouvellement débarqués au Havre.

Il est d'usage de prendre un verre au bar, avant de descendre à la cave. Les femmes suivent leurs cavaliers dans un escalier en colimaçon, éclairé d'une lumière discrète, dont les marches sont recouvertes d'une moquette bouclée. Elles ont manifestement l'habitude des lieux, à voir l'aisance de leur démarche, pourtant entravée par les jupes-cloche.

Un jeune homme brun aux cheveux longs, la chemise ouverte et nu-tête, tapote à vive allure un fox-trot sur un piano de bastringue.

— C'est Jean-Marie Colonna, dit Richard, un Corse de la division Grossetti, celle des héros de Dixmude. Aspirant au 2e Sénégalais. Grande famille, petit-fils et fils de généraux. À vingt ans, il est sans doute le seul survivant de sa compagnie. Il ne porte pas la médaille militaire décernée par Grossetti sur le champ de bataille. Je dois être un des rares à savoir que ce jeune prodige est aussi prix de conservatoire.

Il n'ose déranger le pianiste, lequel, à présent, abandonne les mesures conventionnelles de la danse anglaise pour se lancer dans une suite tzigane avec une fougue créative remarquable. Ses immenses yeux noirs perdus dans le rêve, il improvise. Les danseuses, surprises, changent de rythme, se risquent à des figures gitanes, à la grande joie de Richard qui entraîne Henriette dans la sarabande. Mais la virtuosité du musicien est telle que Richard, le premier, interrompt la danse pour mieux l'écouter, entraînant les jeunes femmes autour du piano, dans un cercle vibrant d'admiration.

Les applaudissements éclatent quand le jeune homme inspiré attaque, sans transition, les premières mesures d'un concerto de Liszt. Le bal tourne au concert, le brouhaha de bastringue au silence religieux. Un Canadien un peu éméché, assis au milieu de ses camarades à une table voisine, s'en indigne.

— Je ne suis pas venu ici, dit-il dans un français traînant et rugueux, pour entendre la messe !

— *You can get away*, jette Richard, les lèvres pincées, au lieutenant du *Royal Montreal Regiment*.

Les Canadiens sont encore rares dans Paris. En quelques semaines, le général Hugues a rassemblé et armé assez de soldats pour les faire passer en revue, dans leur camp de Valcartier, par le duc et la duchesse de Connaught, et la princesse Patricia. Leur arrivée à Plymouth et à Devonport, en octobre 1914, a suscité l'enthousiasme dans la population britannique. Depuis lors, les soldats se sont entraînés dans la boue de la campagne anglaise avant de débarquer au Havre en février.

— Ces officiers sont de passage à Paris avant de remonter vers le nord pour préparer la liaison avec l'armée anglaise des Flandres, du côté de Saint-Omer, explique à Julien un officier de la Mission franco-britannique. Les Canadiens sont attendus avec impatience, et particulièrement les Canadiens français. Sir Wilfrid Laurier, gouverneur du Canada, a dit que ceux-là considéraient comme un « double honneur » de prendre les armes pour la Grande-Bretagne et la France.

Il est sacrilège, pour un officier anglais, de leur chercher querelle. Richard s'obstine. Son ami Jean-Marie joue comme Mozart. Il n'accepte pas qu'on l'interrompe.

Le Canadien s'est levé pesamment, flanqué d'un major du *Canadian Scottish*, portant jupe, et d'un lieutenant du *Princess Patricia*. Ils cernent Richard qui accepte le défi et se met en garde. D'un seul coup de poing, le Canadien le couche à terre. Les deux autres ont quitté leur *jacket* kaki pour prendre au besoin la relève. L'Anglais a insulté toute l'armée du Canada.

Julien entre en scène. Il relève son compagnon sonné, se redresse de sa haute taille, tend la main au Canadien. Sa puissance impressionne, les autres hésitent à se battre contre un Français.

— Nous sommes en guerre, dit Julien. Tous alliés et amis.

— C'est bon! dit l'offensé qui s'incline devant Richard, en signe d'apaisement. Place à la musique et à la danse! dit-il d'une voix pâteuse en regagnant son siège.

Jean-Marie a disparu, sans que personne le remarque. Et avec lui, la musique et la fête. Henriette entoure de soins délicats le lieutenant Richard Straw fort éprouvé. Julien a entraîné Gabrielle dans l'escalier. Elle le suit sans hésitation, impressionnée par son calme.

Un fiacre les conduit boulevard de la Chapelle, où elle habite. Elle prend congé de lui d'un baiser léger.

— Gabrielle…

— Mon vrai nom est Olympe, lui dit-elle. Adieu. Nous nous reverrons, peut-être. Je dois rejoindre mon père paralysé. Il ne peut s'endormir le soir avant que je ne sois rentrée.

Il est temps pour Julien de retrouver son contingent de renfort au Bourget. Il est le premier sur le quai, méditant sa rencontre avec la jeune femme. Il a pu voir, dans l'immeuble modeste du boulevard de la Chapelle, l'envers du décor. Les libellules brillantes se grillent les ailes aux lampions de la fête, avant de rentrer dans l'ombre. Elles cachent la tristesse de leur vie, la dureté de leur métier.

Julien est émerveillé. Dans le béton gris du Bourget, il a lui aussi les yeux en fête, et ne regrette nullement d'avoir été planté là sur le trottoir du boulevard de la Chapelle. Elle a voulu montrer qu'elle l'estimait suffisamment pour n'avoir rien à lui cacher, pas même ses modestes conditions de vie. Il a pris son adresse, il la reverra, c'est sûr.

Il est amoureux d'une Parisienne. Cette gloire toute neuve, ce bonheur enfantin l'irradient, lui tiennent lieu de viatique au moment où le train démarre, poussif et strident. Hommes, chevaux, canons, son chargement est au complet. L'adjudant Girard a pu reprendre, rasséréné, le train de Lyon. Toutes ses ouailles sont arrivées. Même le canonnier Leflot était à l'heure. Personne n'a dormi de la nuit, les artiflots pas plus que leur sous-lieutenant.

Amiens, Doullens, puis Saint-Pol où le train reste en gare. Une heure d'attente au triage. Les bataillons de renfort débarquent à destination du 33e corps de Pétain, prévu pour l'offensive de Joffre du 24 février. Ils vont attaquer le village imprenable de Carency. Les chasseurs de renfort du 42e de Belfort ont formé les faisceaux devant la gare, en tenue de guerre, pendant la formation du train d'Aubigny-en-Artois qui doit les conduire au front.

Julien est surpris de voir les convoyeurs débarquer les quatre pièces de 75 de sa batterie.

– Sous-lieutenant Aumoine ? l'interpelle un officier d'état-major. Le capitaine Guette vous attend au téléphone du chef de gare.

Julien se croyait parti pour la Belgique, à destination de Bergues. Guette, le chef de groupe, l'informe qu'il est détourné vers Arras, à la demande de Chantilly. Changement de programme. Toute l'artillerie disponible doit être mise à disposition de Pétain.

Les canonniers sont déçus. Ils se voyaient sur les sables de la mer, les voilà promis à l'enlisement dans la craie de l'Artois. Ils attendent des heures le train d'Aubigny en gare de Saint-Pol, pendant que défile la division Fayolle, prévue en première ligne.

Le brigadier Gaston Galimier, l'ancien contremaître de chez Berliet, a surveillé l'embarquement des pièces. Il a même, en charge supplémentaire sur la rame, une automitrailleuse, la première sortie des usines Peugeot, qui doit renforcer les chasseurs. Curieux de tout en mécanique, Galimier s'approche du monstre, évalue les blindages, interroge le conducteur sur les cylindres et la consommation d'essence. Soixante litres aux cent kilomètres ! Comment peut-il se ravitailler ?

– Vous avez de la chance, dit à Julien Philippe Garnier, lieutenant d'état-major au quartier général de Foch à Doullens. Vous êtes versés dans la bande de Pétain-Fayolle, le tandem qui gagne. Vous allez les aider à percer le front de Carency. Foch compte absolument sur eux.

La conversation se poursuit au bar du buffet de la gare.

– Foch commande ici ? interroge Julien, qui a lu le nom de ce général dans les journaux.

— Il est chargé de coordonner, pour le compte de Joffre, les opérations des armées interalliées du Nord. Il est devenu l'adjoint de Joffre, chef du groupe des armées françaises du Nord.

— A-t-il pris Nivelle avec lui? demande Julien avec un intérêt subit.

C'est le seul général qu'il connaisse dans l'armée française. Il se moque de tous les autres.

— Que non pas! La 61e division commandée par Nivelle est plus au sud, sur l'Aisne, à hauteur de Compiègne. Vous êtes sur la Scarpe, à la Xe armée de Maud'huy.

Léon ou Jean, ses frères, auraient sans doute reconnu le nom du général, ayant fait campagne en Lorraine, où Maud'huy commandait la division des Berrichons. Mais il ne dit rien aux oreilles de Julien, parti plus tard pour le front. Pas plus que les noms de Pétain et de Fayolle, simples généraux de corps d'armée et de division, inconnus dans les bataillons.

— Il s'agit de sauver Arras, dit Garnier, selon la méthode de Foch : attaquer ou résister. Ne jamais foutre le camp. C'est la consigne qu'il a donnée à Maud'huy.

Julien a retenu le nom du village de Carency, où doit se dérouler l'offensive. Il s'informe.

— Un enfer, soutient Garnier. Tout comme la crête de Vimy, que nous n'avons pas réussi à reprendre. Les Boches y sont tapis dans des taupinières inexpugnables. Nous butons sur leurs réseaux de barbelés, nous sommes accablés par les *Minenwerfer*. Ils en ont des centaines en ligne.

— Et nos crapouillots?

— Encore très insuffisants. Les nouveaux 58 de tranchée ne sont pas encore livrés sur ce front.

Julien comprend pourquoi on l'a remis en batterie, au lieu de lui confier des crapouillots. Il a reçu sa formation spéciale, il l'a perfectionnée auprès du capitaine Marchand. Il s'est porté volontaire pour l'arme nouvelle. Mais l'armée ne peut pas utiliser ses compétences. Les crapouillots ne sont pas au front! L'infanterie ne les a pas reçus!

Le voilà donc en batterie, sur le front de Carency. Village entièrement détruit, paysage désolé, terres et fermes abandonnées, troupeaux anéantis.

Une première attaque française, menée en décembre, a échoué, malgré le soutien d'artillerie lourde mobilisée à la demande de Pétain. Foch est venu en personne suspendre l'assaut pour éviter des pertes trop sévères.

Le terrain détrempé a gêné la progression des pantalons rouges, devenus verts de glaise. Le capitaine Guette, qui accueille la batterie de Julien, l'informe des dernières dispositions prises par les généraux sur ce front. Pétain a projeté d'attaquer le 26 février par le sud du village, sur le plateau, et de faire bombarder la position allemande par toute l'artillerie réunie en une seule masse, comme au temps de Napoléon.

— Il y a du brouillard, observe Julien. Comment procéder aux réglages? Les tirs doivent commencer demain à l'aube. Il était temps que nous arrivions.

— L'action est repoussée de vingt-quatre heures, dit Guette en montrant un ordre de l'état-major. Vous avez tout le temps de vous préparer.

Pour les poilus, ces départs différés sont un supplice. Quand on attend, dans la boue glacée, une attaque à l'aube, crispé à en vomir, il est inhumain d'entendre le chef annuler l'ordre pour le renvoyer à plus tard.

Les quatre pièces sont aussitôt mises en batterie. Mais on ne peut les avancer au plus près des positions ennemies, selon la technique audacieuse préconisée par Nivelle à la bataille de la Marne. Les conditions ont changé. Le général Fayolle, un artilleur d'origine, a recommandé d'enterrer les canons, de les camoufler, de ménager les obus dont les stocks sont mesurés.

– Foch a fait pire, explique le capitaine : pour l'attaque de Carency, il a décrété que toute l'artillerie de campagne était à la disposition exclusive de l'état-major d'armée. Fayolle ne peut déplacer une seule batterie sans l'ordre de Maud'huy, commandant la Xe armée. On ne peut plus bouger un canon, encore moins l'avancer.

La batterie de Julien est à mille sept cents mètres des lignes. La cible est la grise perspective des tranchées ennemies, où sont disposés les fils de fer barbelés sur une profondeur d'au moins vingt mètres. Faute de visibilité suffisante, les tirs ne sont plus réglés par l'observation aérienne ou terrestre, mais par des planchettes toutes prêtes, où les calculs sont inscrits, donnant la hausse selon la distance évaluée sur carte d'état-major. Autant dire à l'aveuglette.

Au lendemain, l'aube n'est pas encore levée que les 75 s'épuisent déjà dans un tir hargneux. Ils ne mordent guère sur les fils amarrés à des poteaux de ferraille. Ils peinent à repérer la ligne sinueuse des tranchées, entre les bois de Berthonval et les abords du village de Carency. Impossible de savoir si les Allemands ont souffert.

— Regardez, mon lieutenant, dit le brigadier Galimier, responsable de la première pièce. Ils avancent, nos biffins, ils s'arrachent à la boue.

Le margis Émile Tarpon, horloger dévoyé, devenu canonnier de carrière et pointeur de concours, n'en croit pas ses yeux. Il n'a jamais vu une troupe, pataugeant jusqu'aux mollets, attaquer en plein cœur d'une tempête de neige et de grêle.

— Je voudrais les voir là-dedans, grince-t-il, les galonnés de Doullens.

— Ils n'iront pas loin, dit Gloton le déboucheur. Les barbelés sont intacts.

— Il y a pourtant des gens qui franchissent tous les obstacles, dit Galimier. J'ai vu hier deux spahis exténués, transformés en épouvantails boueux et congelés. Ils ont réussi à traverser les lignes et ont tué deux Boches dans le village d'Ablain. Ils sont revenus indemnes, guidés par une femme du pays. Les grandes offensives sont condamnées. Je ne crois qu'aux coups de main. Ce bataillon, qui part à l'assaut, ne peut qu'échouer.

Le brigadier Giulio Galvani, un émigré italien de Lyon, devenu patron soyeux à la Croix Rousse, se lamente sur l'affût de sa pièce et le sort des soldats :

— On ne peut rien pour eux, ils vont tous se faire tuer. En pure perte. *Madre mia*, c'est une guerre de fous !

Julien plaint de tout son cœur les fantassins qu'il suit difficilement à la jumelle, avant de les perdre tout à fait dans le brouillard givrant.

Avant le départ, leurs rangs ont déjà été décimés par des bombes lancées à main dans les parallèles. Beaucoup d'hommes ont été tués sans avoir pu répliquer. Julien fait tirer au hasard sur les lanceurs de bombes ennemis, indétectables car enfouis dans des trous.

— Il faut arrêter le tir, dit Giulio Galvani, on risque de toucher les nôtres. Les tranchées sont trop proches.

Julien aimerait être plus près des lignes, pour crapouiller l'ennemi à son aise, écraser ses positions et surtout anéantir ses nids de mitrailleuses. Impossible de les repérer. Le champ où sa batterie est installée est trop loin des premiers Allemands.

— La guerre a changé, dit Emmanuel Croisier, le briga-dier-chef de la troisième pièce. Nous sommes devenus aussi immobiles que les biffins.

Sur la chaussée boueuse, à l'arrière de la batterie de Julien, passe un convoi de canons de 155, tirés par des tracteurs. Jamais on n'a vu de tels mastodontes au front. Pourront-ils venir à bout des barbelés mieux que les 75 ? Julien en doute. Un marteau-pilon n'est pas le recours idéal pour enfoncer un bouchon dans une bouteille, malgré sa puissance et sa précision mécanique.

Il songe à l'adjudant Duplan, son instructeur à Bleau, au capitaine Marchand, le maître de l'artillerie de tranchée. Ils disaient vrai, le 75 est une arme de campagne, parfaitement incapable de détruire les défenses rapprochées. Les Allemands narguent l'adver-saire du fond de leurs trous, à l'abri de leurs hérissons d'acier. Ils viennent de faire la preuve qu'ils pouvaient décourager une offensive par un simple lancer de bombes à main sur des boyaux d'attaque.

L'infanterie française, déjà martyrisée, risque ainsi de se faire éliminer plus sûrement encore que dans la guerre de mouvement. Se fier aux sapeurs du génie et aux mines pour faire sauter les défenses est une illusion. La seule réplique est le coup pour coup des marmites. L'armée entière attend les crapauds sauveurs.

Foch et Pétain interrompent la tuerie après l'échec de la vague d'assaut. On compte les morts : plus de 1 800 tués, dont une centaine d'officiers. Les chasseurs de Belfort ont souffert. Leur bataillon est presque anéanti. Les comptables de l'état-major calculent que cette partie du front compte le plus de disparus enlisés dans la glaise.

Carency est devenu le cimetière de l'infanterie. Une rue ruinée, dont les Français occupent deux cents mètres à l'ouest et les Allemands sept cents mètres. L'attaque de l'Artois s'arrête sur cet épisode lugubre, pendant que Joffre lance en vain le gros de ses bataillons dans son offensive, une des plus meurtrières de Champagne.

Foch vient sur place constater l'échec, en compagnie du général de Maud'huy, de Fayolle et de ses officiers d'état-major. Le lieutenant Garnier est chargé de l'inspection des batteries : 56 pièces de 75, une vingtaine de canons lourds, dont un admirable 105 à long tube, tout neuf, arrivé des ateliers du Creusot. Garnier s'extasie, mais le 105 est une sorte de prototype. Il est seul en ligne, les autres pièces lourdes relèvent des musées de l'artillerie.

Il n'est pas nécessaire de sortir de Polytechnique pour se rendre compte de l'inefficacité des tirs. Garnier aperçoit Julien Aumoine qui fait enterrer ses canons pour tenir sa batterie au sec, entreprise difficile sur le plateau enneigé.

Les cagnas sont soignées, étayées de madriers, couvertes par d'épaisses calottes de terre renforcées de cailloux et de tôles ondulées. Il est indispensable de se protéger, dès lors qu'il est impossible de manœuvrer.

Les 75 sont comme des tourelles de cuirassé, dans cette guerre de forteresse. Ils ne peuvent quitter leurs coupoles, leur emplacement sur le pont. Julien fait creuser des abris, placer des madriers au fond, installer de bonnes cheminées dans les cagnas. Il prépare judicieusement les ouvertures pour les âmes des canons enterrés, braqués sur des portions précises de tranchées ennemies, mais ne peut cependant poursuivre le bombardement. En l'espace de quatre heures, ses pièces ont tiré treize cents obus, toute leur dotation.

— Apprêtez-vous à revenir à l'artillerie de tranchée, lui dit le lieutenant Garnier. Foch vient d'exiger de Joffre la fourniture immédiate de lance-bombes et de crapouillots, ainsi que l'accélération des travaux de mines. Nous nous enterrons.

— Je ne demande pas mieux, répond Julien. Rien n'est pire que de voir notre infanterie gaspillée.

— Pétain grogne. On ne lui a pas remplacé ses deux divisions territoriales, impropres à tout assaut. Il demande aussi des crapouillots. Les tranchées ennemies sont parfois à quarante mètres des siennes. Son 33e corps se fait matraquer par les *Minen*. Le général Fayolle, commandant de la 70e division, en pointe dans l'offensive, se désespère.

Huit heures, le 15 mars. Foch n'admet pas une minute de retard. Il a convoqué, à son état-major de Doullens, Fayolle et ses supérieurs, Pétain et Maud'huy.

Doullens est à la pointe sud du triangle dont Saint-Paul et Arras sont les autres sommets. Le passage obligé des renforts acheminés par rail vers tous les fronts du Nord.

Pas de courriers crottés, d'automobiles encombrant les abords du bâtiment, comme au PC de Joffre à Chantilly :

des gendarmes démontés et les trois drapeaux, français, belge et britannique, hissés à l'entrée, devant le beffroi de l'hôtel de ville du XVIIᵉ siècle. Le commandement de Foch est mobile, sans services lourds.

Le général accueille sans égards particuliers les trois chefs, qu'il connaît de longue date. Cheveux gris fer, sourcils broussailleux, moustache soignée, il est sanglé dans sa vareuse noire, bottes impeccables et képi sur la tête. Calme, assis devant une grande table recouverte de reps vert, non loin d'une carte du front du Nord bien éclairée, affichée en face de lui. Les généraux prennent place à ses côtés. On a fait sortir les ordonnances.

— Weygand, dit-il à son chef d'état-major, présentez-nous la carte du front.

Le cavalier Weygand, de courte taille mais très vif d'allure, pointe aussitôt sa longue canne de bambou, désignant la position des armées.

— Les offensives ont échoué, affirme tout de go l'ancien hussard. La reprise de l'offensive en Champagne s'est heurtée à des contre-attaques violentes. Le deuxième bureau nous signale des renforcements constants de l'artillerie et des effectifs ennemis par des unités venues du front de l'Est. Le système de fortifications devient inexpugnable. L'état-major de Chantilly envisage l'arrêt de la meurtrière offensive de Champagne.

— Je reviens de Chantilly, commente Foch. Des décisions pourraient être prises immédiatement. Il ne faut rien attendre de notre front de l'Aisne. Même Grossetti et ses coloniaux n'ont pas pu passer, c'est tout dire. Nous avons affaire à des abris blindés, des coupoles cuirassées, des flanquements protégés. La guerre de siège, messieurs!

Elle a coûté 50 000 hommes à la IVe armée depuis le 16 février.

— Les attaques des Éparges et de Vauquois n'ont pas été moins meurtrières sur le front de Woëvre et de l'Argonne, signale Weygand.

— Reste notre front du Nord. Nous avons tenu Ypres et Arras, mais ici, en Picardie, nos attaques ont été enrayées, aussi bien contre Notre-Dame-de-Lorette que Carency. La 45e division d'Alger a perdu, à elle seule, la moitié de ses effectifs. Il faut la retirer. Gain de terrain presque nul. Usure de l'ennemi? Douteuse.

— Comment en serait-il autrement? intervient Fayolle. Les défenses allemandes ne sont jamais détruites par notre artillerie au moment de l'attaque.

— Pourtant, soutient le vieux Maud'huy avec une obstination de doctrinaire de l'offensive, de baroudeur des colonies, il faut prendre Carency. Ce verrou doit tomber.

— La 45e division, dit Pétain, a été décimée en pure perte, lancée sans répit à l'assaut d'une tranchée qui a changé quatre fois de mains. Gain de terrain : cent mètres! Inutile de poursuivre. Nos 75 n'ont plus que 400 coups par pièce.

— Aujourd'hui, reprend Fayolle, j'ai perdu cent cinquante hommes, parmi les meilleurs des chasseurs à pied du bataillon de Belfort. Ils ont attaqué avec bravoure, en pataugeant dans cinquante centimètres de boue. Ils ont dû se replier devant la contre-attaque, perdant ainsi tout bénéfice de terrain. Voulez-vous qu'ils recommencent? Ils sont épuisés, couchés sur de la paille contaminée par la vermine. Un commandant de compagnie, resté quatre jours au combat, a perdu la tête. Un lieutenant s'est suicidé. J'ai dû laisser fusiller deux hommes pour refus d'obéissance.

— Mettez les plus atteints à l'arrière, en cantonnement, coupe Foch, impatient.

— Rien ne résiste à cet hiver pourri, poursuit Fayolle. Les cantonnements sont des loges à pourceaux. J'ai visité, hier soir, le 42ᵉ de chasseurs de Belfort. Le commandant Bervengt a pris le commandement. Il est très bien. Mais le moral est devenu instable. Qui pourrait résister à huit jours d'immersion dans la boue?

— Creusons des mines, dit Pétain. C'est la seule approche possible.

— Savez-vous que les fusils des soldats sont devenus des blocs de glaise? insiste Fayolle. Impossible de tirer. Les parapets fondent sous la pluie. Les tranchées sont un cloaque. Fouiller le sol dans ces conditions est inimaginable dans certains secteurs. L'eau suinte de partout.

Maud'huy a un geste agacé. Avec Pétain et Fayolle, rien n'est jamais possible.

— Les attaques de nuit peuvent réussir, s'obstine-t-il. Pas de préparation d'artillerie. La surprise sur un secteur limité.

— Et peu de résultats, tranche Foch, pour des pertes inévitables.

— Songez à la faiblesse de l'encadrement, ajoute encore Fayolle. À ma division, j'interroge les sous-officiers en secteur. Incroyable mélange : des plombiers, des professeurs, j'ai vu des luthiers sergents-chefs et des théâtreux caporaux. La nation en armes peut s'engager et se faire tuer dans des actions de masse, pas dans des opérations difficiles.

— Il faut s'y faire, dit Pétain. Hier, les Allemands ont attaqué pour la première fois au pétard et à la grenade. Il faudra former des grenadiers, et surtout des crapouilloteurs en quantité pour tenir dans la guerre de siège. Mais surtout arrêter les offensives.

— C'est acquis, dit Foch en fixant Maud'huy de ses yeux clairs. Chantilly nous l'a confirmé, nous arrêtons. Mais il faut tenir. Je croyais que les crapouillots étaient en place. Hier encore, on m'a fait assister à des lancements de bombe par les canons de 58. Un peu lents, à cause des ailettes, mais efficaces. Comment s'appelait l'officier ?

— Sous-lieutenant Aumoine, précise Weygand en consultant son carnet. Un ancien de Bleau, volontaire pour la démonstration. Formé par Marchand. Il est encore affecté à la 9e batterie de 75 du capitaine Guette.

— Du 75, dites-vous ? Marchons-nous sur la tête ? Détachez-le immédiatement dans l'infanterie de tranchée. Qu'il forme une école du front, dès que nous aurons reçu les 58, ordonne Foch. Levez des artilleurs volontaires dans les batteries pour faire un stage sous le feu. Si vous ne les trouvez pas, désignez-les d'office.

Adrien Guette est perplexe. Le capitaine de réserve, architecte de métier, ne sait comment maintenir l'encadrement de ses batteries. Dès que l'ordre de Foch est tombé, les hommes se sont hâtés de se porter volontaires pour suivre Julien, fascinés par son courage. Le margis Croisier a levé la main le premier. L'instituteur a honte de son inaction. Ses élèves sont au front, dans la biffe. Jadis les artilleurs prenaient des risques, ils ne sont plus que des dormeurs, retirés du front, enterrés dans leurs cagnas.

Gaston Galimier est lui aussi partant. L'amour de la technique le stimule. Il n'a plus rien à apprendre du 75, qu'il connaît par cœur. L'adaptation des bombes à ailettes au 58 le fascine. Il veut les bricoler lui-même, crapouilloteur dans l'âme. Giulio Galvani se tient sur la réserve, ainsi que l'horloger Tarpon, mais Alfred Gloton est volontaire pour la tranchée de Carency. Ce jeune homme de vingt ans, arrivé en renfort de la caserne de Lyon, était étudiant dans une école d'électricité quand la conscription l'a enrôlé. Il n'a aucune envie de patauger dans la boue des tranchées, mais il suivrait Julien en enfer.

La surprise vient de l'engagement du canonnier Aimé Leflot, le forain de Villeurbanne. Il se retrouve avec Julien dans la tranchée du 42ᵉ de chasseurs de Belfort, devant Carency, sans savoir pourquoi. Un coup de tête. Quitte à faire la guerre, autant marcher vers l'avant, avec les copains de la biffe, et épater l'arrière par ses exploits. Laura la gitane, sa compagne lyonnaise, fait tourner seule le manège pour les enfants du quartier de la Guillotière. Elle aime les courageux, les surineurs, les bagarreurs de parquets couverts. Aimé Leflot est un bleu. Il n'a pas encore assez souffert au front pour renoncer au risque et à l'aventure. Il suit Julien pour son air crâne, son allure libre et décidée. Un chef de bande.

Les voilà en secteur. Le commandant Bervengt les regarde débarquer dans les boyaux d'accès à sa tranchée avec scepticisme. Ils ne portent sur des brancards que deux engins, dont un mortier très ancien, retapé à la diable. Les chasseurs se reposent, indifférents, dans le cloaque informe de la tranchée, se dérangeant à peine pour les laisser passer.

Julien demande à Bervengt si des emplacements sont prévus pour eux. L'autre hausse les épaules.

— À chacun son trou, répond-il. Faites vite. Ils n'arrêtent pas de marmiter, de jour et de nuit. Vous m'obligerez en leur répondant au plus tôt.

— Vous avez des téléphones ?

— Les lignes sont coupées.

— Raison de plus pour les rétablir. Pas d'action possible sans elles. Nous devons être sans cesse en contact. Désignez deux hommes pour les réparer !

Sans plus attendre, Gaston Galimier déroule des fils sous les pieds des chasseurs. Julien grimpe au parapet pour repérer au périscope les positions ennemies. Une rafale de Mauser le manque de peu.

À peine arrivés, les artilleurs essuient un plané de marmite, creusant un entonnoir de dix mètres, juste devant le parapet, et dont les retombées les transforment en bonshommes de glaise. Julien décide de creuser aussitôt pour ses mortiers des emplacements permettant de manœuvrer, de stocker et de protéger les bombes. Les artiflots se mettent à l'ouvrage sans rechigner, sous l'œil ironique des chasseurs.

Envoyés par le commandant Bervengt, des territoriaux viennent à la rescousse. Julien, en deux jours, réussit à monter les pièces et même à faire feu, à soixante-quinze mètres, sur l'ennemi. Du coup, les chasseurs de Belfort se lèvent, tapotent leurs capotes raidies de boue séchée, et applaudissent les coups au but, tombés sur le même blockhaus, une tête de sape allemande. Jaillissement de terre et de blessés, réplique immédiate des *Minenwerfer*. L'ennemi vient de recevoir le signal de l'arrivée en ligne de la bande à Julien.

Le sous-lieutenant est infatigable. Les emplacements de ses crapouillots doivent être reliés à la tranchée des chasseurs par des boyaux munis du téléphone. Bervengt approuve cette initiative de Julien qui ne veut pas être surpris. Le tir des mortiers doit le soutenir ou le protéger, non l'obliger à des manœuvres inconsidérées, à des récupérations précipitées, à des attaques imprévues. Synchrones! répète-t-il à Julien, nous devons être synchrones!

Les «Juliens» (ainsi sont-ils très vite surnommés par les chasseurs), heureux de suivre des yeux les effets immédiats de leurs tirs, ont balancé par-dessus la tranchée tant de projectiles que la réplique ennemie ne tarde pas : huit marmites s'écrasent alentour. La fête risque de tourner au tragique. Julien ordonne d'abandonner provisoirement les engins repérés par l'ennemi et de trouver refuge dans l'abri des officiers.

— Il faut songer à votre protection, dit le commandant Bervengt. Le feu ne pardonne pas la moindre erreur. La sanction est immédiate.

Julien est sorti le premier de l'abri pour répliquer au tir des lance-bombes ennemis. Autour de lui, un désastre : les trous creusés par les siens avec tant d'ardeur sont recouverts de terre, ses mortiers ont disparu. Il doit les dégager sous deux mètres de gravats, les nettoyer pièce par pièce. Aucun blessé, les cinq hommes sont indemnes, les bleus en sont quittes pour un baptême du feu mouvementé. Mais tout est à refaire.

Les chasseurs, ragaillardis par l'engagement, profitent du silence revenu pour aménager aussitôt les trouées formées par les marmites. D'autres répliquent au Lebel sur les silhouettes fugitives qui se présentent dans la tranchée d'en face, afin de décourager les velléitaires désireux de tirer avantage de l'efficacité du bombardement.

Un projectile a creusé, dans la tranchée principale, un entonnoir digne d'un 210. Une torpille bourrée de cheddite. La ligne tenue par les chasseurs de Belfort était devenue la cible favorite des artificiers fous d'en face. Ils ont testé à cœur joie leur nouveau matériel, heureux que l'imprudente initiative française leur fournisse l'occasion d'une riposte écrasante.

— Ils ont dix fois plus de moyens, dit le commandant. Il faut vous retrancher.

Aimé Leflot sort de terre. Le geyser de la torpille l'a assommé, recouvert de glaise. Emmanuel Croisier, jeté au sol par l'explosion, se relève et grimpe de l'autre côté de l'entonnoir qui surplombe la tranchée française. Il aperçoit un casque à pointe, juste en face. L'homme est occupé à la sape, une pelle en main. Emmanuel le voit distinctement : barbu, les yeux clairs. L'Allemand éclate de rire en l'apercevant : « *Kamerad*! » dit-il avant de plonger dans son boyau. Emmanuel en fait autant.

— Bon endroit pour l'observation, dit Julien. Aménagez l'entonnoir et placez un créneau dans cette direction. Nous sommes à trente mètres de leur avant-poste.

Il saisit lui-même une pelle et décrit les positions à creuser. Deux emplacements de mortiers distants de vingt mètres, la cagna de protection au milieu. Il faut profiter du crépuscule pour se mettre au travail, avec l'aide des territoriaux.

À sa surprise, des chasseurs se présentent. Les Belfortins sont râleurs et rétifs aux ordres, mais le courage les mobilise. Ces gars, disent-ils en désignant les «Juliens», se battent comme nous, bec et ongles. Il faut les aider.

Ils retroussent leurs manches et creusent sans que le commandant Bervengt leur ait rien demandé. Les Allemands balancent quelques grenades pour gêner les travaux, mais Julien ne se risque pas à répliquer. Pourtant, ses hommes ont transporté, au brancard, les mortiers sur leurs nouvelles positions. Il pourrait répondre au feu de l'ennemi. Il s'en garde. Sécurité d'abord!

— Boyautez ferme, boyautez d'abord, pour être déjà à l'abri quand vous creuserez le reste, dit à Leflot l'adjudant de chasseurs Paul Demange, une tête carrée du 42ᵉ, un ancien des durs combats des cols des Vosges. Tant pis si vous baignez dans l'eau sale.

Ils s'acharnent. À l'aube, Julien peut être fier de ses défenses. Les crapouillots sont protégés par des plaques de tôle et des madriers recouverts d'une couche épaisse de glaise. Une ouverture, invisible du camp ennemi, est dégagée pour le tir. Les boyaux relient les pièces à la cagna du centre, à l'entrée aussi discrète que celle d'un igloo.

À peine ont-ils terminé l'aménagement que le bombardement reprend. Les «Juliens» se hâtent de gagner la cagna tout juste achevée. Ils s'y blottissent, oreilles bouchées, en attendant l'arrivée assourdissante des marmites.

— Ils tirent des grenades au fusil, dit Paul Demange au commandant. C'est une première!

– Nous en verrons d'autres! répond Bervengt.

Les blessés sont nombreux parmi les chasseurs. Le commandant siffle, attention à l'attaque! Les tirailleurs claquent les culasses dans leurs trous. L'ennemi ne se présente pas. Le bombardement s'intensifie. Dix *Minenwerfer* accablent la position. Un lourd projectile tombe pile au-dessus de la cagna des «Juliens», dont le toit vole en éclats. Les jets de terre charrient des débris humains.

Il faudrait le double, le triple d'obusiers de 58 pour faire face au feu allemand. Julien et ses braves compagnons n'y peuvent rien. Le crapouillot est impeccable, mais ils ne sont pas assez nombreux. Ils ne peuvent éviter d'être écrasés sous un feu très supérieur.

– Ils sont tous morts, dit Bervengt.

Demange, à la première éclaircie, fait signe à ses chasseurs. À la pelle, ils dégagent l'igloo. Des poutres écrasent les cadavres. On les retire à grand-peine, en évitant de broyer les corps. Aimé Leflot est décapité. On ne peut identifier les restes d'Emmanuel Croisier.

– Ils étaient cinq, dit l'adjudant. Où sont les autres?

Demange fait un geste en direction d'un bras arraché recouvert de boue. La plaque du poignet mentionne le nom de son propriétaire : Gaston Galimier.

On retrouve encore le cadavre informe d'Alfred Gloton.

– Et Julien Aumoine? demande le commandant. Était-il dans la cagna?

Ses bottes apparaissent, au fond du trou. Demange dégage le corps, essuie la glaise du visage ensanglanté.

– Il vit encore. Brancardiers!

Au poste de secours, Julien reprend connaissance. Une simple blessure au crâne, sans gravité apparente. Il cherche des yeux ses camarades, comprend qu'il est le seul survivant et retombe dans sa torpeur.

Son heure n'avait pas sonné.

Le château d'Oléron

Dans son palais de Lugano, la *marchesina* Bellini s'inquiète. Elle vient de recevoir, par l'intermédiaire de l'ambassade d'Allemagne à Berne, la nouvelle de la disparition de son fils Erik von Arnim sur le front de France. On ne peut savoir ce qu'il est advenu d'un *disparu*. La première hypothèse avancée est souvent celle de la désertion.

– C'est bien sûr exclu, dit la marquise à sa fille Clelia. Votre frère est malheureusement le fils d'un de ces chevaliers bavarois qui ont partagé les grandes chasses du *Kaiser* et l'ont suivi à la guerre. Il a prêté serment à l'empereur et ne peut se déshonorer.

– Hélas! dramatise la tendre Clelia, il peut être enseveli sous vingt mètres de terre, quelque part en France, et nul ne retrouvera jamais son corps.

Ancienne infirmière de la Croix-Rouge allemande, la jeune fille, à dix-neuf ans, n'ignore rien des horreurs de la guerre. Elle chérit Erik et déplore que le très fort sentiment de son frère pour la patrie allemande l'ait conduit à rallier, avec le même enthousiasme que son père, la bannière des *Hohenzollern*, dans cette guerre prussienne, tombeau de la jeunesse de sa province.

Il est vrai que le baron Hortz von Arnim, fort doué pour les arts et la poésie, répond à l'appel de son seigneur et cousin de lointaine lignée, le *Kronprinz* de Bavière, chargé d'un commandement d'armées, et qu'il ne peut se dérober au devoir vassalique. Son fils Erik l'a suivi dans cette voie, sans hésiter, regrettant seulement que sa mère ait cru bon de s'expatrier au lieu d'attendre, telle Pénélope, le retour des guerriers dans son château très baroque d'Ellingen.

— Je suis sûre qu'il est prisonnier, dit la marquise, de nature optimiste. Il faut s'en assurer.

Retirée dans son palais de Lugano depuis le début de la guerre, Antonina von Arnim, fille du *marchesano* vénitien Giovanni Bellini, a longtemps nourri le secret espoir que son bouillant époux renoncerait à l'armée pour devenir, par exemple, diplomate en Amérique latine, où elle-même aurait pu reprendre sa carrière de cantatrice. Pour son fils Erik, elle souhaitait un poste d'ingénieur dans les trusts américains du pétrole. Toute la famille von Arnim, à l'exemple de centaines de milliers d'Allemands, aurait pu émigrer outre-Atlantique. Elle rêvait de chanter Wagner au Brésil, à l'opéra de Manaos, construit depuis peu par les magnats yankees du caoutchouc dans la jungle de l'Amazonie. Les Allemands étaient si nombreux à Sao Paulo. Hortz s'y serait senti chez lui...

— Pourquoi ne pas inviter le lieutenant-colonel de Marval ? suggère Clelia, d'un ton faussement mondain. Il revient des camps de prisonniers français. La Croix-Rouge l'a mandaté pour une nouvelle tournée d'inspection que Paris a autorisée. Il doit être en possession des listes d'officiers allemands captifs. J'ai cru entendre, au siège, que les Français lui avaient laissé le choix des visites.

— Invitons le petit colonel, concède la marquise. C'est l'homme le plus ennuyeux du monde, mais il sera peut-être porteur d'une bonne nouvelle.

Un valet de pied frappe à la porte du salon. Sur son plateau, une lettre venue du front. Antonina l'ouvre avec fièvre.

— C'est Hortz, dit-elle.

Elle passe rapidement sur les mots tendres du chevalier, ainsi que sur sa narration pompeuse des victoires du *Kronprinz* en France, pour découvrir l'essentiel :

— Erik est prisonnier. Il a été blessé en Picardie, mais un officier français l'a sauvé. Il ne reste plus qu'à trouver le lieu de sa résidence.

— Il est sans doute en forteresse, dit Clelia.

— Pourquoi voir tout en noir? Von Hindenbourg, de la délégation allemande à Berne, m'a assuré que la convention internationale de La Haye, conclue bien avant la guerre par les belligérants, se contentait, pour les officiers du moins, de les assigner à résidence dans une ville où ils pouvaient loger à leur guise. Ils touchent leur solde et doivent seulement prendre l'engagement de ne pas s'évader. On ne leur impose qu'une formalité : présenter, à la réquisition des policiers, une carte d'identité pourvue de leur photographie.

— À La Haye, ce n'était pas la guerre, objecte Clelia. Tout a changé depuis, en France comme en Allemagne.

Je saute dans le train de Genève pour avoir des nouvelles. Je connais le colonel de Marval. Inutile de l'inviter, il me dira ce qu'il sait.

Drapée dans sa cape bleu sombre d'infirmière de la Croix-Rouge internationale, où sa mère l'a fait recruter, la jeune fille a ses entrées au siège.

Elle n'a pas tout dit à la marquise : sans doute est-elle d'abord soucieuse de s'assurer de la bonne santé de son frère chéri, mais elle espère aussi que le colonel aura la bonne idée d'ajouter son nom à la liste des délégués suisses admis à visiter les camps de prisonniers français : son cœur est à Paris, et son grand amour est au front. Il s'appelle Jean Aumoine.

Le colonel reçoit Clelia, mais la déçoit d'entrée : la Croix-Rouge est loin, selon lui, de disposer d'une liste exhaustive des soldats allemands captifs en France, car l'administration française est très mal organisée.

— Le gouvernement de Paris, lui dit-il, vient tout juste de créer un service des prisonniers de guerre autonome, capable de donner des renseignements précis. Mais je doute qu'il soit sincère. Si les prisonniers français en Allemagne sont au nombre de 300 000 environ, les Allemands retenus en France ne dépassent pas, selon nos estimations, les 50 000. Nous ne connaissons que les noms de 750 officiers, et celui de votre frère n'y figure pas.

Clelia refuse de lâcher prise :

— Pourtant, si les Français considèrent les Allemands comme des otages, ils ont intérêt à en afficher le plus grand nombre possible. Si mon frère n'est pas dans le lot, c'est qu'il n'est pas prisonnier.

— Je n'en suis pas sûr, dit l'officier suisse. Il peut être retenu dans un hôpital, et la liste des blessés allemands n'est pas diffusée. S'ils meurent, on peut reprocher aux Français de les avoir mal soignés. La campagne de presse internationale, menée par le gouvernement allemand à propos des traitements indignes infligés par les Français aux prisonniers et aux blessés, va dans ce sens.

Le colonel tend à Clelia un extrait du *Strassburger Zeitung* signé du docteur Boehmer, capitaine, *Rittmeister*, au 9ᵉ de hussards. Cet officier, puni de quinze jours de cellule dans la prison de Clermont-Ferrand, y aurait subi des traitements tout à fait inhumains.

— « *Menschenunwierdig*», répète l'officier. Nous sommes allés voir sur place. Le *Rittmeister* nous a assuré qu'il avait été traité "d'une façon absolument correcte". La propagande allemande en Alsace a déformé ses propos. Berlin orchestre une campagne contre les Français, qui a de larges échos aux États-Unis.

— Nous ne pouvons être sûrs de rien, alors. Ni des sources allemandes, ni des françaises. Pourtant mon frère est bien quelque part en France. Mon père en est certain. Le quartier général du *Kronprinz* Rupprecht est forcément renseigné. Il ne peut rien affirmer à la légère.

Le colonel conduit Clelia au service de presse, où des étudiants découpent les articles des journaux français et des dépêches d'agence concernant les prisonniers. D'autres tiennent un classeur spécial pour les cas douteux, à vérifier. Aucun d'eux ne mentionne le nom du lieutenant Erik von Arnim.

— Cela me surprend, dit Adolf de Marval. Un Erik von Arnim ne passerait pas inaperçu. Ce lieutenant des dragons de la reine, attaché à l'état-major du *Kronprinz*, est un bel otage. Les journaux auraient dû relater sa capture, publier des photos. Les Allemands ont fait de même pour les officiers français entre leurs mains, voyez leur presse.

Clelia parcourt un dossier épais, consacré aux aristocrates français internés en Allemagne. Dans les premiers articles figure la photo, en uniforme de major du 2ᵉ cuirassiers, du comte Adhémar de Gramont-Caylus. Le *Berliner Tageblatt* le montre libre de circuler en tenue militaire, sa longue latte d'acier au côté, dans les rues du petit village bavarois de Nabburg. Il a été capturé après un combat héroïque contre les dragons de la reine, autour de Mulhouse, dès le début de la campagne.

— C'est mon ami, mon hôte à Paris, dit Clelia. Il a été bien traité.

— Au début, mais lisez les autres articles.

Le même journal relate, deux mois plus tard, que le comte de Gramont-Caylus s'est évadé deux fois, trahissant sa parole d'officier. Il avait bénéficié du régime de la liberté sur parole. La sanction n'a pas traîné : on l'a enfermé à la forteresse de Spandau, dont personne n'est jamais sorti vivant.

— Son devoir d'officier n'était-il pas de s'évader ? demande Clelia.

— Sans doute, et les Allemands sont les premiers à le faire, même s'ils sont prisonniers sur parole. Mais aujourd'hui leurs officiers sont sous bonne garde dans les forts de l'île de Ré, à Belle-Île, à Oléron. Ils y sont bien traités, semble-t-il : une chambre pour deux, avec ordonnance, un mobilier convenable. Une mission américaine, conduite par Mrs Mary Bayle O'Reilly, une autorité indiscutable – inspectrice des prisons de l'État de Massachusetts –, a visité Belle-Île en Bretagne. Son rapport est positif : les Français respectent les accords internationaux de La Haye.

Clelia revient à l'examen de sa liste. Elle tombe sur le nom du lieutenant Maximilian von Bissing, son patient à l'hôpital allemand de Sarrebourg, qui avait perdu une jambe à Charleroi.

– C'est l'ami intime d'Erik, dit-elle, ils sont du même régiment.

– Max était en liberté surveillée à Carhaix, en Bretagne. Il s'est évadé. On l'a repris et enfermé au fort Sainte-Foy, à Lyon. Régime disciplinaire. Mesure de représailles.

– Mon frère est avec lui, j'en suis persuadée. Ils ont été capturés ensemble.

– Je ne crois pas. Erik von Arnim ne figure sur aucune liste. Il est toujours dans un hôpital.

Le lieutenant-colonel de Marval s'abstient de révéler à Clelia le fond de sa pensée : son frère est mort des suites de son opération, et les Français le cachent. Ils veulent éviter une campagne de presse sur le décès suspect d'un officier de haut rang dans un hôpital militaire.

– Je vous en supplie, dit la jeune fille, les yeux embués de larmes, aidez-moi à le retrouver.

Antonina a fait parvenir une lettre, par l'ambassade de Suisse, à la comtesse Aurore de Gramont-Caylus, pour la supplier de rechercher son fils dans les hôpitaux ou les camps militaires. Elle a, pour sa part, facilité l'une des tentatives d'évasion du comte Adhémar en Allemagne. Elle sait que son amie parisienne fera l'impossible.

Aurore remue ciel et terre, fait intervenir plusieurs professeurs de l'Académie de médecine, en pure perte. Le cabinet du ministre de la guerre, Alexandre Millerand, se borne à répondre qu'une enquête est lancée. Elle n'aboutit à rien.

Les bureaux sont débordés, scandaleusement impuissants. Il n'y a pas encore, au gouvernement, de sous-secrétaire d'État chargé du Service de Santé. Les hôpitaux regorgent de blessés, et les majors, accablés de besognes, sont incapables de remplir leurs tâches administratives. On multiplie les centres de soins sur le territoire, mais nulles statistiques exactes ne peuvent être établies au ministère. Tous les jours, pourtant, la liste des blessés s'allonge.

La comtesse songe alors à un jeune chirurgien pour qui elle a beaucoup d'affection, et dont elle retrouve, après mille difficultés, la trace de son incorporation au front. Elle décide de s'y rendre elle-même.

Ce Georges Dupichot était autrefois élève au lycée Jeanson-de-Sailly avec son fils. Reçu très jeune au concours de l'internat des hôpitaux de Paris, le chirurgien était promis au plus brillant avenir. Il ampute maintenant les bras et les jambes, nuit et jour, dans un hôpital militaire de campagne, sur le champ de bataille de Picardie. Le corps de cavalerie de von Marwitz, de l'armée de Rupprecht, a guerroyé dans ce secteur, du côté de Carency. Max von Bissing y a été fait prisonnier. Peut-être Erik aussi.

L'état-major délivre à la comtesse l'autorisation nécessaire pour une visite au front. Elle prend le train du Nord, dans un des rares compartiments réservés aux civils, descend en gare d'Armentières. Elle doit attendre deux heures à l'hôpital militaire de la ville, où affluent les blessés du front, Anglais, Belges et Français.

Le major Dupichot finit par la recevoir. Elle peine à le reconnaître, tant ses traits sont tirés, son visage amaigri. Il ne se souvient pas d'avoir opéré un officier de cavalerie bavarois et invite la comtesse à consulter avec lui la liste des blessés. Pas de von Arnim.

– C'est le fils d'une amie très chère, dit la comtesse. Je sais qu'il a été sauvé par un officier français, mais je ne peux vous préciser la date. L'état-major du *Kronprinz*, où servait le jeune homme, en a informé récemment son père, mais on ignore quel jour a eu lieu la capture. Nous croyons savoir que le jeune Erik von Arnim s'était rendu à l'armée de von Marwitz, sans doute en visite d'état-major.

– La liste des entrées est certes imprécise, répond le major. Mais un officier allemand ne passe pas inaperçu. Il aurait laissé des traces.

Un journaliste chenu, aux oreilles indiscrètes, se permet d'intervenir. Il se présente : «Guy Lagorce, reporter». Il enquête pour le *Télégramme du Nord*, à la demande de l'état-major, dont il porte le brassard de presse. Son article doit faire le point sur le traitement des blessés ennemis, afin de contrebattre la propagande allemande qui prétend qu'on les laisse mourir sans soins.

Une mission patriotique, en quelque sorte, qui autorise le vieil enquêteur à visiter nombre d'hôpitaux du front.

— Je crois pouvoir vous aider, Madame. Vous avez parlé du corps de von Marwitz. Savez-vous qu'il a été dédoublé, et qu'une partie opère aussi dans le Nord, sur le canal de l'Yser ? J'ai publié moi-même un écho sur le drame de deux officiers allemands qui visitaient les tranchées le soir de Noël. L'un d'eux était officier de cavalerie. Il s'appelait...

L'homme cherche dans son carnet une coupure de presse déjà jaunie.

— Erik von Arnim, dit la comtesse.

— En effet. Celui-ci a été opéré à l'hôpital militaire d'Amiens.

— On y transporte les cas difficiles, intervient Dupichot. Ceux que nous ne pouvons traiter au front, faute de moyens convenables. Ici, je travaille au scalpel et au chloroforme. Voyez de ma part le professeur Cheval-donné, il se charge des cas spéciaux. Mais prenez garde, les trains pour Amiens sont rares et pour la plupart réservés aux blessés.

— J'étais sur les lieux en reportage, le jour de l'opéra-tion, dit Guy Lagorce à la comtesse.

— Monsieur, la Providence vous a mis sur mon chemin.

— Le blessé est arrivé dans un état grave, raconte Lagorce. Les chirurgiens de Messines avaient refusé de risquer l'opération. Le pauvre jeune homme était blême quand on l'a déchargé de l'ambulance. Un jeune Français l'accompagnait, lieutenant, je crois. Il n'a pas voulu me dire son nom. J'ai appris cependant, par des soldats de son régiment, qu'il avait lui-même capturé le jeune Allemand, lors d'un coup de main d'une audace inouïe, dans un secteur du front que je dois garder secret. Je n'ai bien sûr pas été autorisé à relater ce fait d'armes dans le détail, pour cause de sécurité militaire.

— Erik a été blessé lors de cet engagement...

— Son collègue, un colonel d'infanterie, a été tué. Sans le secours de l'officier français, Erik von Arnim serait mort, je puis vous l'assurer. L'autre a obtenu l'autorisation de le conduire lui-même à l'hôpital pour s'assurer qu'il serait bien traité. L'opération a duré près d'une heure. Le professeur Chevaldonné a dû tenter une greffe de tissus pour refermer la plaie béante au niveau de l'omoplate. Il faut croire qu'elle a réussi, puisque l'officier a été évacué vers une forteresse de l'intérieur.

— Savez-vous laquelle?

— Non, mais j'ai publié dans mon journal la photo d'Erik von Arnim, officier de l'état-major du *Kronprinz*, parfaitement remis et souriant. Et j'ai pris à l'improviste une autre photo, de groupe et inédite celle-là, à son entrée dans l'hôpital. Si vous le permettez, poursuit le journaliste en tirant un cliché de son porte-documents, la voici : vous apercevez la civière et le blessé. Le personnage qui l'accompagne est le lieutenant français. On distingue assez bien son visage.

La comtesse de Gramont-Caylus réprime une vive surprise. Elle a reconnu, sur la photo, le visage de Jean Aumoine.

Au château d'Oléron, Erik von Arnim se croit au paradis. Un lieu de convalescence, battu par les vents doux de l'Atlantique, qui portent jusqu'aux fenêtres ouvertes le parfum des pinèdes et des eucalyptus. Le printemps qui s'annonce, avec le soleil de mars, fait déjà fleurir la forêt des mimosas de Saint-Trojan, avec leurs troncs lisses de baobabs géants, les landes de genêts et les parterres d'œillets roses de la dune.

Il est sans nouvelles de sa famille. Pourtant, il a le droit d'écrire trois cartes et une lettre de quatre pages au maximum tous les mois. Il faut croire que rien n'arrive à destination, puisqu'il ne reçoit aucun message en retour, et pas le moindre colis. Les Français l'ont habillé de neuf. Il porte une veste et un pantalon bleu foncé, sans insigne, et sa solde d'officier lui est régulièrement payée. Le médecin du château lui fait passer une visite chaque jour. Peut-on être mieux traité ?

Son camarade de chambre, le lieutenant Heinrich von Gugel, d'un régiment de uhlans bavarois, est aussi sans nouvelles des siens. Et pas davantage leur ordonnance, un canonnier du *Schleswig*. À croire que la douzaine d'officiers détenus dans l'île, tous d'illustres familles de la noblesse allemande, sont tenus au secret, comme si l'on redoutait leur enlèvement.

— Un sous-marin de la flotte impériale ne pourrait-il nous embarquer de nuit ? gémit Heinrich, porté au romanesque.

— Nos valeureux sous-mariniers ont sans doute d'autres missions plus importantes, assure Erik, et d'ailleurs la base de Rochefort, de la marine de guerre française, est en face de l'île. Nous sommes sous surveillance maritime

214

constante. Les Français ont la spécialité d'enfermer à vie, dans leurs îles, les prisonniers compromettants. Personne n'entend plus jamais parler d'eux. Ils sont bien traités, mais vivent reclus. Ainsi du «Masque de fer», ce frère inconnu de Louis XIV, au château d'If, ou encore du surintendant Fouquet, le ministre des finances de Mazarin, pour sa part à Pignerol. Nous sommes les otages d'une politique. Mais laquelle?

Le château est ouvert à tous les vents. Les prisonniers peuvent entrer et sortir comme bon leur semble, à condition de revêtir les nouveaux uniformes allemands qu'on a fini par livrer dans l'île à leur intention, ce qui irrite les deux jeunes cavaliers : on les oblige à endosser les longues capotes gris vert, *feldgrau*, de l'infanterie, et à coiffer les casquettes régimentaires à cocarde de Prusse.

Ils n'ont pas droit aux chevaux, mais aux bicyclettes, pour se détendre sur l'île. Erik salue poliment, en retirant sa casquette, les travailleurs des parcs à huîtres qui se rendent au bourg. Ils l'appellent par son prénom et les pêcheurs du port ne manquent pas de lui offrir quelques commodités de leur négoce clandestin. N'a-t-il pas payé à prix d'or, pour l'un de ses amis désireux de constituer un orchestre de jazz à l'américaine, un saxophone rutilant? Il reste du naufrageur d'antan, chez le marin oléronais. Pour lui, ces captifs sont de bonne prise.

– Les Boches ont de l'or plein les poches, assure Toinou, le pêcheur de crevettes. Pourquoi ne pas en profiter? Ils ont remplacé les touristes.

Avant la guerre, les riches Anglais s'installaient l'été dans l'île, dont ils faisaient la fortune. Des Allemands aussi. Ils se gavaient d'huîtres et de soles, cuites sur feu de sarments de vignes et enveloppées dans des feuilles de lauriers, tout en buvant du blanc «à goût de mer».

Le château, une thébaïde, plante ses murailles louis-quatorziennes au-dessus du port. Les Allemands y rentrent le soir, exténués par leurs promenades au phare de Chassiron ou leurs bains de mer sur la plage du Vert Bois. Là, ils affrontent, nus, sous l'œil indulgent des gardiens de la marine, la verte houle de l'Atlantique, fraîche en mars mais supportable pour des Germains habitués, depuis Tacite, à plonger en plein hiver dans le Rhin.

Ainsi se soignent les convalescents. Erik met un point d'honneur à nager d'un seul bras, tout près d'Heinrich qui ne le quitte pas des yeux. Ils se roulent, au sortir du bain, sur le goémon odorant que les Oléronais ne ramassent plus.

Le soir, devant le feu de bois de la salle commune où ils prennent leur repas, Heinrich exhibe un exemplaire daté de février du *Frankfurter Zeitung* que lui a procuré Toinou le contrebandier. Prise de guerre sur un prisonnier d'un camp voisin.

— Le commandant français du fort vient de me prévenir, dit-il à ses amis. Notre bon temps est fini. Nous sommes interdits de sortie. Il est question de nous interner en face, au fort de l'île Boyard, construit par Napoléon. Insalubre et lugubre.

— Que nous vaut cette faveur?

— Nous sommes des otages, dit Heinrich, se référant aux pages de son journal. Les nôtres ont soi-disant maltraité des prisonniers français de marque. Les deux fils du puissant directeur du *Matin,* Buneau-Varilla,

216

lieutenants d'aviation abattus par nos chasseurs, et le fils de Théophile Delcassé.

— Ce ministre des Affaires étrangères si hostile à l'Allemagne ? Je me souviens que le *Kaiser* avait imposé au gouvernement français sa démission en 1905, sous menace de guerre.

— Il est naturellement de retour au pouvoir. Les Français font tout pour obtenir la libération de son malheureux fils. Voilà pourquoi ils cachent notre existence. Ils nous gardent en réserve pour des échanges possibles. Ils vont maintenant faire savoir *urbi et orbi* qu'ils détiennent les rejetons des plus grandes familles d'Allemagne.

Jean Aumoine s'ennuie à la tranchée. Après abandon du front des Flandres où elle a été décimée, la 26ᵉ division se reconstitue avec les renforts venus des dépôts, dans un secteur plus calme, entre les villages de Verpillières, Beuvraignes et Crapeaumesnil, au sud de Roye.

Cinquante mètres séparent sa position de la première ligne allemande. On y pratique l'insupportable guerre des mines, la seule dont l'état-major français ait pour l'heure les moyens, en attendant le lancement, par Joffre, de l'offensive d'été.

On espérait la fin de la guerre pour Pâques, le 4 avril. Le commandant Latouche, bien informé par la presse française et allemande, dont il reçoit régulièrement des extraits, pense qu'il faut prendre patience et attendre l'épuisement complet de l'Allemagne, lequel ne saurait tarder.

Le colonel Migat n'ignore rien des activités réelles du commandant Latouche. Il sait que le 2ᵉ bureau de l'état-major l'a placé auprès de lui pour multiplier au front, par la capture et l'interrogatoire des prisonniers, les actions militaires de renseignement. Ses mérites ont été officiellement reconnus, puisqu'il a été cité à l'ordre de l'armée grâce à l'expédition menée par Jean Aumoine et Emmanuel de la Sablière. Les informations recueillies dans la sacoche de l'officier d'infanterie allemand ont permis une attaque coordonnée des positions ennemies sur l'Yser, et de conforter ce front instable.

Jean n'est cité qu'à l'ordre de la division. Il n'en conçoit ni amertume, ni fierté particulière. Que Latouche soit à l'honneur lui paraît normal. À rechercher le renseignement, il fait son métier plus utilement que les chefs devenus des fanatiques de la guerre des mines.

Il a rencontré un sapeur, au retour d'expédition. Tous ses camarades sont morts dans une explosion imparable. Les mineurs français passent des jours et des nuits dans leur souterrain d'approche. Ils entendent distinctement les coups de pics de l'ennemi, qui creuse une sape sous leur propre sape. Quand au loin les coups s'arrêtent, c'est qu'ils ont perdu la course contre la montre : l'ennemi a posé ses mines en premier.

Le sapeur interrogé appartenait à une équipe de relève qui venait tout juste d'atteindre le fond du souterrain pour continuer la sape. Les hommes ont sauté presque immédiatement sur les mines. C'est miracle qu'il ait pu revenir indemne.

– Tous les jours, a dit le sapeur, les mines explosent sur la ligne. Ce soir, une mise à feu est prévue. Une section du premier bataillon doit bondir pour occuper un poste avancé de la tranchée adverse et détruire son nid de mitrailleuses. Le gain de terrain sera presque nul.

– À cette cadence, dit Latouche, nous ne pouvons espérer que l'usure de l'ennemi. Pas de percée possible. Notre travail consiste seulement à surveiller l'arrière, pour s'assurer que des renforts ne sont pas concentrés en vue d'une offensive. Mais les Boches sont comme nous : ils n'en ont pas les moyens.

– Combien de temps durera la guerre? demande Jean, du ton las de celui qui sait d'avance la réponse impossible.

– Qui sait? trois mois, six mois peut-être. La ruine des deux adversaires est déjà programmée. Trop de pertes! Tous les jours, des hommes tombent pour défendre les lignes. Hier le colonel Dupiron est mort. C'était un bon ami. Il avait déjà vu pleuvoir tant d'obus et de balles autour de lui qu'il se croyait invulnérable. Il avait trois enfants, dont une fillette de deux semaines. Notre major, un médecin à quatre galons, vient d'avoir les deux jambes sectionnées par un gros lourd de 120 tombé sur son antenne. Personne n'est à l'abri du canon qui tire en aveugle, à dix ou vingt kilomètres. Chaque jour a son tribut de deuil. Nous n'y pouvons rien.

«Le plus surprenant, se dit Jean, sans oser énoncer sa remarque à haute voix, c'est que le moral reste bon. Ce n'est pas l'enthousiasme, mais les poilus sont convaincus qu'il faut tenir. Ils s'accrochent au sol avec acharnement.»

Les propos pessimistes du commandant Latouche l'intriguent. Saurait-il des choses qu'il ignore ?

– On parle de lever d'ici peu la classe 1916. Je ne crois pas que ces gosses de dix-neuf ans seront immédiatement envoyés en ligne. Ils monteront en juin, pour la nouvelle offensive. Il faut croire que nous n'avons plus de réserves disponibles pour lever, comme les Boches, des recrues de cet âge. On parle de convoquer en octobre la classe 17. Un holocauste ! La guerre ne peut pas se prolonger longtemps. Mais le vrai courage, c'est bien sûr l'obstination.

Jean s'étonne qu'un officier supérieur lui tienne ce langage. Mais Latouche connaît bien son interlocuteur. Il sait que nul n'a plus de raisons que Jean Aumoine de souhaiter la fin de cette guerre. Le service des renseignements lui a communiqué la fiche d'évasion du jeune homme. Elle mentionne son équipée à travers la Belgique et le nord de la France en compagnie de Clelia von Arnim, une infirmière allemande de l'hôpital de Sarrebourg.

Il est au courant de la mission du baron de Cortepiana, du deuxième bureau, qui a reconduit la jeune fille à Lugano, chez sa mère. Il sait que Jean Aumoine ne se relève pas de cette séparation imposée par la guerre, et croit comprendre pourquoi le soldat s'acharne à demander les missions les plus risquées. Comme s'il ne tenait plus à la vie... Veut-il rendre son moral au jeune héros ?

– Vous n'ignorez pas, lui dit-il sur le ton de la confidence, que des échanges de prisonniers s'opèrent en Suisse, à la frontière, entre Français et Allemands, pour des raisons sanitaires mais en réalité politiques. Nous avons décidé d'échanger un lieutenant bavarois, actuellement détenu dans la forteresse d'Oléron, contre le fils du ministre Delcassé, qui se meurt dans un camp de représailles. L'échange a été accepté des deux côtés. Le roi d'Espagne lui-même, très actif dans ce genre d'opérations, s'est entremis par l'intermédiaire de son ambassadeur à Berlin. Un officier sûr doit accompagner à Annemasse notre otage allemand. Acceptez-vous cette mission?

– Qui est cet otage?

– Erik von Arnim, dit le commandant en regardant Jean droit dans les yeux.

Clelia a réussi à se faire intégrer dans la délégation du docteur Marval, lieutenant-colonel de l'armée suisse, chargé de l'inspection des camps français dénoncés par la presse allemande.

La comtesse de Gramont-Caylus ayant demandé à l'un de ses intimes, membre du cabinet du président de la République, de retrouver le fils de la marquise Bellini, Raymond Poincaré, toujours sensible aux sollicitations des Italiens (son épouse s'appelle Henrietta Benucci), s'est adressé au président du Conseil, Viviani.

Il a tout de suite songé à un échange sanitaire avec l'ennemi, pour soulager la peine de Théophile Delcassé, son ministre des Affaires étrangères, vieil homme accablé de douleur, qui s'attend tous les jours à l'annonce de la mort de son fils dans un camp. Ainsi a-t-on fait connaître, par voie de presse, les noms de la réserve de prisonniers allemands de marque, otages isolés dans l'île d'Oléron. La comtesse a aussitôt averti son amie Antonina.

Il est, sous couvert du secret, admis par les autorités ennemies que les deux prisonniers ne seront pas rendus à leurs pays, mais retenus en Suisse. Le Français, malade, le sera dans un sanatorium, le Bavarois, amputé d'un bras, le sera chez sa mère, avec obligation morale pour tous deux de ne pas chercher à quitter le pays d'accueil.

Delcassé, informé, proteste. Il ne veut pas de passe-droit, point de privilèges. On lui précise que plus de trois cents Français tuberculeux seront évacués vers la Suisse, dans le contingent où figure son fils. Il serait injuste que celui-ci fût écarté, condamné à la mort lente, au motif que son père est ministre. Delcassé finit par accepter. Tout est réglé.

Aussi Clelia passe-t-elle la frontière sans encombre. La délégation suisse se heurte à un afflux inhabituel au poste douanier français. Les officiers de renseignements vérifient, au cas par cas, l'identité d'un groupe de médecins, pharmaciens, infirmiers, brancardiers ou conducteurs d'ambulance, libérés par les Allemands, à charge de réciprocité.

Le contrôle est long et minutieux. Les Français redoutent que des espions n'aient été subrepticement intégrés par les Allemands au contingent des libérables. Mais le colonel de Marval obtient l'autorisation de franchir immédiatement le poste-frontière avec les siens, grâce à son ordre de mission prioritaire. Clelia passe dans le groupe, vêtue de l'uniforme de la Croix-Rouge suisse.

Le service des renseignements n'est pas dupe. Il est entendu que le prisonnier Erik von Arnim suivra sa sœur au palais de Lugano, où il achèvera sa convalescence.

Elle sait où se trouve son frère grâce à l'enquête menée par Aurore de Gramont-Caylus. Le colonel de Marval lui a fait un tableau sinistre de la situation des détenus dans l'île d'Oléron. Les officiers allemands se sont plaints. Depuis quinze jours, ils sont tenus au secret, les sorties sont interdites, la nourriture insuffisante.

Le gouvernement français a décidé de durcir le régime des détentions d'officiers, en représailles à des mesures prises par les Allemands, lesquels regroupent les gradés français dans les zones stratégiques de la place de Metz, bombardée constamment par les avions français.

D'autres officiers, enfermés dans des forteresses comme Ingolstadt, sont l'objet de rigueurs insupportables et d'humiliations, tandis que les engagés volontaires alsaciens et lorrains subissent de durs traitements. On exige qu'ils soient fouillés par des policiers. On les jette dans des cachots non éclairés, parmi des prisonniers de droit commun. On tient pour crime une tentative d'évasion.

Le lieutenant-colonel de Marval, tout comme Clelia, n'est pas au courant des accords d'élargissement du blessé de guerre Erik von Arnim. La délégation suisse a seulement pour but de s'assurer que les accords de Genève sont respectés par les autorités françaises sur l'île. Elle doit en particulier vérifier que les noms des détenus sont tous inscrits sur les listes officielles à transmettre, via la Suisse, au gouvernement ennemi. Il est contraire aux ententes internationales de se servir des prisonniers comme d'otages. Un mois après leur capture, les informations concernant notamment leur état sanitaire doivent être communiquées.

Dans la vedette de la marine qui les embarque au port de Rochefort, le lieutenant-colonel de Marval se souvient de l'information qui a rendu, à ses yeux, la visite dans l'île nécessaire. Les Français ont joint au contingent d'otages de haute lignée, jusque-là traités avec égards, des détenus frappés de peines disciplinaires ou judiciaires, en provenance du centre d'Avignon. Les plaintes proviennent d'officiers prussiens d'état-major, issus de grandes familles, subitement contraints à un régime d'internement strict. Les blessés sont-ils soignés, contrôlés, revisités ?

Quand la délégation débarque dans le petit port de Saint-Trojan, Clelia demande immédiatement à l'officier de l'accueil si elle peut voir son frère. Celui-ci lui répond, sans autre commentaire, que le soldat vient de partir sur le continent sous bonne garde, dans un groupe d'officiers supérieurs.

Le commandant Daguerre, un ancien de la coloniale préposé à la garde du fort, donne des éclaircissements. Le fort d'Oléron devient, avec les condamnés venus d'Avignon, une sorte de pénitencier. L'administration des prisonniers de guerre a jugé convenable d'évacuer les officiers allemands vers une autre résidence, l'île de Ré, où ils seront traités selon leur rang. Il en présente la liste.

— Je ne vois pas le lieutenant von Arnim, remarque Marval.

– Transfert spécial. C'est un grand blessé.

– Voulez-vous dire qu'il sera l'objet d'un échange ?

Le commandant ne peut s'avancer. Les consignes sont de répondre aux questions et de faire visiter les lieux en donnant le minimum de détails sur les opérations d'évacuation des personnalités. Il précise néanmoins que si le lieutenant von Arnim est rapatrié, ou interné en Suisse, il doit au préalable se présenter devant une commission de médecins français de l'école de Santé de Lyon, où figurent des médecins suisses.

– Est-il déjà parti pour Lyon ?

– Je ne saurais vous l'affirmer, répond Daguerre, qui ne dira pas un mot de plus.

Il reste aux commissaires à entendre les doléances des prisonniers condamnés par les tribunaux militaires français pour insultes, rébellions, tentatives d'évasion, et à s'informer sur les conditions de leur détention. Clelia, très mal à l'aise, demande au lieutenant-colonel la permission de sortir pour faire quelques pas sur le port.

Entre l'alignement des barques aux couleurs bleutées, d'où les pêcheurs tirent leurs filets pour les faire sécher à quai, et les maisons basses, blanchies à la chaux, la promenade de la jeune infirmière blonde ne passe pas inaperçue. Toinou, jovial, lui propose un tour en bateau pour lui faire visiter les colonies d'oiseaux de mer sur le rivage de la côte sauvage, non loin du phare. Clelia accepte aussitôt. La mission suisse passera sans doute l'après-midi entière en visites des lieux et en rédaction de rapports. Elle peut disparaître dans l'île sans qu'on se préoccupe d'elle jusqu'à son retour.

Toinou, le pêcheur, est intarissable. Il a l'habitude des touristes étrangers, et le charme de la jeune fille ne lui est pas indifférent. Il se rend vite compte qu'elle est insensible au parfum des mimosas, qu'elle cherche des informations sur la vedette de la marine qui a embarqué les officiers allemands vers l'île de Ré.

— Elle n'en a pas pris le chemin, dit Toinou. Rochefort, direct! Or, la marine ne fait pas de détours. Les prisonniers feront sans doute une halte à l'arsenal, avant d'être rembarqués. Nous les regretterons, par ici. De vrais soldats! Ils saluaient tout le monde. Et simples avec ça. Pourtant certains d'entre eux étaient des huiles dans leur pays. Ils se promenaient sur le port comme vous le faites. Ils allaient à bicyclette jusqu'au phare. On les laissait pêcher, jouer au ballon, faire de la peinture ou de la musique. Les vieux de la marine qui en avaient la garde fermaient les yeux et s'asseyaient au café du port. Non sans rouspéter contre ces gradés boches, traités comme des milords.

— Cette île est un paradis, dit Clelia dans son français irréprochable. Ils seront les premiers à la regretter.

— On a fini par les boucler dans le fort, poursuit Toinou. Représailles! qu'ils disent les gardiens, furieux d'être bouclés eux-mêmes. Il vaut mieux qu'ils s'en aillent. Pendant des semaines, ils ont vécu libres comme des oiseaux. Enfermés dans les murailles épaisses du fort, sans lumière et sans les parfums de la forêt, ils dépérissaient.

— Les blessés surtout, avance Clelia.

— Ils se sont remis avec le climat. Un grand blond, nommé Erik, arrivait à nager malgré son bras amputé.

– C'est mon frère, dit Clelia avec un pincement au cœur.

Toinou s'arrête de parler. Il la croyait suisse, voilà qu'elle est allemande?

– Notre mère est suisse, précise-t-elle, devinant l'embarras du pêcheur.

– Votre frère était le meilleur et le plus généreux. Il m'avait donné de l'argent pour que je lui trouve un cheval. Mais le commandant ne l'a pas autorisé. Erik était navré. Je l'ai vu avant son départ. Il n'est pas parti avec les autres, mais deux bonnes heures avant.

Clelia dresse l'oreille. Daguerre n'a pas signalé ce détail à Marval. Avait-il des ordres pour évacuer Erik à part? Dans quel but?

– Quel homme généreux! poursuit Toinou. Il n'a pas voulu quitter l'île sans me glisser un billet de dix francs pour mes enfants. Il m'a promis de revenir nous voir après la fin de la guerre, qui ne serait pas longue.

– Comment a-t-il embarqué?

– Un sous-lieutenant d'infanterie venu tout exprès l'accompagnait. Il lui a demandé de prendre place dans une barque de pêche, louée à un camarade, pour rejoindre au plus tôt le petit port de Fouras. Il a dit qu'il était pressé. Il avait un train à prendre. Il ne pouvait attendre la vedette de la marine.

– Y a-t-il une gare à Fouras?

– Non pas. La plus proche est à Rochefort. Une voiture les attendait sans doute.

– Était-il heureux de partir?

– Joyeux. Il m'a présenté comme si j'étais son ami d'Oléron à l'officier français qui le prenait en charge. Son sauveur, m'a-t-il dit, qui l'avait arraché à la mort sur le champ de bataille.

— Avez-vous retenu son nom ?

— Un garçon brun, en uniforme du 121e d'infanterie. J'ai retenu seulement son prénom : Jean.

Le transfert d'Erik von Arnim a été préparé dans le détail. Un aviso de la marine, marqué aux couleurs de la Croix-Rouge internationale, attend le prisonnier au large de Fouras.

— Nous sommes en sécurité sur un navire portant ce pavillon, observe Erik qui parle un français parfait,

— Détrompez-vous, lui répond Jean. Il est arrivé fréquemment que vos sous-marins torpillent des navires sanitaires.

En gare de Nantes, ils prennent le train de Lyon, où un compartiment spécial de première classe leur est réservé. Jean prend soin de cadenasser la porte du couloir.

— Quel traitement magnifique, dit Erik. Me prend-on pour le fils de l'empereur ?

— Seulement pour le cousin du roi de Bavière, corrige sobrement Jean, bien informé.

À aucun moment, le Français ne se dévoile, ni n'évoque le nom de Clelia. Repoussant toute idée de connivence avec son prisonnier allemand, il veut conserver avec lui des rapports polis, mais distants. À l'observer, visage fin, mains de pianiste, longs cheveux blonds, il se demande comment Erik a pu s'engager dans l'armée allemande, si brutale, si prussienne. Sans provoquer la moindre confidence, sans jamais laisser soupçonner à l'officier qu'il connaît sa sœur et qu'il l'aime, il cherche simplement à débusquer chez lui quelque trait commun avec elle.

— Je suis sans nouvelles de ma sœur et de ma mère, l'interrompt Erik. Elles sont, je crois, en Suisse. Les reverrai-je ? Pourrai-je les informer de ma nouvelle résidence ? Où me conduisez-vous ?

Jean secoue la tête. Il n'en sait rien lui-même. Sa mission est d'escorter le prisonnier jusqu'à la commission sanitaire franco-suisse de Lyon. On ne lui en a pas dit plus.

— Je vous dois la vie, insiste Erik, et me tiens pour votre obligé. Aussi ne tenterai-je pas de m'évader en votre présence, je vous en donne ma parole.

— Vous ne pourrez pas reprendre le combat, dit Jean. À quoi bon prendre des risques ?

— J'ai réussi à nager. Je pourrai probablement remonter à cheval. J'étais, savez-vous, champion à la course de jumping de l'armée allemande, chaque année à Berlin. J'ai même fait des concours en Angleterre, ainsi qu'en France : à Dinard, en Bretagne, où j'ai remporté la coupe devant un Anglais.

Jamais aucun Aumoine n'a vu le bord de la mer. Cet Allemand riche semble connaître son pays mieux que lui.

— Les Britanniques sont chez eux à Dinard, poursuit Erik, en rêvant à d'anciennes vacances sportives. J'y ai fêté ma victoire hippique au Grand Hôtel, un dimanche de juin 1913, avec mes camarades allemands. Il y avait là votre ministre, Joseph Caillaux. Le lundi matin, je me suis promené sur le chemin fleuri qui serpente sous le rocher de l'hôtel, juste en face de la ville de Saint-Malo.

J'y ai salué un homme qui peignait, torse nu comme un pêcheur, devant son chevalet. Un Espagnol, sans doute connu chez vous : Pablo Picasso.

— Croyez-vous pouvoir remonter en selle un jour ?

— Je l'espère. Je crois même que je me suis engagé dans l'armée pour ce seul bonheur : le cheval.

— Les chasses à courre ? sourit Jean, pensant surtout à son grand-père, garde-chasse dans les forêts du duc d'Orléans, qui lui avait appris, enfant, toutes les sonneries du cor.

— Non ! Je n'aime pas la chasse. Mais mon père en raffole. Il est invité aux chasses de l'empereur. Je préfère les longues courses en forêt avec ma jeune sœur Clelia. Découvrir les ermitages, les grottes isolées, les monstrueux châteaux abandonnés de Luitpold, le prince régent, et de Louis II le fou.

— Êtes-vous vraiment de la famille royale de Bavière ?

— Tous les nobles de chez nous sont parents, depuis le temps qu'il y a des nobles, dit Erik en riant. Je suis proche du prince Rupprecht, comme écuyer et non en qualité de cousin. Quel merveilleux cavalier ! À quarante ans passés, Rupprecht – Robert, en français, n'est-ce pas ? – monte comme un damoiseau. Il est le fils de notre roi Louis III, couronné à Munich en 1913.

— Le *Kaiser* supporte la présence d'un roi en Bavière ? s'étonne Jean, bon républicain.

Pour lui, la logique de la nation, c'est un État centralisé.

— Vous n'êtes donc pas un empire ?

— Si, bien sûr, mais ce sont nos rois qui ont proclamé l'empereur, chez vous, au château de Versailles, après notre victoire sur Napoléon III, en 1871. Nous les avons naturellement conservés, avec notre armée. Elle est au service de l'Allemagne, pas de la Prusse.

– Rupprecht est notre principal adversaire, dit Jean. Où que je combatte, j'ai toujours devant moi son armée.

– Notre *Kronprinz* est un véritable homme de guerre. Il a commandé la VIᵉ armée en Lorraine. Il est maintenant sur le front du Nord. Mais son cousin Luitpold est aussi un *Feldmarechal* allemand. Il commande la IXᵉ armée en Pologne. Il a pris Varsovie. Être l'écuyer de Rupprecht était pour moi un plaisir. Nous montions ensemble, avant cette guerre, nous tirions l'épée à la salle d'armes du château de Munich. Je le suivrais en enfer, même chez les Prussiens.

– Et s'ils font la guerre au monde entier ?

– La guerre est notre lot, à nous, gentilshommes, et la grande Allemagne est une belle course. Mais elle devient, comment dites-vous ? terriblement roturière. Avez-vous vu nos nouveaux casques ? Même les officiers devront porter cet immonde saladier d'acier. Plus de schapska ni de colback. Je n'aime plus la guerre, même si je dois encore la faire. Trop de morts. Elle nous conduit tout droit à la révolution, à moins que nous n'obtenions ce que tout bon Allemand espère encore : une éclatante et proche victoire.

Folle d'inquiétude, Clelia s'est confiée au lieutenant-colonel de Marval, au débarquement à Rochefort. Le pilote de la vedette l'a informée qu'un aviso avait quitté le port, à destination de Nantes. Il n'en savait pas plus.

L'officier suisse soupçonne une opération tenue secrète

par les Français, et probablement aussi par les Allemands. Si on lui a recommandé d'engager Clelia dans sa commission, c'était pour qu'elle retrouve son frère à Oléron.

— Laissez-moi partir pour Paris, l'implore-t-elle. La chère comtesse de Gramont-Caylus, ma tendre amie, saura bien retrouver Erik. Elle a tant de relations!

— Vous avez votre passeport, lui dit-il, mais le visa expire demain. Ne tardez pas à rejoindre la frontière.

La comtesse obtient le renseignement du cabinet du président. Le jeune von Arnim passe devant la commission sanitaire de Lyon. Elle n'en sait pas plus.

Clelia se garde de toute confidence. Elle n'avoue pas à la comtesse qu'elle veut rejoindre son frère afin de retrouver Jean. Elle n'en a pas la certitude absolue, mais elle pressent, au fond de son cœur, que le sauveur d'Erik est aussi celui que les Français ont choisi pour l'accompagner jusqu'à Lyon. Sans doute pour le faire parler. La confidence de Toinou le pêcheur l'a convaincue : le «grand jeune homme brun» ne peut être que son Jean.

— Reste avec moi quelques jours, lui dit la comtesse. J'arrangerai la prolongation de ton visa. Le temps d'apprendre où l'on veut interner Erik.

Des consignes ont été données au cabinet de Poincaré. L'ami de la comtesse ne peut révéler les modalités exactes de l'échange. Il faut éviter toute campagne de presse. Rien ne dit, au demeurant, que les Allemands exécuteront leur part de l'engagement. Ils peuvent exiger, en échange du fils du ministre des Affaires étrangères, un plus gros gibier, et ils n'ont aucun intérêt à faire preuve de mansuétude pour un nom haï en Allemagne, celui de Delcassé.

Impossible de retenir Clelia. Elle veut se rendre à Lyon sur-le-champ. Infirmière de la Croix-Rouge internationale, elle franchit sans difficulté les portes de l'École de santé militaire, assaillies par des convois de blessés. On lui apprend que la commission mixte s'est déjà réunie et que les prisonniers allemands sont repartis, ainsi que les médecins suisses.

Un major de passage prend en pitié la jeune infirmière au bord des larmes.

– Accompagnez-moi, lui dit-il, chez le professeur Daubenton. Il présidait la commission. Peut-être voudra-t-il vous parler.

Le professeur s'étonne qu'une aussi jeune fille hasarde une démarche isolée, alors que la commission médicale suisse est repartie la veille.

– Vous intéressez-vous à un cas précis?

– À mon frère, Erik von Arnim.

Elle lui raconte l'histoire de sa famille. Daubenton n'est pas surpris. La guerre a déchiré les liens de la noblesse d'Europe. Les princes d'Alsace recrutés dans l'armée allemande ont leurs cousins dans l'armée française. Le propre frère de l'impératrice Zita d'Autriche, Sixte de Bourbon-Parme, s'est engagé dans l'armée belge en 1914. Zita, née à Viareggio, ne doit rêver qu'à la paix, tout comme la marquise Bellini, repartie en Suisse.

– Votre frère n'a rien à craindre, lui dit-il. La commission l'a retenu.

– Est-il gravement malade?

– En bonne voie de guérison, mais sa blessure est sérieuse. L'amputation a été délicate. Une longue convalescence s'impose, et pas d'imprudences. Je ne puis vous dire où il a été envoyé, mais vous aurez, je pense, des satisfactions.

Ces paroles rassurent Clelia, sans l'apaiser pour autant. Le bon professeur comprend qu'elle ne lui a pas tout dit.

— La commission s'est réunie en session spéciale pour examiner le cas du lieutenant Erik von Arnim, lui dit-il. Un jeune officier français, un sous-lieutenant d'infanterie, accompagnait le blessé avec ordre de ne pas le quitter. Je m'en suis étonné. On m'a dit son nom : Jean Aumoine. J'ai été heureux de le connaître, car j'aimais son frère Léon, mon filleul, malheureusement mort au combat. Je l'ai opéré moi-même. J'étais un peu son parrain.

— Je vous en prie, professeur, si vous me dites où je peux trouver l'un, je retrouverai l'autre. Jean Aumoine, c'est pour lui aussi que je suis venue. Nous nous aimons. Tout nous sépare, la guerre, la folie des hommes.

Clelia relate à Daubenton leur incroyable aventure, les rigueurs du contre-espionnage français, l'attitude rancunière de la Croix-Rouge allemande. Ne pouvant ni rentrer dans son pays, ni servir en France, elle songe parfois à s'enfuir avec Jean à l'autre bout du monde.

— N'y pensez pas, conseille doucement Daubenton, et laissez faire le temps. Jean est un patriote français. Il a rejoint son corps. Vous devez rentrer chez votre mère, prier et attendre. Toutefois, je puis vous aider. Écrivez-moi une lettre à son intention. Je m'arrangerai pour qu'elle lui parvienne sur le front de Picardie.

Le sentiment du devoir et la pensée de ses camarades enfouis dans la boue de Beuvraignes ont retenu Jean au poste-frontière suisse, où il a convoyé von Arnim afin de s'assurer de la régularité de l'échange. Il ne peut connaître la décision, prise au niveau supérieur, selon laquelle Erik sera accueilli en Suisse au titre de grand blessé, et probablement confié, sous contrôle militaire, à la marquise Bellini. Celle-ci s'est portée garante pour son fils auprès du général Hauser, responsable suisse des prisonniers internés dans son pays, en vertu des accords passés entre Paris et Berlin.

Jean est reparti la mort dans l'âme en Picardie, où le 121e régiment d'infanterie est en secteur au sud de Roye. Il a trouvé le commandant Latouche installé dans un hameau dévasté derrière le front, où il tient son cantonnement de fortune. Plus un seul habitant, pas une maison intacte. Le canon français a fait son œuvre pour venir à bout de ces ruines longtemps occupées par l'ennemi.

Le soleil d'avril est radieux. Les lilas, qui poussent à la diable le long des pans de murs, répandent une odeur printanière dans l'antre du commandant, une des rares habitations disposant encore d'une parcelle de toit. L'officier s'est découvert un collaborateur : Edmond Prost, qui a appris l'allemand au lycée de Montluçon, et qui est donc apte à lire le courrier des prisonniers et des blessés.

Promu adjudant, Prost est aussitôt formé à la dure école du commandant. Il apprend à décoder les messages, à rédiger des fiches, rangées ensuite dans des boîtes de fer cadenassées qu'on entrepose dans un coffre, à la cave, près d'une charge de dynamite prête à sauter si l'ennemi arrive. Un agent de liaison, l'anarchiste Eugène Lachelier, blessé au front mais bientôt guéri et récupéré, complète l'équipe Latouche. Elle se tient relativement à l'abri derrière les lignes.

Les obus tombent toujours. Quelques salves parfois crépitent sur les façades délabrées, dispersant les oies de la basse-cour abandonnée par les propriétaires. Puis elles cacardent de nouveau en paix avant d'améliorer l'ordinaire du commandant. Une jeune paysanne, Jeanne, éprise d'Edmond, a voulu rester sur place pour servir ces messieurs les officiers. Elle plume les volailles au pied de la roulante, installée elle aussi dans les ruines, non loin du poste d'urgence de Claude Montagne, un major qui sait organiser la survie.

Il a obtenu l'affectation, à la popote du 121ᵉ, d'un blessé d'un régiment parisien, inapte au tir pour cause de doigt coupé. Ce Simon Latour, surveillant de wagons-lits dans le civil, a ainsi échappé au falot, et probablement au peloton. Il a pour adjoint Ernest Courazier, enfin déchargé du ravitaillement périlleux de la tranchée. Latouche a réussi, sous les obus, à se doter d'un service au front suffisamment abrité pour qu'il fonctionne.

L'officier de renseignements, détaché au régiment du colonel Migat, relève en fait du 2ᵉ bureau de l'armée, qui rassemble les informations pour les transmettre au GQG et distribue les tâches aux agents placés dans les unités de première ligne.

À l'arrivée de Jean Aumoine, Latouche lève à peine la tête pour le saluer. Il est occupé à déchiffrer les lettres trouvées sur des prisonniers allemands, et les rapports codés d'agents de l'au-delà des lignes, de Belgique par exemple. Il faut croire que ces messages sont passionnants, car il fait signe à Jean de patienter.

Il ne l'a pas envoyé au hasard récupérer le prisonnier von Arnim. Ni sans arrière-pensée. Il a même négligé de lui fournir la moindre directive, convaincu que Jean ferait tout pour gagner la confiance du jeune noble. Sans doute est-il responsable de la capture de l'Allemand, mais il l'a aussi sauvé de la mort en le conduisant lui-même au poste de secours. Latouche en était certain : si von Arnim devait faire des révélations, ce serait à Jean Aumoine.

— Il n'en a fait aucune.

Jean le précise à Latouche quand il daigne enfin prêter attention au récit de sa mission. Il lui répugne d'avoir été utilisé comme agent, alors qu'il a lutté de toutes ses forces pour éviter de laisser transparaître le moindre sentiment à l'égard du frère de son amoureuse. Comment l'autre aurait-il pu s'ouvrir face à un interlocuteur sur sa réserve, qui se gardait de lui poser la moindre question ?

— Aidez-moi, Aumoine. De graves événements se préparent. Ce jeune Bavarois était à l'état-major de Rupprecht, c'est un intime du prince héritier. Ses moindres paroles valent de l'or, même si elles n'étaient pas des confidences.

Au prix d'efforts manifestes, Jean laisse filtrer ces paroles anodines :

— Il m'a seulement dit, sur le ton de l'anecdote, au moment de passer la frontière : «La guerre sera finie pour la Saint-Jean grâce aux chimistes qui nous gouvernent. L'avenir de l'Allemagne n'est pas dans les mains du

Kaiser, mais de la *Bayer Badische Gesellshaft*. Nous nous reverrons sans doute, quand tout combat sera devenu impossible. »

Accablé, Jean n'en dit pas davantage. Mesurant le désarroi de son agent, le commandant lui propose une autre mission spéciale.

Jean la décline. Il n'a nulle envie, explique-t-il, de devenir un officier de renseignements. Son devoir, tout son devoir. Il a choisi son camp en détournant les yeux de la plaine de Genève à Annemasse. Tout le poussait à déserter, à prendre le train de Lugano. Il a choisi de rentrer pour aller jusqu'au bout. Autrement dit, au front! Sa place, insiste-t-il, est à la tranchée, avec ses camarades, dans sa compagnie.

Il s'y languit pendant un mois, sans avoir le cœur de s'y faire tuer. Quand tant de gens trouvent la mort au front sous l'effet du hasard, quelle indécence de la rechercher par amour.

Une nouvelle offensive française est en préparation dans les bureaux de Joffre à Chantilly. Elle est prévue pour le 9 mai, en Artois. Le commandant Latouche en est informé par message codé. Il redoute le pire, multiplie les rapports, les contacts, déchiffre jour et nuit les télégrammes. Le propos de von Arnim, rapporté par Jean Aumoine, n'est pas tombé dans l'oreille d'un sourd. Il fait rechercher par Edmond Prost le long rapport rédigé par un commandant du service britannique de renseignements qu'il a connu sur le front de l'Yser.

– J'ai trouvé, dit Prost. C'est l'affaire Marthe McKenna.

– Cette infirmière belge, agent de renseignement britannique à Roulers ? Je m'en souviens parfaitement.

– Elle a été démasquée par le contre-espionnage allemand et condamnée à mort, bien que décorée de la croix de fer. Graciée, finalement. Prison à vie.

Edmond Prost poursuit la lecture de son rapport :

– Elle a reçu la confidence d'un *Feldwebel* allemand – en réalité britannique, ancien cadet de l'école militaire de Stanford –, envoyé en Allemagne bien avant la guerre avec de faux papiers allemands d'identité. Et donc recruté comme volontaire dans une unité du *Kaiser*. L'officier a aperçu, en gare de Roulers, des ballots suspects de cotonnades dans un train de munitions ainsi que longs cylindres de métal alignés dans un wagon.

Marthe a fait le rapprochement avec certaines déclarations d'un officier allemand, logé dans l'auberge de ses parents. L'officier au visage émacié et au corps squelettique s'ennuyait ferme, buvait seul le soir et se confiait à Marthe. Ce capitaine Reichmann annonçait que la victoire décisive était pour demain et qu'il en serait l'artisan, plus sûrement que les bravaches de l'état-major.

Reichmann et son collègue, un rouquin saxon nommé Sturme, ne sont pas des officiers ordinaires, ils n'ont pas de troupes à commander. Ils sont au front pour observation. Quand Marthe s'aperçoit que les tuyaux de la gare de Roulers contiennent du chlore, elle se demande si les Allemands n'ont pas inventé une arme nouvelle. Elle décide de fouiller la chambre de Reichmann.

Elle y découvre des piles de graphiques sur le régime des vents. Ces bulletins météorologiques proviennent de diverses sources, et notamment des ballons captifs, les *Drachen*. Le major Karl Sturme, de son métier chimiste, professeur à l'université de Dresde, monte lui-même en ballon pour s'assurer de l'exactitude des informations.

Cette activité semble suspecte aux yeux de la jeune belge. Elle note que Sturme aussi s'est vanté, un soir devant elle, «d'une grande victoire dont il serait l'instigateur». À l'hôpital, l'*Oberarzt* qui l'emploie l'informe que tous les blessés doivent être évacués car «la grande avance ne va pas tarder».

— Marthe a transmis ces informations à Londres par la voie ordinaire, dit Latouche, confrontant ses sources d'informations. La réponse l'a déçue. On lui a demandé de cesser ses divagations pour se concentrer sur les passages de troupes, les relevés de numéros de régiments, et sur les trains de munitions. Elle n'a pas observé de mouvements particuliers vers le front, pas de renforts d'artillerie lourde. Seulement des arrivées de tubes et des montagnes de coton.

— Peut-être s'agit-il de nouvelles armes de tranchées, encore plus meurtrières que les *Minenwerfer*, suggère Edmond Prost.

— Il faut s'attendre à tout avec les chimistes allemands, tranche Latouche.
Il se souvient des paroles d'Erik von Arnim, telles que Jean les a rapportées : «Les chimistes qui nous gouvernent.» Les Allemands préparent un grand coup. Ils sont sûrs de l'emporter.

Il fait rappeler Jean Aumoine pour le convaincre de partir immédiatement en mission spéciale à l'avant des lignes. Il veut en avoir le cœur net. Malgré ses réticences, Jean ne peut se dérober à une mission que le commandant présente comme vitale pour l'ensemble de la division. L'officier de corps franc, chargé ici ou là de coups de main, est entraîné par Latouche dans des actions de renseignement. Que peut-il refuser à un homme qui lui a permis de convoyer le frère de Clelia?

Il n'a pas réussi à la revoir. C'est sans doute mieux ainsi, se dit-il avec mélancolie. Il ignore encore le voyage de la jeune infirmière de la Croix-Rouge suisse à Oléron. Il pense que sa Clelia est cloîtrée chez sa mère, dans son palais de Lugano. Pour la retrouver, il aurait dû suivre Erik, déserter sans espoir de retour, abandonner son pays, ses copains de la tranchée, ses frères au front, sa mère qui attend ses lettres comme le Messie. Plutôt mourir ici, comme Léon. Et, puisque le machiavélique commandant Latouche semble lui en donner de nouveau l'occasion, pourquoi hésiter?

Le 22 avril 1915, par une belle journée de printemps à légère brise venant du nord-est, les pentes des collines de Passchendaele, dans les Flandres, se couvrent d'un nuage dense, jaunâtre, qui enveloppe les tranchées des alliés à Langemark et autour de Poelcappele. Informé, le commandant Latouche demande des précisions urgentes. Marthe McKenna, se dit-il, avait raison.

C'est la débandade sur ce front, lui rapporte-t-on. Les hommes hurlent de douleur, asphyxiés, aveuglés. Ils font des efforts désespérés pour retrouver leur souffle, avant de mourir en lacérant leurs vêtements. Durant l'agonie, leurs visages deviennent verdâtres, se crispent dans des expressions monstrueuses. Les boutons en métal de leurs uniformes sont attaqués par l'acide, rongés. Une odeur âcre et suffocante se dégage des tranchées. Les victimes ont des pupilles exorbitées et striées de sang.

Latouche accourt au PC du colonel Migat.

— Qu'a-t-on prévu contre les gaz?

Migat hausse les épaules.

— On n'a pas prévu les gaz. Donc aucune parade. On a dépêché d'urgence des camions à Paris pour y saisir dans les casernes les masques à réanimation des pompiers. Les services de santé confectionnent à la hâte des compresses d'hyposulfite, à coller sur le nez et la bouche. Si nous sommes attaqués demain, autant dire que nous sommes morts.

— Que dit le général Foch?

— Rien de rien, ou si peu de choses! J'ai reçu une note de Weygand, son chef d'état-major. Il demande de faire construire, pour protéger les mitrailleurs et les téléphonistes, des « réduits fermés en planches ». Est-ce là une protection suffisante?

— Et pour la troupe? demande le capitaine Gérard.

— « La meilleure manière d'éviter le nuage, écrit Weygand, ou d'en sortir le plus vite possible, est de foncer en avant, contre le vent qui l'emporte. »

— Voilà les poilus rassurés, gronde Latouche.

La nouvelle se répand dans la tranchée. La peur des gaz se change en monstrueuse angoisse.

— Une saloperie, assure à Jean, la gazette de la compagnie, Jules Massenot. J'ai parlé avec un blessé qui rentrait de Poperinge, et que l'on évacuait sur Paris pour examen. Les territoriaux des tranchées de Boesinghe ont été complètement asphyxiés. Ils crachaient leur sang, n'y voyaient plus rien, se tordaient dans des douleurs atroces. Ils ont tout lâché pour s'enfuir. Les Allemands se sont emparés de l'artillerie. Le front est percé. Personne ne peut résister.

— La guerre chimique, dit Jean, le visage grave. Elle est pourtant interdite par la convention de La Haye.

— Ils s'en moquent, des conventions, coupe Massenot. Ils préparent leur coup depuis longtemps, et nous n'en sommes qu'au début. Les effets sont désastreux sur les hommes. Les premiers aveugles de guerre sont arrivés dans les centres de secours. Rien ne peut les soulager. Les médecins sont impuissants. Ils mesurent les ravages de l'acide sur l'organisme et ne peuvent y remédier. Les malades sont envoyés vers l'arrière, où un centre de recherches va tenter d'imaginer des parades. Cela risque de prendre du temps.

Jean gagne le PC du colonel, où le commandant Latouche ronge son frein.

— J'aurais dû lancer plus tôt des patrouilles, fulmine-t-il. Peut-être préparent-ils la même opération sur d'autres fronts. Ici même, en face de nous. Comment protéger les soldats?

— Aux dernières nouvelles, les masques des pompiers de Paris fonctionnent assez bien, affirme Migat, mais ils sont lourds à manier et peu nombreux. Weygand promet que les fabrications vont s'accélérer. La percée du front a été colmatée grâce au sacrifice des Canadiens et de nos zouaves. Mais nous n'avons pas encore de protection pour soutenir une nouvelle attaque. Les masques arriveront prochainement, on me l'a juré! D'ici là, il faut tenir. L'aviation a reçu l'ordre d'observer au plus près la mise en place des tubes. Nos chimistes travaillent, bien sûr, jour et nuit.

Le commandant Latouche suggère de faire bombarder par les avions la gare de Saint-Quentin, juste en face de Roye, véritable régulatrice du front allemand et où parviennent sans doute les citernes de gaz, si elles sont destinées à ce secteur du front de Picardie. Il suppose que les Allemands, pour contrarier l'offensive de Joffre en Artois, ont mis en place des éléments d'attaque à bref délai.

— La gare de marchandises est pleine de convois, déclare Migat, montrant des photos aériennes prises quarante-huit heures avant la pluie. Pour suivre votre suggestion, il faudrait un repérage des lieux. Nous devons connaître, avant d'agir, les horaires des wagons de l'industrie chimique. Les bombardiers ont un faible rayon d'action et leur charge en bombes est très limitée. Ils ne peuvent intervenir qu'à coup sûr.

Latouche est déterminé. Le temps a changé, le plafond est bas. L'aviation ne peut bombarder dans l'immédiat, mais cela laisse un délai pour découvrir les préparatifs de l'ennemi. Il faut, d'urgence, infiltrer des patrouilles à l'arrière des lignes pour surprendre les allers et venues des camions, inévitables si une attaque est prévue sur leur front. Jean Aumoine devra se dévouer. N'est-il pas le spécialiste des coups durs?

Jean commence par organiser une surveillance permanente de la première ligne de tranchées allemandes et tente de localiser les tubes qui, selon les rapports reçus du front du Nord, dépassent du parapet. Ces maudits tuyaux remplis de chlore sont prêts, une fois en place, à lâcher leur gaz acheminé dans des bonbonnes.

Jean tient à partir seul. Sa promenade nocturne lui paraît trop dangereuse pour songer à risquer la vie des camarades. Latouche lui confie une mission impossible : repérer à l'arrière de la juxtaposition des trois lignes de tranchées ennemies l'arrivée en secteur des sinistres bonbonnes. Jean baisse la tête, un peu dépassé par sa tâche. Comment espérer la réussir ?

— Nous n'avons pas le choix, dit Latouche. J'ai reçu hier des nouvelles de Paris, l'arrière semble flancher. Trop de disparus. Ma femme m'écrit qu'un de mes bons amis, le chef de bataillon Vidal de la Blache, un géographe de la Sorbonne, vient d'être grièvement blessé. Il est extrêmement douteux qu'on le retrouve un jour. Un disparu est neuf fois sur dix un homme mort. Les rumeurs de ce genre se répandent à l'arrière. Vidal avait quatre enfants en bas âge. Tout le monde commence à en avoir plein le dos. J'en viens à partager la manière de voir de nos socialistes. Leur journal explique que cette guerre atroce doit être la dernière.

— Facile à dire, répond Jean, mais que faire ?

— Une paix qui ne soit pas celle des armements, mais qui garantisse enfin la tranquillité aux peuples libérés de l'Europe, dans la tradition de 1789. D'abord, purger le territoire. Les camarades partiront si Joffre leur explique qu'il faut percer à tout prix. On trouvera bien un point où ça crèvera.

— Nous en trouvons bien pour franchir les lignes! Quand nous étions dans le Nord, les *Chtimis* prenaient le risque de se faire tuer en les traversant pour rendre visite à leurs familles. On les portait déserteurs. Ils revenaient le lendemain par le même chemin. On dit que les Allemands ne possèdent pas à fond le tracé des galeries de mines. Ils s'y perdent. Les nôtres s'y débrouillent très bien.

Jean suggère ainsi qu'il serait plus facile d'organiser une mission dans le Nord que sur la ligne de Picardie, infranchissable. Il connaît le commandant. La belle âme! Il l'inonde de paroles suaves sur la paix des peuples pour le convaincre de se jeter dans le gouffre.

— Vous devez réussir, insiste Latouche. Nos soldats ne manquent pas de courage, mais si le pays apprend qu'ils sont soumis à des attaques au gaz, gare! Nous devons tout faire pour tuer la bête au gîte. Votre mission est capitale.

— Je me sens pris d'une terrible angoisse. Serai-je seul responsable d'une attaque au gaz pour n'avoir pu la prévenir?

— Bien sûr que non, assure le commandant. À la réflexion, Jules Massenot se joindra à vous. Quel soulagement si vous pouviez faire sauter ces camions de bonbonnes! C'est un homme adroit, il vous sera d'un grand secours.

— Sans matériel? Comment franchirons-nous les lignes encombrés de bombes?

— Vous les prendrez chez l'ennemi, dit Latouche. Au cas fort improbable où vous arriveriez, dans n'importe quelle circonstance, à pénétrer dans Saint-Quentin, voici des adresses d'agents qui vous aideront.

Jean glisse soigneusement dans son portefeuille le feuillet où des noms et des adresses sont inscrits en code.

– Si vous estimez trop minces vos chances de réussite, poursuit le commandant, revenez aussitôt. Vos indications seront précieuses pour diriger le tir de notre artillerie. Il pleut sans discontinuer. Vous ne risquez rien. Pas de repérage possible d'en haut. Même leurs projecteurs ne percent pas la tourmente. Mais le calme est trompeur. Après l'attaque aux gaz réussie dans le Nord, je suis sûr qu'ils ne se sont pas endormis. Ils préparent la suite, qui nous concerne sans aucun doute. Partez cette nuit même.

Jean Massenot, informé par Jean de leur mission, ne dissimule pas son appréhension. Dès qu'ils sortiront des bois de Verpillières, ils trouveront les champs de blé de la campagne picarde, où il est difficile de se dissimuler, même de nuit.

– Tout doit être terminé avant l'aube, dit Jean. C'est encore une promenade au clair de lune. Leurs lignes sont tranquilles. Pas un coup de canon. Ils travaillent en silence sur l'arrière et n'avanceront leurs damnées bonbonnes qu'au dernier moment, quand le temps le leur permettra.

– Et la lune est rousse, dit Massenot. Il pleuvra encore demain.

– Les renseignements reçus par le commandant Latouche semblent sérieux, déclare Jean : l'attaque au gaz est prévue dans ce secteur. Des déchargements de wagons de coton ont été repérés en gare de Saint-Quentin, et des convois de camions transportant des tubes ont été signalés sur la route de Roye.

– Alors il faut partir !

– J'ai scrupule à t'engager dans cette affaire mal préparée, dit Jean à son ami Massenot. Le commandant perd son sang-froid. L'attaque au gaz l'a impressionné. Je ne vois pas ce que nous pouvons faire contre un convoi de ravitaillement allemand. L'idée d'un sabotage n'est pas réaliste. Elle peut s'imaginer seulement dans la gare de triage, pas derrière les lignes, et Saint-Quentin est très loin, près de cent kilomètres.

– Ouvrir l'œil, dit Massenot, et rendre compte. La mise en place de leurs tuyaux est sans doute longue, minutieuse et très aléatoire. Ils doivent à tout prix lâcher le gaz sans toucher leurs propres soldats. La préparation ne peut passer inaperçue, quand on est du côté allemand. Si nous n'avons rien pu observer, nous saisirons un prisonnier. Je ne te laisserai pas partir seul. Tu n'en reviendrais pas.

Les voilà en piste pour la chasse. S'approcher des barbelés, les cisailler sans le moindre bruit, ramper vers la première ligne, étrangler un guetteur, se faufiler dans le boyau, un casque allemand sur la tête, ils l'ont fait, ils le refont.

Le renseignement de Latouche était bon. Ils repèrent une escouade de *Feldgrau* qui font glisser derrière le parapet des batteries de tuyaux reliés entre eux, qu'ils recouvrent ensuite de terre avec les mains. Les tubes sont ainsi disposés au ras de la paroi, sans dépasser. Les guetteurs français ne peuvent les repérer et la ligne en est pleine. Les bonbonnes ne sont pas encore en place. Jean fait signe à Jules de le suivre dans le boyau.

Ils s'y faufilent sans être interpellés, croisant deux officiers qui ne leur accordent pas la moindre attention. Ceux-ci sont occupés à installer sur une butte des girouettes d'aluminium et des hélices minuscules, destinées à mesurer la force du vent.

« Les météorologues, se dit Jean. Ils préparent bien une attaque. Tout doit être prêt à l'arrière. Seule la brise leur fait défaut. Ils attendent que la pluie cesse. »

— Peut-être à l'aube, souffle Jules, qui a deviné sa pensée.

Ils passent leur chemin, continuent jusqu'à la deuxième position. Les bonbonnes sont là, entreposées dans un immense abri bétonné, gardé par des sentinelles, baïonnette au canon.

— *Wer da!*

Un *Feldwebel* surgit, brandit sa torche.

— *Französen*! hurle-t-il en sortant son revolver. *Halt! Verabredung!*

Jules et Jean se ruent à l'extérieur du boyau, roulent dans la glaise, détalent dans le champ de betteraves, se plaquent au sol. Les balles crépitent à leurs oreilles.

Impossible de braquer sur eux les mitrailleuses. Elles sont pointées dans l'autre sens. Le temps d'en mettre une en batterie, ils ont fait cent mètres.

L'alerte est donnée sur toute la ligne. Des patrouilles s'organisent. Jean fait signe à Jules de ramper vers un trou d'obus à portée immédiate. Ils s'y laissent glisser. Les rafales tirées de la troisième ligne ennemie passent au-dessus de leurs têtes. Ils ne pourront rester la nuit entière dans cet abri de fortune, de l'eau jusqu'à la ceinture.

Des chiens sont lancés à leurs trousses. Les aboiements se rapprochent. Ils s'aplatissent au fond de l'entonnoir, entièrement recouverts de boue, immobiles. La patrouille vociférante passe sans s'attarder. Une torche éclaire le trou d'obus. On les prend pour des cadavres.

Des fusées lumineuses, lancées par l'artillerie ennemie, éclairent vaguement le terrain. Trop de pluie pour y voir clair. Les cris gutturaux des commandements s'éloignent.

– Gare à l'enlisement! murmure Jules. Je ne peux plus bouger mes jambes.

De nouveau l'obscurité et le silence. Les Allemands ont-ils remis la poursuite au matin?

En s'accrochant à des racines, Jean parvient à se hisser hors du trou. Il en extirpe son camarade. Tous deux bondissent dans le champ de betteraves, le traversent en sautant comme des kangourous. Une ligne sombre se dessine à l'horizon. L'aube se lève. La pluie a cessé. Il leur reste à franchir la première ligne allemande pour rentrer chez eux.

Ils sont repérés. Jules Massenot s'est déjà dissimulé dans un trou d'obus, mais Jean n'a pas le temps de le suivre, deux grenadiers sont sur lui, menaçants. Il lève les bras. Le *Feldwebel* lui fait signe de marcher vers la deuxième ligne. Il le prend pour un déserteur, le croit seul. Chaque nuit, ce genre de capture se répète, des deux côtés. Les hommes préfèrent à la mort les souffrances d'un camp de prisonniers.

Jules réussit à ramper hors de son trou et à gagner le bois, d'où il franchit la ligne sans autre obstacle. Il donne à Latouche des indications précises sur le dépôt de gaz. L'artillerie française se déchaîne. Les bonbonnes fracassées libèrent une nappe de gaz qui empoisonne les lignes allemandes, faute de vent pour la chasser vers les Français. Les guetteurs des tranchées s'enfuient, crachant à perdre haleine.

— C'est gagné pour cette fois, dit Latouche au colonel Migat. Mais nous avons perdu notre meilleur patrouilleur. Jean est prisonnier, peut-être tué par nos obus.

Saint-Quentin ville allemande

Au 121e régiment d'infanterie, nul ne peut dire ce que Jean Aumoine est devenu depuis le 30 avril 1915. On a perdu sa trace. Le *Feldwebel* qui l'a fait prisonnier a été déchiqueté par un obus de 75, ainsi que les deux grenadiers qui l'accompagnaient. Jean, projeté à dix mètres par l'explosion, a été retrouvé sans connaissance par une équipe de brancardiers entre les deux lignes de tranchées allemandes.

Ils le transportent en civière jusqu'au premier poste de secours. L'alcool camphré et la piqûre contre le tétanos le réveillent. Choqué, mais indemne, pas une égratignure : bon pour les camps! dit le major.

Le 2 mai, il franchit l'Avre sur un pont de bateaux, poussé dans un groupe d'autres prisonniers par les gendarmes, les «colliers de chien», ainsi appelés parce qu'ils portent autour du cou des hausse-cols en cuivre frappé aux insignes de leur arme. On dirige les Français sur Margny-aux-Cerises, où ils doivent rejoindre un peloton de compatriotes captifs, en marche vers le fort de

Ham. Les étapes de douze kilomètres, sur des chemins vicinaux défoncés par le canon, remplis de fondrières inondées, sont harassantes.

Les compagnons de Jean sont des territoriaux de Roye, quadragénaires las qui arrachent leurs godillots à la boue en s'aidant d'un bâton noueux. Capturés dans la tranchée par une patrouille de nuit, ils ont été évacués vers l'arrière à coups de crosse. Éclaboussés sur la route de terre au passage des charrettes picardes réquisitionnées par l'armée allemande pour le service du front, couverts de boue, hagards, misérables, ils ne cachent pas à Jean leur inquiétude.

Les journaux français décrivent les camps allemands comme des lieux de torture. Leurs camarades y subissent, dit-on, d'atroces punitions : au mépris des conventions de Genève, on leur fait creuser des tranchées, remplir à longueur de journée des sacs de terre, réparer les routes sous le feu des canons français.

— Des prisonniers de guerre russes sont envoyés dans les marais du Hanovre, dit Louis Feuillade, le plus âgé des territoriaux, tisserand picard de son état. Les Français aussi, paraît-il. Ils y pourrissent sur pied en crevant de faim. Quelle honte ! Notre gouvernement ne dit rien, ne fait rien. Il laisse l'ennemi se conduire en sauvage.

— Il y a pire, dit Juste Lagrange, l'autre soldat du régiment de Roye, garde forestier dans le civil. Tu connais le coup du silo ? Ils obligent les camarades, accusés d'une faute, à creuser eux-mêmes un trou. Au fond : des pierres pointues ; sur les côtés : des barbelés. Enterrés vivants ! On les sort inanimés, ensanglantés, quasi morts.

— Et le poteau ? ajoute Louis, c'est encore pire ! Le corps du supplicié est serré par des cordes au poteau, les pieds ne touchent pas terre, une poulie tient ses mains tirées par-derrière. Une crucifixion qui dure des heures !

— Ne comprenez-vous pas, dit Jean, qu'on vous raconte ces histoires horribles pour vous empêcher de passer à l'ennemi ? 300 000 prisonniers depuis le début de la campagne, c'est beaucoup ! L'équivalent d'une armée de vingt divisions !

Les gendarmes allemands les menacent de leur baïonnette quand ils perdent leur temps en parlottes au lieu de marcher vers la captivité. Jean, mort de soif, demande de l'eau. Les gendarmes n'en ont pas, seulement du schnaps. Et ils se gardent d'en offrir.

Ils poussent les prisonniers dans le fossé dès qu'une voiture d'officier s'annonce sur la route. Le général allemand, installé sur son fauteuil de cuir, n'a pas un regard pour ce bétail. Les gendarmes n'ont pas le temps de saluer, la voiture file déjà vers les lignes. Une troupe d'infanterie la suit, marchant en ordre. C'est le défilé interminable et régulier des renforts qui montent au front. Des jeunes, ployant sous le poids du havresac, le nouveau casque d'acier sur la tête.

— C'est une armée faite pour la guerre, se dit Jean, et non pas, comme la nôtre, une armée qui fait la guerre. Après neuf mois de carnage, ils arrivent encore à envoyer des jeunes au combat en rangs serrés.

Un gendarme s'approche de lui, prend son képi, en arrache le manchon et le jette dans le fossé. Le rouge ressort. Jean se sent humilié. Il n'est plus un combattant.

À Margny-aux-Cerises, les territoriaux se précipitent vers une fontaine pour boire. Deux sous-officiers du service des arrières les regardent en riant :

— *Das ist ein gutes Ansicht!* dit l'un d'eux.

Jean comprend : cela fait plaisir à voir ! L'homme tend à l'officier français une bouteille de vin qu'il vient de saisir dans le magasin d'une maison éventrée par le canon. Jean refuse. Mais ses camarades boivent au goulot, remerciant d'un sourire. Des vieux restés au village s'approchent, se régalent aussi d'une rasade, sous l'œil attendri de l'Allemand. Cette complicité des occupants et des habitants pillés est étrange, gênante.

Les gendarmes font asseoir les captifs sur les marches de l'église déserte, comme abandonnée. Une femme apporte une miche de pain. Un gendarme s'en saisit, distribue quelques tranches aux prisonniers les plus proches, enfouit le reste de la boule dans son havresac. D'autres femmes, plus jeunes, offrent à Jean du café, du lait et du *Pippermint*, la boisson favorite des Anglais. Les gendarmes n'interviennent pas. Ils ne sont pas buveurs de lait ou de limonade en conserve.

Un civil, poussé par un soldat en armes, trébuche sur les marches avant de s'écrouler. Il semble amorphe, résigné. En manches de chemise, il tremble de froid. Jean s'approche, lui tend sa gourde.

— *Nein!* dit un gendarme. Soldats, camarades. Mais franc-tireur… Il montre sa baïonnette d'un geste de menace, puis pique le civil sans pitié.

La colonne des prisonniers défile au matin du 3 mai sur la place encadrée par des uhlans à cheval. Des sous-offs, un verre de bière à la main, sortent des cafés pour les voir passer. Jean, le civil et les territoriaux prennent la queue de colonne, en route pour Ham.

— Vous êtes un prisonnier évadé ? demande Jean à l'homme en bras de chemise.

— Je suis prêtre, répond-il. Mon nom est Laurent Latour. J'ai caché dans mon église un de vos camarades.

Vingt kilomètres à pied avant l'étape de Ham. Les enfermera-t-on dans la vieille citadelle ? À quoi bon. Aucun ne cherche à s'enfuir. Pour eux, la guerre est finie, bien finie. Tout ce qu'ils souhaitent, c'est de ne pas trop souffrir. Qu'on les laisse dormir, boire de l'eau, manger du pain. Ils sont prêts à travailler pour être bien traités, à obéir aux ordres pour éviter les punitions. Ils couchent à la belle étoile, sur le champ de foire, réveillés par la pluie matinale.

Une nouvelle colonne les rejoint à Ham. De nouveau la population s'approche. Les femmes offrent de l'eau, du vin, du pain. Les gendarmes laissent faire. Les civils leur sourient, comme pour les remercier de leur donner la permission d'atténuer les souffrances de leurs compatriotes.

— Mes pauvres enfants, où vous emmènent-ils ? dit une vieille femme.

Le 4 mai, la colonne est dirigée vers la gare. Quarante par wagons. Plus de gendarmes, les portes sont fermées de l'extérieur. Deux vasistas aux croisillons de bois pour respirer. De la paille humectée d'eau de Javel. Accroupis, ils tiennent à peine dans cet espace étroit, ils geignent, se gênent les uns les autres, et bientôt s'invectivent.

Le curé et Jean donnent l'exemple : ils se redressent, le long d'une paroi de bois. Les plus vaillants les imitent. Ils dégagent ainsi un rectangle libre au centre du wagon où les plus épuisés peuvent s'allonger, l'un contre l'autre, comme des sardines. La puanteur, au bout d'une heure, devient irrespirable.

Un chasseur à pied, fou de colère, tente à deux mains d'écarter la porte du wagon pour sauter en marche.

— Impossible, lui dit Jean. Si tu veux t'évader, arrache le plancher, et laisse-toi choir, les pieds devant, sur le ballast, entre les roues. C'est le seul moyen. Il est très dangereux et tu n'as ni baïonnette, ni couteau.

L'autre se résigne. Le train serpente à petite vitesse le long des voies, pour une destination inconnue. Les arrêts dans les gares sont interminables. Ils entendent des bruits de foule sur le quai.

— Où sommes-nous ? Répondez-nous ?

Les tamponnements indiquent que l'on ajoute des wagons au convoi. Encore des camarades embarqués. Le train repart, à l'allure d'un cheval au pas. La fumée des tunnels asphyxie. La faible lumière rend fou. Dans le noir, les hommes restés debout chancellent. Il faut établir un tour entre les allongés et les autres. Récriminations, insultes. Personne n'entend la voix du prêtre, trop faible. Jean doit hurler des ordres. Qui les suit ?

— *Heraus ! Schneller !*

Par les portes ouvertes, les homme dégringolent sur le quai, cherchant l'air, la lumière. Les ordres claquent comme des fouets. Plus de grades, de rangs ni d'aligne-ment, un troupeau aveugle qui trébuche en retrouvant la terre ferme. Jean suit la colonne, se laisse entraîner sans réagir. La gare est loin, ils sont en deçà du quai, ils enjambent les voies gardées par des sentinelles, baïonnette au canon, pour marcher vers un autre train.

La locomotive fume déjà. Les lampistes huilent les roues, comme pour un long parcours. Les wagons à bestiaux attendent les prisonniers. Les premiers rangs grimpent sans protester, sous l'œil des gendarmes.

— Où sommes-nous ? demande Jean à l'un des lampistes.

— Saint-Quentin, répond l'autre à voix basse. Il lui est interdit de parler avec les prisonniers.

Saint-Quentin ! C'était le but de sa mission suicidaire. Voilà qu'on l'y débarque, par le hasard de l'itinéraire choisi par le commandement allemand des Étapes.

Les hommes s'agglutinent devant les marchepieds. Les gendarmes ne les comptent plus. Leur seul souci est de les embarquer au plus tôt, de les cadenasser solidement. On n'ouvrira plus guère la porte des wagons avant l'arrivée du convoi au *stalag* après huit heures, dix heures de voyage.

Pour Jean l'occasion est unique. Il plonge sous le wagon, rampe sur le ballast, s'allonge de l'autre côté de la voie où il se tient immobile, le temps de laisser partir le train. Un autre convoi de matériel militaire entre en gare, le mitraille de cailloux pointus.

— Suis-moi, vite !

Le lampiste, à petits pas pressés, remonte la rame, s'engage dans un abri recouvert de tôle.

— Par ici, entre, change-toi.

Jean se hâte de quitter son uniforme en lambeaux pour revêtir un bleu de chauffe noir de cambouis. Coiffé d'une casquette sale à longue visière, il est méconnaissable. Le chef de gare, pourtant attentif, ne lui prête pas la moindre attention sur le quai.

— Prends la burette et suis-moi. Il ne faut pas rester ici.

Ils franchissent trois voies, s'éloignent du train des prisonniers qui prend son départ.

Jean suit sa voie, imite les gestes du lampiste. Il distribue vaillamment des coups de marteau sur les roues et feint de huiler les boggies. Ils parcourent ainsi les trains de renforts et de matériel pendant une bonne heure.

— C'est la gare des marchandises, dit son sauveur en l'entraînant vers la lampisterie. Trente trains par jour. Pas de quoi chômer.

Il semble naturel, détendu.

— Change de burette, lui dit-il. La tienne est vide. Tu as arrosé le ballast !

Il consulte un document maculé de graisse : l'ordre de marche des trains, avec leur horaire.

— Le 17 h 50 arrive de Maubeuge, dit-il en cochant la ligne au crayon bleu. C'est le dernier avant la relève. Nous aurons alors fini la journée. Ne me lâche surtout pas.

Nouvelle épreuve pour Jean. Il est entouré de soldats ennemis. Un bataillon entier débarque dans un bruit de bottes. Des fusiliers et des grenadiers de Prusse, lourdement chargés. La voie est surveillée par les sentinelles. Le lampiste se faufile sur le quai, Jean le suit de près, courbé à la tâche, avec plus de précision. Il apprend déjà le métier. Il comprend que l'huile graisse les essieux, que la frappe du marteau est destinée à repérer à l'oreille le moindre défaut de la fonte des roues.

– Au vestiaire, j'ai un costume civil pour toi. Tu le passeras sans poser aucune question aux camarades. Ne parle à personne. Des papiers sont dans la poche, au nom de Philippe Raynal, homme-tampons. C'est un ami sûr, en congé de maladie.

Il ne demande même pas son nom à Jean Aumoine, comme s'il le connaissait déjà.

– Moi, dit-il simplement, je m'appelle Benoît Larose.

Le soir tombe quand ils franchissent la chicane de la gare de marchandises, gardée jour et nuit. Ils sont une douzaine de cheminots à rentrer chez eux. Ce groupe d'hommes en casquettes et tenues civiles est familier aux gendarmes, qui ne contrôlent pas leurs papiers. Ils les voient passer quotidiennement aux mêmes heures. Jean remarque un mirador dont le projecteur doit éclairer de nuit les voies à la moindre alerte, la mitrailleuse aux aguets. Des barbelés en interdisent l'accès. Des patrouilles circulent à l'extérieur.

Un convoi de camions charge les soldats de renfort, lesquels y prennent place pour partir très vite vers le front, sous la conduite d'une voiture d'officiers. Sans doute pour éviter les repérages par avion, la lumière des phares masqués filtre à travers une mince fente. La gare est gardée comme une forteresse. Seul, Jean n'avait pas une chance d'en sortir.

Son ami lampiste le conduit dans un des faubourgs de Saint-Quentin, le faubourg d'Isle. Des maisons basses, alignées le long de la route, toutes semblables, avec un jardinet derrière, un grenier à l'étage auquel on accède par une échelle de meunier en façade. Larose vit seul. Il désigne une paillasse, dans une pièce contiguë, très étroite, où doit dormir le prisonnier. Un broc et une cuvette pour la toilette. Les W-C sont au fond du jardin.

— Allume la cuisinière. Je vais donner à manger aux lapins.

Jean jette un coup d'œil par la fenêtre. Il aperçoit des cages grillagées devant un pigeonnier.

— Tu ne dois pas sortir plus loin, trois jours. Rends-moi les papiers de Raynal. Il rentre demain.

Il lui tend une autre carte :

— Tu es désormais Jean Boulin, marinier. Ils sont trois cents dans la ville, sans travail. Les péniches sont à quai, vides. La tienne s'appelle *La Fraternité*. Tu iras la repérer plus tard. En cas de besoin, ce sera un asile. Les caches sont nombreuses à bord.

— Pourquoi prends-tu ces risques? Tu ne me connais pas.

— J'ai l'habitude. J'ai caché plusieurs soldats du 10e territorial. Le régiment de Saint-Quentin. Ils étaient cernés ici en août. Pas moyen de s'échapper. Les gars ne voulaient pas être faits prisonniers. La population les planque, en attendant le retour des nôtres.

— S'ils reviennent.

— Pas de sitôt. Les lignes sont maintenant bouchées, hermétiques. Pas moyen de les franchir vers la France. Tous ceux qui ont essayé ont échoué. La seule filière est la Belgique, vers la Hollande. C'est long et dangereux. Il n'y a que les Anglais pour s'y risquer.

— Ils sont aussi cachés dans la ville?

– Et quelquefois découverts. Les Allemands ont placardé une affiche exigeant la reddition des prisonniers, français et anglais. Ceux qui refusent de se rendre sont passibles de la cour martiale et peuvent être fusillés comme espions.

– Ils ont osé le faire ?

– Pas plus tard qu'au 8 mars dernier. La population a lu une affiche rouge, bilingue : Thomas Hands et John Hugues, deux soldats britanniques, venaient d'être passés par les armes après conseil de guerre. Hands était fusilier au *King's Own Regiment*, John engagé volontaire au *Royal Irish Riffles*. Des civils les cachaient. Ils ont été condamnés à quinze ans de forteresse.

– Comment les Anglais ont-ils été pris ?

– Dénoncés par des voisins. Vengeance ou attrait de la prime, on ne sait. Les deux garçons sont morts courageusement. L'Irlandais portait une feuille de lierre et des violettes à sa casquette. Le capitaine von Maretz commandait le feu. Il est bien connu dans Saint-Quentin.

– C'est un criminel de guerre.

– Le conseiller de justice allemand, Friedmann, a dit à l'un de nos municipaux qui protestait : « En guerre, nous considérons qu'il n'y a ni justice, ni droit. Il y a l'*imperium*. »

– Ce qui veut dire ?

– Le pouvoir militaire, la loi du plus fort.

En partant au travail, le matin du 5 mai, Larose retire sous la porte une grande enveloppe cachetée qu'il ouvre aussitôt.

– Le *Journal de Genève,* dit-il. Interdit à Saint-Quentin. Un camarade, balayeur à la *Kommandantur* fauche le journal au salon des officiers de renseignements. Il circule sous le manteau. Tu pourras lire les communiqués anglais. Les plus précis. Tu chercheras dans le tiroir du buffet une pipe et du tabac, et de la nourriture dans le garde-manger.

— Où trouvez-vous des vivres?

— Dieu merci la mission américaine de Herbert Hoover nourrit les populations occupées de Belgique et du Nord de la France. Les Allemands l'acceptent. La mairie distribue tous les jours du blé et du riz en quantité très mesurée. Dès que tu pourras sortir, tu t'inscriras. Tu bénéficieras des secours aux indigents et aux chômeurs, quelques sous par jour. Mais, pour l'instant, n'ouvre à personne. Ne sors sous aucun prétexte. L'un des Anglais fusillés s'est fait prendre dans une taverne. Ils ont des policiers en civil qui parcourent la ville et recherchent les militaires cachés. Ils parlent le français, sans accent, mais on les reconnaît à leurs bottes jaunes.

Jean découvre dans le *Journal de Genève* que l'entrée en guerre de l'Italie est imminente et qu'on se bat furieusement en Orient. Une deuxième division française est partie de Marseille pour enlever aux Turcs les détroits des Dardanelles. Le général Bailloud commande ces zouaves et ces tirailleurs de renfort, qui sont, pour la plupart, des pieds-noirs et des musulmans d'Algérie. Mais les Turcs résistent : les pertes sont déjà chez les nôtres de plus de mille hommes par régiment. Les Anglais, sur place depuis mars, ont perdu la moitié de leurs effectifs.

Sur le front français, les journalistes suisses commentent avec prudence une prévisible offensive de Joffre. Jean s'étonne de lire, en troisième page, une note sur le malaise du gouvernement de Paris. Le Ministre Millerand est attaqué au Sénat sur les fabrications d'artillerie. Les 75 perdus ne sont pas remplacés. Les tubes éclatent, les canons lourds arrivent trop lentement au front. Ces informations sont-elles de source allemande? Jean ne peut comprendre que Joffre envisage une attaque de grande envergure sans canons.

Quand Larose rentre le soir, il confirme les bruits d'offensive sur le front français.

— Des trains de renfort arrivent sans cesse à Saint-Quentin, dit-il. Ils transitent par Maubeuge et sont réexpédiés plus au nord, en face d'Arras. Les généraux boches sont sans doute avertis par leurs espions de l'imminence de l'opération engagée par le général Joffre. Ils cherchent à prendre les devants.

Le 9 mai est un dimanche. Larose part cependant au travail, comme tous les matins. Il assure qu'il doit prendre la permanence, parce que beaucoup de convois sont prévus ce jour-là. Jean ne lui pose aucune question.

L'air printanier pousse Jean Aumoine à tenter une sortie. Il se rend d'abord près du canal, pour repérer sa péniche, *La Fraternité*. Pas l'ombre d'une activité. Il a pourtant l'impression que le chaland est habité. Une légère fumée monte au-dessus de la cabine, décorée de géraniums en fleurs. Jean n'insiste pas, il suit la foule vers la grand-place.

C'est la relève de la garde devant l'hôtel de ville, lequel arbore le drapeau impérial noir, blanc et rouge. Des

265

militaires au repos, des cafés pleins de *Feldgrau*. Jean cherche refuge à l'ancienne collégiale. La messe est finie. La vaste nef est presque vide. Quelques femmes, vêtues de noir, prient devant les ex-votos et allument des cierges dans la chapelle de la Vierge. D'autres déposent des bouquets de violettes au pied de la statue de Jeanne d'Arc. L'orgue emplit les voûtes d'une musique céleste. Le bedeau fait signe à Jean de cesser de déambuler dans les travées.

— C'est le prince Auguste-Guillaume, lui dit-il à voix basse, le cinquième fils de l'empereur. Notre archiprêtre l'a autorisé à jouer. Quel artiste!

Jean se faufile vers la sortie. La parade de la garde est terminée. La musique de la garnison donne un concert, comme en temps de paix, devant le comte de Bernstorff, commandant de la place, un Rhénan plein de morgue, de très ancienne noblesse palatine et qui a tendance à penser que les *Hohenzollern* de la famille impériale sont des hobereaux sans pedigree. Arrêtant les musiciens, il fait signe aux soldats désœuvrés de se rassembler devant le monument français de la résistance de l'amiral de Coligny contre les Impériaux, en 1557. Il leur lit à voix forte une dépêche :

— Au sud de l'Islande, le paquebot allié *Lusitania* vient d'être coulé par nos sous-marins avec deux mille personnes à bord.

Il fait signe au chef qui lance un commandement. Tous les soldats répondent par trois hourras!

Jean a réussi à comprendre le message. Il ne connaît pas la folle popularité des sous-mariniers dans l'Allemagne touchée par le blocus anglais des mers. Il s'étonne de l'enthousiasme provoqué par le torpillage d'un navire civil, comme si les soldats célébraient une grande victoire.

Le concert se termine. Les cafés se remplissent. Pas un seul établissement n'est fréquenté par des Français. Les soldats vont au bordel rue de la Sellerie ou à la pâtisserie Vaveng, avec des jeunes femmes qui rient sous leurs serre-tête de soie blanche. Ils les conduisent à la promenade aux Champs-Élysées, où les bosquets ne font pas de confidences. Les automobiles de messieurs les officiers, disent les Saint-Quentinois, y sont transformées en lapinières.

Les *Feldgrau*, coiffés de leur bonnet rond aux couleurs de leurs armes, souvent médaillés, le visage tailladé de blessures rapportées du front, entrent et sortent du foyer du soldat, du cinéma, du café Riche proche de la cathédrale, ou des nombreux établissements de la grand-place. Jean lit par curiosité le menu du restaurant de Francfort : «saumon sauce hollandaise, avec pommes de terre, chevreuil purée de marrons, pâté de foie gras et *plumpudding*». Au restaurant de Hambourg, le directeur s'appelle Bruckener.

Là encore, pas un Français dans la salle. Ils sont quelques-uns à se risquer au café de l'Univers, où des bourgeois chenus et amers boivent du vin blanc sans parler jamais d'une table à l'autre. Autour d'eux, à leur grand effroi, des sous-officiers commandent du *sang de Turc*, du champagne au vin rouge. La ville est allemande, se dit Jean.

Benoît Larose le lui confirme : les Allemands considèrent Saint-Quentin comme un lieu royal de villégiature.
De son quartier général de Charleville-Mézières, l'empereur y vient souvent dans sa voiture grise, marquée à ses
armes. Il loge chez les notables avec toute sa suite. Il
prétend y construire un cimetière monumental en l'honneur des héros. Il dit qu'il aime la France, et il est vrai
qu'il ne manque jamais de parler aux indigènes dans leur
langue.

On pourrait multiplier les attentats, décimer la famille
impériale et les dynasties allemandes. Le *Kronprinz*
Rupprecht de Bavière, le grand-duc de Bade ou le duc de
Mecklembourg-Strelitz y sont accueillis par d'autres
Allemands, nobles de vieille souche, tous en poste à
« Sankt-Quintine », comme ils disent quand ils parlent
mal le français, tel le chef de la gendarmerie, un Prussien
de très ancienne origine qui s'est installé à l'hôtel
Moderne, von Malzahn.

— J'ai vu un fils de l'empereur jouer de l'orgue à la
cathédrale, raconte le soir Jean à Benoît Larose.

— Il le fait souvent. À croire que toute l'aristocratie
impériale s'est donnée rendez-vous dans la ville, consi-
dérée comme sûre. Le lieutenant-général von Nieber,
surnommé par les Français « Le Boche Louis XV » est
installé rue Charles-Picard. Il exige de sa logeuse des
couverts en argent et lui assure que Saint-Quentin
pourrait être la capitale de la nouvelle *Franconie*. Le
prince de Hesse-Darmstadt, frère de la tsarine, ne
manque jamais un voyage du *Kaiser*. À la messe de sept
heures, à la basilique, tu peux voir, agenouillé sur un
prie-Dieu, si tu en as le courage, le prince de Salm, un

chevalier de l'Ordre de Malte confit en dévotion, qui a quitté son château près de Dusseldorf pour résider en ville.

Jean s'étonne qu'un lampiste de la gare des marchandises ait une connaissance aussi détaillée de la haute société allemande et soit informé par le menu du lieu de résidence des princes.

— Ces gens arrivent souvent à la gare, en grand apparat, précise Benoît, comme pour répondre à une question muette. J'ai été témoin, par hasard, de l'arrivée du nouveau chef de la IIe armée, von Below. L'ancien, le prince von Bülow, l'attendait sur le quai avec tout son état-major au matin du 14 avril. Voûté, s'aidant d'une canne, ce *Feldmarechal* de 72 ans prenait sa retraite. Le nouveau chef partait aussitôt pour installer son état-major au logis du prince Auguste-Guillaume. Tu n'imagines pas à quel point cette armée est restée seigneuriale. Ils font tous la guerre en famille et l'empereur leur réserve les hauts postes. C'est tellement choquant, même pour les Allemands au repos qui ont gagné leur croix de fer dans la boue, qu'ils sont unanimement détestés, et d'abord, naturellement, par les Français dans la ville. La joie des gens se manifeste bruyamment quand un aviateur français vient bombarder.

— Même si leurs bombes tombent sur les maisons?

— Ce n'est pas toujours le cas. Le 15 avril, un Morane a touché la gare. Ils étaient trois avions de toile à montrer dans le ciel les couleurs françaises. Un magasin de pétrole a sauté, ainsi qu'une plaque tournante. Il fallait voir la panique dans la station. Les *Feldgrau* couraient dans tous les sens pour se mettre à l'abri. Le biplan était presque au ras du sol quand il a jeté sa bombe. Les mitrailleuses postées sur les toits l'arrosaient de balles. Mais le réservoir de pétrole avait explosé, un ruisseau de liquide enflammé avait gagné la réserve de munitions. Tout a sauté. Les vitrines du quartier ont volé en éclats.

– Qui a payé les pots cassés ?

– La population bien sûr. Ils ont levé dans les rues des gens qu'ils envoyaient déblayer de force. Ils ont majoré la contribution de la ville, décrété de nouvelles réquisitions. Quelques jours plus tard, ils ont eu leur revanche. Un aviateur français mitraillé s'est abattu dans un champ de luzerne, près de la caserne. Le Caudron était irrécupérable. D'après les témoins, ils étaient deux aviateurs à bord. Le pilote aurait, dit-on, réussi à s'enfuir en saisissant une corde tendue par un autre appareil en rasemottes. Mais le capitaine, à la fois mitrailleur, navigateur et bombardier, a été fait prisonnier. Tu ne peux pas t'imaginer le cortège de la population quand ils l'ont ramené en ville. Les filles lui jetaient des fleurs, les premières communiantes lui tendaient des images pieuses, les femmes l'embrassaient. Des enfants criaient : «Vive la France!» L'aviateur, souriant, calme, répondait aux vivats par des saluts, son képi à la main, ses bottes et son uniforme de cavalier impeccables. Ici les vrais héros sont les aviateurs français. Ils rappellent aux habitants retenus en otages que le pays continue d'exister.

– J'ai pourtant vu des Français conduire les trams, se rendre au travail, servir les Allemands dans les cafés. Tous ne sont pas des patriotes, je t'assure. J'ai été frappé de leur timidité, on devrait dire pusillanimité. Ils n'osaient pas me parler parce que j'étais français!

– Pourquoi leur as-tu parlé? Je t'avais bien recommandé de ne rien dire. Ils t'auront dénoncé aux bottes jaunes de la prison des Trois-Boules. Reste sans sortir quelques jours. Laisse-toi pousser la barbe, porte des vêtements si misérables que l'on puisse te prendre pour un assisté. Tout ce que tu risques, c'est le travail forcé, sinon, ton compte est bon! Le camp de représailles ou le peloton comme espion.

– La ville est sous surveillance, explique Benoît Larose à Jean lors de la veillée.

Le lampiste, son sauveur, est devenu son instructeur. Le sous-lieutenant Aumoine commence à penser que le soi-disant employé modèle de la compagnie du Nord cache bien son jeu. Il est capable de décrire en détail la situation dans la ville, probablement pour être en mesure d'agir comme un véritable spécialiste du renseignement. S'il appartient à un réseau, il ne limite sûrement pas son activité à la prise en charge des prisonniers évadés ou des soldats perdus.

Mais Larose ne se dévoile pas, ne demande pas à Jean de faire partie de son groupe, ne lui assigne pas de but précis. Il se contente de l'informer et d'exiger de lui une obéissance totale, s'il tient, dit-il, à survivre. Il lui cite plusieurs exemples de civils fusillés par les Allemands à cause de leur imprudence. Dans une ville d'une importance stratégique essentielle pour le grand quartier général impérial de Charleville-Mézières, toute erreur se paie très cher.

En se montrant dans la ville, en parlant à des Français, Jean Aumoine a commis une imprudence grave, qui risque de provoquer une enquête.

– La police impériale est bien faite, explique Larose. Les fiches des gendarmes tenues à jour. N'étaient les raids aériens, assez rares, les princes se sentiraient autant en sécurité à Saint-Quentin qu'à Munich ou à Berlin. Cet ordre absolu est obtenu grâce à des moyens policiers exceptionnels et par le recours à des procédés de terreur. Rien ne doit mettre en péril la capitale du front central, jugée assez sûre pour que le commandant de la IIe armée allemande y établisse son quartier général.

– Saint-Quentin est, en fait, le siège d'un état-major d'armée.

– L'empereur est à Charleville, et von Below à Saint-Quentin. C'est l'axe du pouvoir militaire. Dans les deux cas, la population civile est restée en place.

– Les habitants travaillent pour l'occupant, dit Jean. Ils en sont les otages. Comment bombarder des villes françaises, peuplées de nos compatriotes ?

– Saint-Quentin participe à l'effort de guerre du IIe Reich. Objectivement, pour les alliés, c'est une ville aux mains de l'ennemi. Tout ce qui travaille dans la ville est allemand. Les fabriques textiles, une fois les stocks saisis, ont été transformées en usines de guerre. À l'usine Cliff, deux cents femmes, anciennes ouvrières du textile, lavent le linge de l'armée allemande dans des lessiveuses géantes. Les ateliers Mariolle fabriquent des centaines de milliers de fers à cheval pour les six cent mille chevaux des troupes de von Falkenhayn, le général en chef allemand sur le front français.

— Je croyais qu'il s'appelait Moltke.

— Il a été viré par l'empereur après leur défaite sur la Marne. Falkenhayn est un homme pratique, qui ne laisse rien perdre. La fonderie de canons de Spandau, près de Berlin, a envoyé ses équipes techniques pour créer à Saint-Quentin une entreprise de réfection des canons et des mitrailleuses endommagés. Cette industrie engage de nombreux manœuvres français, chargés du transport des pièces, qui travaillent aussi à la minoterie, dont le grain est réservé à la nourriture de l'armée. Quand les Allemands manquent de main-d'œuvre, ils procèdent par réquisitions. Je t'en prie, si tu es victime d'une rafle en ville, laisse-toi réquisitionner. C'est pour toi la meilleure solution. Une fois recruté, tu n'auras plus rien à redouter que les coups de *schlag* et les injures.

— Mais ils peuvent m'expédier n'importe où, dit Jean, en Belgique, en Allemagne, où bon leur semble.

— C'est un risque à courir et à contrôler. Le plus souvent, les ouvriers captifs restent en ville, ou dans la région. Ils raflent les hommes quand ils ont un besoin urgent de main-d'œuvre. Je peux te rassurer. Les raflés sont rassemblés à la caserne, mais orientés vers la gare. Nous sommes là. Nous surveillons.

Benoît Larose s'interrompt. Le bec d'un oiseau frappe la vitre côté jardin. L'homme se saisit du pigeon, qu'il place dans sa cage, non sans avoir subtilisé le message qu'il portait à la patte, dans un étui de métal.

— Voici les ordres d'Arras te concernant, dit-il en lisant le télégramme. «Jean Aumoine, repérage et destruction train 12 mai - arrivée 3 h 46. Signé Latouche.»

— Dès ton arrivée, j'ai transmis ton signalement au centre d'Arras, explique Larose.

— Pourquoi Arras ?

— Quartier général du service du renseignement britannique.

— Es-tu anglais ?

— En ai-je l'air ? Je suis un ingénieur de la compagnie du Nord mis à la retraite anticipée, mon cher, rengagé comme lampiste. Mon véritable nom est Hector Valois. J'avais sous mes ordres, avant le début de la guerre, tout le personnel de la ligne. Je suis informé directement par les chefs de gare du réseau de la marche des trains allemands. Nous avons, nous autres, deux jours pour passer à l'action.

— Un train spécial ?

— Assurément. Les attaques au gaz sont la hantise du commandement britannique. Elles n'ont pas cessé depuis le 22 avril. On a signalé l'emploi d'obus à gaz appelés par les Allemands *T-stoff* en hommage à leur inventeur, le chimiste Tappen, dans la nuit du 23 au 24 avril sur le front canadien, près de Saint-Julien. Le 2 mai, les Anglais ont retiré de la zone infestée plus de deux cents morts dans une attaque près d'Ypres avec 40 tonnes de chlore. Ils suivent avec une attention toute particulière les transports chimiques.

— Je viens de lire dans le *Journal de Genève*, dit Jean, que ces gaz asphyxiants suscitent une émotion universelle. Lord Kitchener, le ministre de la défense, a protesté à la Chambre des Communes contre cette méthode « contraire aux lois de la guerre ».

— Mais les Allemands ont lancé leurs juristes dans la bataille. Ils expliquent qu'il vaut mieux tuer leurs ennemis par les gaz que par les éclats d'obus. Lis l'article jusqu'au bout.

– Citation du *Kölnische Zeitung,* dit Aumoine : « Est-il un plus doux procédé de guerre, est-il un procédé plus conforme au droit des gens que de lâcher une nuée de gaz qu'un vent léger emporte vers l'ennemi ? »

– Les Anglais ont apprécié l'intention, dit Benoît. Les Allemands les ont attaqués les premiers parce qu'ils ont jugé l'opinion publique britannique plus sensible, plus vulnérable. Mais notre tour est venu, sur le front de Picardie. À toi de jouer, Jean.

Devant la caserne, dix camions de l'armée sont alignés. Des soldats sortent en courant du bâtiment, les armes à la main, le sac au dos, et prennent place dans les véhicules sous l'œil d'un *Feldwebel* qui chronomètre l'opération.

Ces jeunes fantassins de deux régiments en formation, à l'entraînement, recommencent une fois, dix fois l'exercice de départ urgent. Les officiers attendent des ordres. Ils peuvent recevoir d'un instant à l'autre un message de l'état-major d'armée leur demandant de se porter en renfort sur une partie enfoncée du front.

Le colonel Hortz von Arnim assiste à la manœuvre. Il accompagne le secrétaire de l'état-major de von Below, le capitaine von Ernst. En Artois, le prince Rupprecht, son maître, qui doit faire face aux assauts furieux des armées de Maistre et de Pétain sur Notre-Dame-de-Lorette, attend une contre-attaque de la IIe armée allemande sur le front de Picardie pour obliger les Français à abandonner le maigre terrain conquis. Le duc de Wurtenberg ne peut partir à son tour contre les Anglais dans les Flandres, avec sa IVe armée, qu'après la mise en route de celle de von Below.

— Ainsi tout dépend de von Below, insiste Hortz.

Bülow, son prédécesseur, était un prince. Celui-là, se dit-il, n'est qu'un *junker* prussien, arrivé par le dépouillement méthodique des fiches d'effectifs : une créature de von Falkenhayn.

Il s'emporte contre le capitaine, donnant du stick sur ses bottes impeccables de cavalier.

— Pourquoi perdre son temps en manœuvres de faux départ, dit-il en désignant les fantassins des camions, alors que toute notre armée vous attend ? Je vous assure que nos Bavarois s'impatientent. Ils ont devant eux les meilleures troupes françaises.

— Nous prendrons l'offensive dans deux jours, dit le capitaine. D'ici là, nous devons tenir les troupes en état d'alerte, pour profiter de la percée prévisible, déjà programmée, sur le front de Roye-Lassigny.

Hortz von Arnim ajuste son monocle pour considérer du haut de sa taille le petit capitaine prussien, spécialiste des mouvements de troupes, un de ces hommes nouveaux promus par von Below, efficace technicien de la guerre industrielle, homme de confiance de Falkenhayn.

— Voilà bien les chouchous de l'état-major, se dit le comte bavarois. L'empereur leur a donné le pouvoir depuis la défaite de la Marne.

Ce Falkenhayn est en vérité fort jeune, pour un commandant en chef : cinquante-trois ans. Il vient de

Graudenz, en Prusse, où il est ministre de la guerre. Pur produit de l'état-major prussien, c'est un simple divisionnaire que le *Kaiser* a porté en catastrophe à la tête de l'armée tout entière, avec le titre grotesque de quartier-maître général. Comment le prince Rupprecht de Bavière ou le grand-duc de Bade peuvent-il s'entendre avec des hommes de ce genre?

«Les ordres du général sont formels», dit le capitaine en parlant de Fritz von Below, son maître. Il aurait pu dire : son maître d'œuvre, tant le petit *Hauptmann* ressemble lui-même à l'un de ces contremaîtres d'une entreprise industrielle, une usine sidérurgique par exemple.

— Pas d'attaque avant l'arrivée des renforts, ajoute-t-il sèchement.

Ils se dirigent vers la gare de marchandises, où les sentinelles, au garde-à-vous, présentent les armes devant l'unique chicane ouverte. Des trains d'artillerie ne cessent de s'aligner le long des voies. Les chevaux, débarqués les premiers, attendent d'être attelés aux canons pour prendre, au trot, la route de la caserne.

— Vous le voyez, colonel, les renforts arrivent.

Hortz songe à Fritz von Below. Son frère Otto commande un corps d'armée en Russie, sous Ludendorff, un de ces officiers à fiches, une machine à calculer les effectifs.

— La nouvelle école prussienne, se dit-il. Ces gens-là ignorent le front français. Ils croient tout obtenir en démultipliant les bataillons. Mais les Français sont tenaces, combatifs, accrocheurs. En face des jeunes Allemands de dix-huit ans, sortis des écoles, ils alignent, en plus, des bataillons de Marocains et de Sénégalais, des troupes de choc dont les régiments ont été dix fois recomplétés. Contre ces chiens d'arrêt, le prince Rupprecht ne croit qu'à l'écrasement par le canon, précédant les attaques à la grenade.

— Nous avons nos armes secrètes, dit le capitaine.

Hortz pense immédiatement à ces nappes de gaz, déployées chez le duc de Wurtenberg, dans les Flandres, devant l'armée anglaise. Elles sont loin d'avoir donné les résultats escomptés, et le comte bavarois trouve répugnant de gazer le gibier au lieu de courir sus.

— Avez-vous reçu le matériel spécial?

— Nous l'attendons demain 12 mai, sauf contrordre imprévisible.

Le capitaine avise le chef de gare français, Anatole Favier, responsable du trafic.

— Je vois que vous n'avez pas retiré de la voie les équipes françaises, lui dit-il. Vous devez immédiatement confier le service d'entretien des rames aux techniciens allemands venus tout exprès de Metz. Les Français seront mis en congé pour deux jours.

— Je manque de main-d'œuvre pour décharger les trains de matériel, dit Anatole Favier, les wagons de ciment et de fils de fer.

— Faites engager par la municipalité et la gendarmerie des équipes au titre du travail obligatoire. Je les ferai surveiller strictement par des hommes en armes. Prenez garde de les prévenir qu'ils devront travailler en silence, sans se détourner de leur tâche et tenez-les au secret à la caserne.

Hortz hausse les épaules. Tenir un Français au secret, pense-t-il, est une entreprise chimérique. Un Français qui ne parle plus est un Français mort.

Au petit matin du 12 mai, ils sont là trois ou quatre mille, levés par voie d'affiches allemandes, ordonnant à tout individu entre dix-huit et trente-huit ans de se présenter immédiatement, sous peine de conseil de guerre, pour le travail obligatoire à la caserne. Le gendarme Malzhan est présent, avec ses officiers, pour repérer les repris de justice, les condamnés libérés, les espions signalés et les déserteurs du 10ᵉ régiment de la Territoriale camouflés en indigents.

Les Allemands ont garanti que les hommes seraient payés pour leur travail et libérés une fois leur tâche terminée. L'armée n'a nulle intention, est-il proclamé, de s'encombrer de bouches inutiles. Les jeunes, les chômeurs et les indigents se précipitent. Jean Aumoine se glisse parmi eux, portant une barbe d'une semaine et des vêtements rapiécés.

Benoît Larose, en tenue de cheminot, surveille de loin l'opération. Il n'a pas pu prendre son travail ce jour-là. Un lampiste allemand l'a remplacé. Il en a conclu que le train des bonbonnes de gaz asphyxiant était bien attendu à la date annoncée par le service de renseignements d'Arras. Confirmée par le chef de gare de Saint-Quentin.

Les hommes passent devant un véritable conseil de révision, où sont conviés les représentants de la ville, ainsi qu'Anatole Favier, le chef de gare, et les gendarmes allemands. On élimine les rachitiques, les infirmes, les employés subalternes de l'administration civile. Les jeunes de dix-huit à vingt ans sont orientés vers les travaux du ballast, à Landrecies. Ils prennent aussitôt le tramway pour gagner la gare en hurlant *Le Chant du départ.* Impossible de les faire taire. Les Allemands de la compagnie de sécurité lancent des hourras pour couvrir le chant séditieux. «La victoire en chantant»...

Un bataillon de travailleurs est formé. Il part à son tour en direction de la gare, encadré par des gendarmes à cheval, pour se rendre en chemin de fer au Quesnoy. Les uns doivent abattre des arbres et les autres travailler dans une scierie qui fournit des planches et des madriers aux hommes du front.

Après consultation de leurs papiers, deux équipes de douze hommes sont spécialement choisies par les gendarmes. Jean présente les siens : marinier de la péniche *Fraternité.* Le chef de gare, consulté par les gendarmes, le retient dans l'équipe de douze affectée au déchargement des trains.

— L'homme est fatigué, opine le major allemand, et sous-alimenté, mais la musculature est bonne.

Il rentre avec l'équipe à la caserne, où un repas leur est servi : du riz au mou de veau, assorti d'un bol de farine délayée dans l'eau bouillante, *la papinette,* bien connue des détenus. Le voisin de Jean, un dessinateur industriel, fait la grimace.

— Ne te plains pas, camarade! C'est mieux que le pain noir et moisi.

Ils prennent à leur tour le tram, gardés par les gendarmes. Pas de cris, ni de chants. Ces hommes sont résignés et ils ne quittent pas la ville. Ils ne risquent rien.

On les dirige vers la gare de marchandises, avec pour première tâche de décharger des wagons des sacs de ciment pour les aligner sur des plates-formes de charrettes. Le travail est dur, les sacs sont lourds. Si Jean se fait remarquer des gardiens, c'est par son zèle silencieux.

Son rôle est simple : il doit travailler en ouvrant l'œil. Dès que le train de 3 h 46 sera signalé, il s'arrangera pour gagner les toilettes de la gare de marchandises, où Benoît a pris soin de dissimuler un pigeon voyageur dans une cage, un message tout prêt dans sa bague. Il lâchera le pigeon, avant de rejoindre son chantier. Une attaque aérienne suivra à la sortie de la ville, dirigée contre le convoi de camions qui doit quitter la gare avec cinquante tonnes de bouteilles de chlore.

En attendant, on occupe l'équipe à décharger d'autres wagons des rouleaux de barbelés et des caisses de médicaments pour l'hôpital. À la pause de midi, où les ouvriers mangent la soupe aux pois cassés fournie gracieusement par l'intendance sur le chantier, nouvelle visite des gendarmes pour vérification d'identité. Une heure de repos est prévue, mansuétude inhabituelle pour les équipes de travail forcé.

À 3 heures précises, ils sont alignés le long d'une voie libre et constamment tenus sous la surveillance des gardes armés. Le capitaine Junius von Ernst et le colonel Horst von Arnim, portant le brassard d'état-major de la VIᵉ armée, sont présents.

— Les huiles se dérangent, dit Georges Lartigue, un déserteur de la Territoriale passé au travers des mailles des contrôles allemands. C'est un convoi spécial. Un très gros poisson.

— *Sprechen verboten,* dit aux travailleurs un «collier de chien», le nerf de bœuf à la main.

— 3 h 40, dit Horst von Arnim en consultant sa montre.

Jean Aumoine regarde de loin, avec curiosité, un aristocrate botté de neuf, rasé de frais, impatient et autoritaire, le teint rouge et les cheveux blonds sous une élégante casquette aux couleurs de Bavière, et qui semble s'emporter contre un pâle capitaine porteur de lunettes d'or sous un casque d'acier trop grand pour sa tête. Il ne peut se douter que le cavalier au port altier est le père de Clelia.

— C'est lui qui mène la danse, se dit-il. Il s'est dérangé en personne. Cela ne va pas tarder.

3 h 48. Rien ne vient. Aucune fumée à l'horizon. Horst Von Arnim, las d'entendre les explications embarrassées du capitaine von Ernst, se tourne vers le chef de gare qui trottine vers les officiers, un télégramme à la main.

— N'attendez plus le train, dit-il, il a été détourné sur Bruxelles.

Les ouvriers de l'équipe française de manœuvres sont aussitôt raccompagnés à la sortie et libérés à la caserne. On leur conseille de demander à la mairie leur journée de salaire. Un franc symbolique, quand le pain coûte soixante centimes le kilo. Benoît Larose entraîne Jean vers les Champs-Élysées, de la ville où s'est installée une batterie de canons de 77 pointés vers le ciel.

— Ils avaient même prévu une attaque par avion, dit Benoît. Comble du raffinement.

Les artilleurs, désœuvrés, regardent défiler les ouvrières sortant, bras dessus, bras dessous, de la blanchisserie géante pour ne pas être accostées.

– Dans notre jargon, dit Benoît, on appelle cette opération un leurre. Je ne suis même pas sûr que le général Fritz von Below était au courant. L'ordre est venu de plus haut. Le télégramme reçu par Anatole Favier émanait du grand quartier.

– Tu veux dire que tout était truqué ?

– Absolument. Notre service de renseignements a été manipulé par l'ennemi. Il a effectivement renforcé les réserves du front de Picardie par Saint-Quentin et annoncé par une série de mesures significatives la mise en place d'une opération au gaz de combat : tubes aperçus à l'avant des tranchées, train de bonbonnes d'acier annoncé, et confirmé, effectifs spéciaux de travailleurs mis en place. Il n'a rien négligé pour que nous soyons dupes. Nous apprendrons demain qu'une attaque a été lancée par l'armée du duc de Wurtenberg dans les Flandres, une fois de plus contre les Anglais. La vraie contre-attaque est prévue par Falkenhayn dans le nord. La mystification émane des agents spéciaux du grand état-major. Ton commandant Latouche a été la première dupe. Il ne faut pas lui en vouloir.

– Comment puis-je le rejoindre ?

– C'est pratiquement impossible. Les Boches travaillent avec acharnement à rendre les réseaux de barbelés infranchissables. Près de Berry-au-Bac, en Champagne, une patrouille française a perdu l'un des siens carbonisé par un courant alternatif triphasé de 1 500 volts et 50 périodes. De quoi tuer un éléphant.

– Tout le long du front ?

– Nous n'en savons rien encore. Il faut franchir les quatre fils d'un réseau qui s'étend, à coup sûr, jusqu'au Chemin des Dames. Nous n'avons pas repéré au juste quelles parties du front en sont équipées, mais le risque est trop grand pour tenter un passage en force. Il faudrait profiter d'une offensive, mais les alliés ont échoué en Artois.

Ils sont arrivés sur les bords du canal. Benoît tend une clé de cadenas à Jean.

– Cache-toi dans la péniche. Tu y trouveras des vivres. Tu dois sans cesse changer de résidence pour échapper aux recherches. Il vaut mieux être prudent.

Benoît rejoint son logis du faubourg d'Isle, lâche un pigeon voyageur qui grimpe dans le ciel plombé de nuages bas, cherchant sa route vers Arras.

Il apprend, par le dernier numéro du *Journal de Genève*, que l'offensive française lancée en Artois piétine. Les Allemands crient victoire dans leur communiqué, louant la solidité de leur système défensif. Les Français prétendent avoir réalisé une avancée de quatre kilomètres. Il est vrai qu'ils ont percé, le communiqué anglais le confirme.

Les légionnaires, les tirailleurs marocains et les Alpins du général Barbot ont pris de vive force la première ligne allemande, de Neuville-Saint-Vast au Cabaret rouge et à Notre-Dame-de-Lorette. Carency a été enlevé, ainsi que la butte de Vimy, escaladée par les coloniaux, tandis que les chasseurs de Barbot atteignaient Givenchy. Les Français, si les renforts étaient arrivés à temps, auraient pu déboucher facilement sur la plaine de Lens.

Hélas ! la contre-attaque allemande a permis, dit le

communiqué anglais, plus réaliste, de reconquérir toute la ligne de crête et de boucler le front.

Le Journal signale la bonne entente des alliés dans cette bataille, et la visite à l'état-major du général Fayolle, chef du 33ᵉ corps, d'un gros major anglais, casqué et boudiné dans sa *jacket* kaki, un certain Winston Churchill.

Benoît jette le *Journal* avec rage : encore une occasion manquée. L'issue de la guerre se trouve reportée à l'automne, dans l'hypothèse la plus optimiste, si l'entrée des Italiens dans la mêlée, la reprise de l'offensive russe et l'arrivée de l'artillerie lourde mobile sur le front français donnent aux alliés quelque espoir d'ébranler la forteresse allemande.

Que faire de ce Français, Jean Aumoine ? Le Renseignement en a-t-il encore l'usage ? Comment le rapatrier ? Benoît doit attendre des ordres. Ils ne viennent pas vite : au mois de juin, quand l'offensive de Joffre est définitivement abandonnée en Artois, Jean couche toujours dans sa péniche, n'en sortant qu'à la nuit tombée pour prendre l'air sur les bords du canal.

« Expédier Jean Aumoine. Convoi d'indigents détourné de Saint-Quentin vers Genève. Rendre compte commandant, voie ordinaire. »

Le commandant Latouche est désespéré, démoralisé. Il ne se console pas de son erreur, même si ses camarades britanniques sont eux-mêmes tombés dans le panneau. Il a perdu, avec Jean Aumoine, son meilleur chef de corps franc.

Il ne se passe rien sur le front au sud de Roye, où il tient ses pénates dans le village en ruine. Verpillières et Beuvraignes restent calmes, comme si la guerre des mines, elle-même, perdait son sens depuis le massacre inutile de la bataille autour d'Arras et l'hécatombe continue des Éparges.

Les hommes du 121e s'installent dans leur position de tranchée, où alternent, en face d'eux, les «bonnes» et les «mauvaises» relèves, ces dernières suscitant dans les lignes des fusillades et des canonnades qui tuent des hommes pour rien, pour répondre à l'esprit guerrier d'un chef nouvellement nommé dans le secteur.

Latouche pense aux «prédictions» dont les lettres de sa femme sont pleines, qui annonçaient la fin de la guerre en juillet. Ont-elles circulé à l'arrière, les élucubrations de «Madame de Thèbes» et autres pythonisses irresponsables! Le commandant conserve l'espoir, depuis que les sous-mariniers allemands ont coulé le *Lusitania* et expédié au fond de l'océan un groupe d'Américains inoffensifs, que les États-Unis, après l'Italie, entreront dans la guerre et que le *Kaiser* isolé finira par demander la paix.

Il pleut sur les lignes, de la fin mai aux premières semaines de juin, et les tranchées redeviennent des cloaques. Avec le docteur Montagne, son compagnon d'infortune, qu'il retrouve chaque soir à la popote, le commandant évoque la démoralisation de la troupe après les nouvelles pertes de l'offensive manquée de Joffre.

— Ils voulaient la guerre d'usure, ils l'ont, dit le major.

— Jusqu'à envoyer en ligne les gosses de dix-huit ans de la classe 17. Heureusement le Parlement réagit.

– Nos journaux nous abusent. Depuis le temps qu'ils annoncent l'épuisement de l'Allemagne ! Elle nous prouve tous les jours qu'elle est la seule à pouvoir mener à son terme la guerre industrielle. Ils viennent d'inventer les lance-flammes, capables de griller comme des insectes les hommes des tranchées par des jets de pétrole de vingt mètres.

La chaleur arrive avec l'orage, vers le 10 juin. Le commandant demande à sa femme une simple salopette bleue de La Belle Jardinière pour pouvoir se promener dans les lignes sans étouffer. Ses hommes se baignent nus dans le ruisseau. Il en fait autant. Tout pour échapper aux mouches et aux moustiques !

Il s'imagine qu'à l'arrière on « godaille », on fait la fête, on prend son parti de la guerre, alors que les gens meurent encore par dizaines de milliers autour d'Arras. Quand cessera le massacre ? À l'automne ? Nul ne peut le dire. Les Allemands sont loin d'avoir épuisé leurs ressources et nous réservent d'autres surprises dans la guerre chimique, dit Latouche au docteur Montagne.

– Les avions passent au-dessus de Verpillières par escadrilles entières, vers Arras. Mais nous n'avons pas de canons. Le front stagne en Artois. Les Boches ont eu le temps de s'organiser. Il n'y aura pas de victoire militaire, plus de grandes batailles.

– L'affaire de l'Artois est en effet terminée. Plus de « percée » prévisible. Dans nos lignes, c'est la lassitude. Je vois diminuer au 121ᵉ la confiance et l'espoir. Même si les Migat et les Bernard gardent leur moral. Le régiment a touché des renforts. Des gens du Nord, qui n'ont pas de nouvelles de chez eux depuis neuf mois. Ils sont les seuls à demander la reprise de l'offensive. J'ai interrogé hier un prisonnier allemand. Un officier de Düsseldorf. Il m'a dit que la guerre, à son avis, finirait par un « match nul ». Quelle catastrophe si nos familles ont accumulé les deuils pour en arriver là.

— Les Russes reculent, déplore le bon docteur. Hier, sur la tranchée allemande, ils ont brandi une pancarte : « Français, vous êtes perdus ! Lamberg vient de se rendre ! » Un de nos plus jeunes soldats a rampé dans la nuit pour rapporter la pancarte. Je l'ai soigné à l'antenne. Il avait reçu une balle dans la cuisse. J'espère qu'on le sauvera.

— Les Italiens sont longs à partir en guerre et nous n'avons toujours pas pris Gallipoli dans les Dardanelles. Les volontaires dans l'armée d'Orient s'en mordent les doigts. Ils meurent de dysenterie, comme des mouches.

Le dimanche 20 juin, des tireurs allemands ont tué un jeune Montluçonnais dans le boyau. Il s'appelait André Vazeilles. La pluie de l'orage recouvre son cadavre de boue. Le commandant le fait enterrer de nuit, très tristement, près de l'endroit où il est tombé.

En fin de journée, il reçoit enfin une bonne nouvelle, par pigeon : Jean Aumoine a quitté Saint-Quentin dans un convoi d'assistés, évacués de la ville sur ordre du général Fritz von Below.

Une expédition difficile que *La Gazette des Ardennes*, payée par l'ennemi, a présentée comme une œuvre de salubrité publique. Les secours américains ne permettaient plus de nourrir la population civile, assistée en grande partie par la mairie. Les hôpitaux réservés à l'armée allemande ne pouvaient devenir des asiles pour indigents. Les notables, tondus par les réquisitions successives, ne poursuivraient pas au-delà du raisonnable leur œuvre caritative. Il était temps de prendre une décision salutaire : renvoyer aux Français, par l'intermédiaire de la Suisse, leurs bouches inutiles.

Aucune protestation de la population civile. Ceux qui devaient rester se réjouissaient de voir leurs intérêts préservés. Les chômeurs, les errants et les sans-ressources nourris à la sportule du conseil municipal se faisaient une fête de revoir la mère patrie, où les civils, disait-on, ne manquaient de rien. Les irréguliers, ceux qui se cachaient chez l'habitant, comptaient bien trouver le moyen de se faufiler dans la troupe des évacués.

Les Allemands perdaient leur calme. Les alertes aériennes étaient de plus en plus fréquentes sur la ville, et les raids se traduisaient toujours par des destructions. Saint-Quentin n'était plus un havre de paix, mais une ville du front comme les autres, sous la menace d'une offensive française. La prolongation de la guerre durcissait le commandement. Les altesses ne paradaient plus à la promenade. L'empereur restait cloîtré dans son état-major. Von Below faisait accueillir dans les hôpitaux les très nombreux blessés du front d'Arras.

Le dimanche 20 juin, trente agents de police municipaux sont réquisitionnés par la *Kommandantur*. Von Bernstorff doit faire exécuter un ordre du quartier général prévoyant d'envoyer en Suisse un train de «cinq cents personnes de la classe pauvre». Un processus d'évacuation commencé, à une plus petite échelle, en mars et que l'administration allemande entend poursuivre. Au moment où le blocus allié menace l'Allemagne de famine, les ressources de la terre française devront nourrir en priorité le *Reich* en guerre.

Du lazaret on a d'abord évacué les filles publiques reconnues malades, les indésirables surveillés par la police, les réfugiés des villages de la Somme qui ont fui les zones de combat. La *Kommandantur* exige un nouveau départ de six cents personnes, un véritable exode. Si pauvres qu'ils soient, certains refusent d'abandonner leur maison, notamment les vieillards. L'ordre est de les contraindre, sous peine de conseil de guerre pour les plus obstinés.

Benoît Larose avertit Jean Aumoine. L'occasion est belle, il faut en profiter. Barbu et misérable, il est surpris par les agents de police français dans un asile sordide pour mariniers sans ressources, avec un soldat du 10e territorial démasqué par les Allemands, soigné à l'hôpital pour une maladie grave, mendiant en loques à la porte de la caserne. Évadé, ce dernier risque le peloton d'exécution. Pour lui et pour Jean Aumoine, le départ, c'est le salut.

Les Allemands fusillent depuis le début de l'occupation sans crier gare. La plupart du temps dans les règles, avec un représentant de la justice militaire pour prononcer la sentence. Les victimes sont aussi bien des civils que des militaires. Tout soldat qui ne s'est pas rendu immédiatement perd à leurs yeux l'immunité des prisonniers, il devient gibier de peloton, comme les espions. Jean Aumoine, qui a bravé si souvent la mort dans la tranchée, risque d'être fusillé au coin du bois par des vieux « pots de fleurs ».

Heureusement la commission de contrôle n'y regarde pas de si près. Ses faux papiers sont en règle. Larose lui a procuré un certificat médical attestant qu'il souffre de tuberculose osseuse. Réformé pour cette raison, il est incapable de travailler.

On s'empresse de l'évacuer. Les Allemands redoutent par-dessus tout les maladies contagieuses. Les scrofuleux, les vérolés et les convulsionnaires ont toutes chances d'être embarqués, sans vérification inutile. À quoi bon perdre du temps ?

Le major est attendu auprès des blessés du front, il ne s'attarde pas à la visite. Ses papiers tamponnés de frais, Jean rejoint Georges Lartigue le territorial, lui aussi pourvu des faux nécessaires au départ. Seuls sont retenus les hommes aptes au travail. Les autres civils en âge de porter les armes rejoignent les familles nombreuses, les vieillards sans ressources, les enfants dont les parents sont de l'autre côté des lignes, et le personnel sanitaire français dont l'occupant ne veut pas.

Benoît Larose, en accompagnant Aumoine jusqu'au tram, ressent un pincement de cœur. Reverra-t-il jamais ce jeune officier ? Il s'y est attaché comme à un compagnon de lutte. Ils ont échoué ensemble, cela crée des liens, dans leur impossible mission, victimes d'une supercherie bien montée par les Allemands. Le voilà perdu dans une foule de vraies victimes de la guerre, inoffensives, incapables de se défendre, de résister aux mauvais traitements. Pourra-t-il surmonter cette dernière épreuve ?

Benoît rentre au logis sur le qui-vive. Est-ce le départ de Jean ? Il lui semble que tout a changé, les odeurs de la rue, les bruits familiers du faubourg d'Isle, les couleurs du soir sur les murs gris et plâtreux de sa maisonnette.

Dès qu'il a poussé la porte, deux hommes aux bottes jaunes le saisissent et l'entraînent sans ménagement vers une voiture fermée.

– Ingénieur Hector Valois, dit Benoît Larose ? Veuillez nous suivre.

Le voyage est une suite ininterrompue d'épreuves, pour les cinq cents évacués. Certains, embarqués de force, ne cessent de se lamenter. Des vieillards, pour la plupart. Ils regrettent leur cuisinière sans charbon, leur soupe sans lard. Ils savent que leur pauvre maison sera pillée dès leur départ. Ils ne veulent pas mourir sur la route, comme des chiens.

Les femmes, encombrées d'enfants en bas âge, semblent résignées. Ces misérables réfugiées viennent des villages envahis de la Somme, proches de Péronne, Roye et Chaulnes. Elles ont quitté leur maison en ruine et n'ont plus rien à protéger. Il n'a pas été très difficile de les convaincre de partir : elles avaient déjà tout perdu.

Elles étaient loin de pouvoir réunir les trente kilos de bagages autorisés, et leur pécule était si réduit que le chantre de l'église de Chaulnes a dû leur avancer de l'argent. Car le billet du train qui les emmène en Suisse est retenu par l'occupant à leur charge. La municipalité

réserve ses deniers au cas où d'autres soutiens humani-
taires manqueraient.

Les agents de police de Saint-Quentin se sont chargés
de livrer les indigents, les indésirables et les filles du
lazaret de la rue de Fayet. Le chantre a dû veiller à ce que
tout rapport leur soit interdit avec les hommes du convoi,
si démunis qu'ils fussent. Au conseil municipal, un débat
très vif s'était engagé : de quel droit avait-on séparé le
mari de la femme, laissé les gendarmes allemands embarquer les enfants sans vérification de leur identité ?

Même les notables de Saint-Quentin, si inquiets pour
leurs biens, ont des scrupules tardifs. A-t-on le droit de
chasser de chez eux en troupeau des hommes, des
femmes, des enfants, sous le prétexte qu'on n'en a plus
besoin ? Même sauvagerie qu'au temps de Jules César !
Elle est belle, la civilisation européenne ! Où est-il, le
droit des gens ? On prétend déplacer ces malheureux, on
les envoie à la mort. Ceux qui refusent de partir le savent
bien : ils n'arriveront jamais nulle part. Ils crèveront en
route et personne ne s'en souciera.

– Habillez-vous! disent les gendarmes dans la chambre
des pauvres, il faut partir!

À demi vêtus, ils ont été parqués à la gendarmerie
allemande avant d'être conduits vers la gare, sans boire ni
manger. À quoi bon? Nourrit-on des inutiles? Cinq
secrétaires proprettes se contentent de relever le nom et
l'adresse des partants, pour le dossier de la *Kommandantur*. Elles sont perplexes quand on leur présente des
enfants «emballés» sans leurs parents. Personne ne les
réclame.

– Faites partir! hurle le gendarme.

293

Une receveuse des postes de Seboncourt propose de prendre en charge deux de ces gosses. Le «collier de chien» juge cette générosité suspecte. La fille est déshabillée, fouillée. On trouve des lettres cousues dans son jupon. Elle est jetée en prison. Quelques infirmières volontaires se chargeront des enfants.

Surpris, Jean reconnaît dans le lot des indigents faméliques quelques figures oubliées du convoi de prisonniers qui l'avait conduit à Saint-Quentin.

— Je suis Juste Lagrange, territorial de Roye, lui dit à voix basse un homme d'aspect misérable. Ses cheveux et sa barbe ont prématurément blanchis, comme s'ils avaient reçu un bain prolongé d'eau oxygénée.

Il montre sa musette : elle est bien garnie. Les vivres sont enveloppés dans du papier journal. L'ancien garde forestier ne s'est pas laissé prendre au dépourvu. Évadé du convoi des prisonniers, il a attendu l'occasion de s'enfuir en se cachant chez l'habitant.

— As-tu vu le curé?

Un mendiant en loques lui sourit. Ses yeux noirs mangent son visage émacié, c'est Laurent Latour, l'abbé d'Avricourt.

— Les Allemands vous ont oublié? demande Jean.

— Dieu m'est venu en aide. Il m'a caché dans une tour de la basilique, sous la protection de l'archiprêtre.

— Vous nous serez précieux, dit Jean en désignant le groupe des indigents. Ils ont besoin de vous.

Maurice Dufrêne est métamorphosé. Sans l'abbé, Jean n'aurait pu l'identifier. L'ancien architecte, survivant du 10e régiment de territoriaux, travaillait avec lui à la gare de Saint-Quentin. Il s'est rasé comme un conscrit, au

« papier de verre ». Il s'est laissé pousser une barbe, abondante et rousse. Revêtu de la robe maronnasse des moines mendiants, il marche pieds nus dans des sandales, égrenant son chapelet de buis et marmonnant des prières sans fin, le regard vide, comme s'il redoutait encore de se trahir en parlant.

Que risque-t-il, dans la demi-obscurité du wagon à bestiaux ?

— Bon voyage, mon père, lui dit Jean d'une bourrade. Vous pouvez remettre vos bottes, les gendarmes sont restés à quai.

— La providence t'entende, répond Maurice à voix basse. Mais il me semble que nous roulons vers l'Allemagne. Est-ce bien le moment d'être imprudent ? Crois-moi, mon fils, le silence est le meilleur ami de l'évadé.

Le voyage est interminable, insupportable. Les hommes parqués dans les wagons à bestiaux, portes cadenassées, ignorent tout de l'itinéraire, des marches et contre-marches, des arrêts dans les gares et devant les ponts. Les femmes, les enfants et les vieillards, entassés dans les compartiments de voyageurs aux banquettes de bois, ne reconnaissent ni les fleuves ni les gares.

Les haut-parleurs diffusent des consignes en allemand que personne ne comprend. Pas de service de la Croix-Rouge pour les évacués. Les dames en bleu ne servent que les soldats et les blessés. Les gendarmes ouvrent les portes des wagons en rase campagne, aux arrêts obligés, pour des raisons d'hygiène. Ils en profitent pour faire déposer par les hommes valides des marmites de soupe tiède. Pas de lait pour les enfants.

La nuit, le froid est vif sous la pluie d'orage durant la traversée, à petite vitesse, du Palatinat. Pas de couvertures, ni de paillasses. Sur les quais de la gare de Mayence, des infirmières de la Croix-Rouge ont pitié de ce train de réprouvés. Elles tendent aux mères des biberons. Les gendarmes les bousculent.

– En Suisse, disent-ils, on les nourrira.

La Suisse est loin. Le train remonte la vallée du Rhin, s'arrêtant fréquemment pour laisser passer des convois militaires.

– Karlsruhe, lit Jean sur le mur d'une gare. Nous sommes tout près de la France.

– De l'ancienne France, du temps où l'Alsace était française, répond l'abbé. Ne songe pas à t'évader, tu serais repris. L'Alsace est une place forte. Demain, nous serons en Suisse, pays civilisé.

À Rastadt, le train s'arrête, définitivement, en pleine campagne. Les gendarmes ouvrent les portes. Jean s'inquiète. Vont-ils mitrailler le convoi ? On leur prête tant de crimes.

Les gendarmes ont presque tous disparu. Un piquet se relaie pour surveiller de loin les prisonniers. Les Allemands savent bien qu'ils n'ont déjà plus la force de s'évader. Si l'un d'entre eux se risquait à tenter sa chance, il suffirait de l'abattre dans le dos.

Jean interroge un gendarme.

– Pourquoi cet arrêt prolongé ?

Pas de réponse. Le soir, deux civils, probablement prisonniers de guerre, charrient des bassines d'eau chaude, gluante, noirâtre : c'est le ravitaillement.

Pendant dix jours, le train reste à l'arrêt. Il n'est plus question pour les hommes de chercher à s'évader, mais de s'organiser pour survivre, et de sauver le plus grand nombre d'évacués. À l'évidence, on veut les faire mourir de froid et de faim. On ne leur donne plus rien à manger.

– Les Turcs ont fait ainsi des Arméniens, assure l'abbé. Ils ont décimé une population entière en l'abandonnant dans les déserts. Je le tiens de l'archiprêtre de Saint-Quentin, à qui des aumôniers allemands ont parlé.

Maurice Dufrêne part seul, dans sa robe de bure, jusqu'à une ferme proche. On craint que les gendarmes ne lui tirent dessus. Il revient longtemps après sur la charrette d'un vieux paysan, avec deux bidons de lait frais.

– On trouve des catholiques, dit-il, dans ce foutu Wurtenberg. Ce vieux n'a pas une pierre à la place du cœur.

Le paysan brave du regard les gendarmes, ils le laissent passer. Comment osent-ils se prêter, sous l'uniforme, à ce massacre hypocrite, à ce crime contre l'humanité ? Le vieux a honte pour eux. Ils le lisent dans ses yeux, et ils détournent les leurs.

Les femmes se sont abritées dans leurs compartiments, dont elles ne sortent pas. Les enfants somnolent, ils n'ont plus la force de hurler. Quand on leur tend, dans des quarts de soldats, le lait chaud de la traite, elles n'osent y croire.

Le train repart enfin pour gagner, par étapes ponctuées de nombreux arrêts, le poste-frontière de Bâle. Les

douaniers suisses doivent demander d'urgence des secou-
ristes et des civières. Les vieillards sont à demi morts, les
enfants presque inanimés, les femmes incapables de tenir
sur leurs jambes. Jean, Maurice, Juste, Lartigue le déserteur et l'abbé Latour les soutiennent comme ils peuvent.
Ils sont eux-mêmes épuisés, affamés, assoiffés, abrutis.

En a-t-il rêvé de la Suisse, Jean Aumoine? Terre
d'accueil, refuge de son amour. Comment y reconnaître
un pays de liberté? La gare est encombrée de soldats en
armes, qui gardent cette frontière où débarquent des
convois de sanitaires rapatriés, de prisonniers-otages, de
populations déplacées de force? Dans la cour des miracles
du centre d'accueil où l'on parque les évacués, peut-il
encore rêver de Clelia?

Par quel prodige la reverrait-il? Comment la prévenir?
Il devrait déserter, prendre un train pour Lugano. Peut-il
abandonner ces gueux, ces malades, ces débris d'humanité souffrante, ses compatriotes, ses frères, et poursuivre
seul un rêve amoureux? Planter là cette gueuserie pour se
pavaner au château des marquises? Il n'en a pas le courage
et s'en remet à la providence en aidant l'abbé qui porte
dans ses bras deux enfants orphelins, les yeux perdus dans
les étoiles.

Le gruyère du Vauquois

Chantilly. État-major de Joffre. 10 juillet 1915. Un poilu casqué, vêtu de bleu horizon, monte la garde dans une guérite tricolore, devant la grille d'entrée. Dans la cour, des chauffeurs discutent près de voitures dont ils ont relevé les capots pour refroidir les moteurs. Toutes les huiles sont réunies à la demande du général en chef. Des motocyclistes se tiennent prêts à délivrer des ordres aux unités, et leurs engins pétaradent. Les divisionnaires du front se hâtent d'entrer. Il est six heures. Gamelin, le zélé chef de cabinet du patron, les fait attendre dans l'anti-chambre.

Depuis cinq heures, Joffre est debout. Il a bu son café infect, mâchonné sa tranche de pain gris. Il veut donner l'exemple de l'austérité. Devant lui, un seul officier est admis, le colonel Dupont, moustache cendrée et tenue d'artilleur fatigué. Renfrogné mais impassible comme à son habitude, le chef du deuxième bureau de l'armée sort une liasse de télégrammes de sa sacoche de cuir : la récolte de la nuit.

Joffre n'a pas besoin de l'interroger. Chaque matin, Dupont est au rapport et prend la parole avec nonchalance, sans jamais hausser le ton.

— Les Russes, toujours, déclare-t-il. Les Allemands leur ont mis cinq cents kilomètres de territoire dans la vue. Ils se sont emparés du nord de la Courlande, ainsi que de la Livonie, ces steppes glacées, jadis enlevées aux chevaliers teutoniques par les Slaves des anciens tsars.

Joffre donne des signes d'impatience. Les références historiques font perdre du temps.

— Les Boches et leurs alliés autrichiens ont conquis une partie de la Pologne, de la Galicie, et menacent même la Bukovine à l'extrême sud.

— Nous le savons déjà, dit Joffre. Que me répétez-vous cela!

— Le tsar a perdu autant d'hommes qu'il en a mobilisés, trois millions! Pour obtenir ce résultat, Falkenhayn a dégarni le front de l'ouest, jugé invulnérable, de neuf des meilleures divisions, dont la garde prussienne. Son offensive limitée a donné des résultats inestimables. Depuis mai 1915, il a percé le front russe à Gorlice, et consolide sans cesse ses résultats. Savez-vous que Guillaume II n'est plus à Charleville? Il vient de transférer, le temps de cette campagne de Russie, son quartier général au château de Pless, en Haute-Silésie.

— C'est le résultat de l'unité absolue du commandement, affirme Joffre. Ils ont compris que les fronts étaient solidaires. Même les Autrichiens se soumettent au grand état-major allemand.

— Depuis la chute de Lemberg, le 22 juin, le commandement espère contraindre le tsar à une paix séparée.

Hindenburg au nord, Mackensen au centre ont repris leur progression vers Moscou et comptent fermement arracher la victoire.

— Les Russes résistent magnifiquement, lâche Joffre, qui ne veut pas croire à leur défaite définitive.

— Les renseignements arrivés cette nuit de Saint-Pétersbourg me préoccupent, dit le colonel Dupont, peu coutumier d'un ton aussi grave. Vous savez qu'au mois de mai le tsar, accablé par la défaite, a traduit le ministre de la guerre Soukhomlinov devant un conseil qui a condamné sa «criminelle imprévoyance». La *douma*, le parlement russe, s'agite. Les socialistes annoncent un congrès international à Zimmervald pour le début de septembre. Les chefs s'appellent Lénine, Trotski, Radeck, Rakovski. Ils prêchent pour la paix immédiate, par l'insurrection de tous les peuples belligérants, et parmi eux le peuple français.

— Fadaises! dit Joffre. Nos socialistes sont les premiers à combattre. Voyez Albert Thomas. Il vient d'être nommé secrétaire d'État à l'Armement. Avec lui, les canons sortent des usines!

— Mais les Allemands tirent parti du flottement du régime russe. Helfferich, ancien directeur de la Deutsche Bank et secrétaire d'État au Trésor, a pris contact avec l'ambassadeur du tsar à Stockholm.

— Vous vous répétez, coupe Joffre. Le tsar n'a-t-il pas refusé la paix allemande?

— Ce que vous ne savez pas, dit Dupont en détachant ses mots, c'est que les Allemands viennent de prendre contact avec les révolutionnaires russes. Lisez ce mémoire du «diplomate privé» Keskula, employé par la direction suprême à discuter d'un contrat avec Lénine : « Il est le seul homme, écrit-il, capable d'éviter que la Russie ne devienne une puissance mondiale dont la richesse submergerait bientôt l'Allemagne. » Les Allemands ont décidé de financer la révolution bolchevique.

— Raison de plus pour attaquer de nouveau sur notre front, conclut Joffre. Après, il sera trop tard.

Gamelin introduit dans le bureau du patron les généraux de groupes d'armée : Foch pour le Nord, Castelnau, le Centre, et Dubail, l'Est. Ils ont soigneusement préparé leurs interventions. Foch compte présenter une sorte de moratoire des armes, demander la pause et renoncer à l'offensive, au regard des lourdes pertes. Joffre lui laisse à peine le temps d'une phrase et se lance dans un très inhabituel monologue :

— J'ai besoin de toutes vos forces, de les reprendre en main pour faire la guerre autrement. Tout est à recommencer. La guerre a changé de nature. Les Allemands ont été le premiers à se reconvertir en se lançant dans une production d'armes nouvelles. La guerre des mines, menée aux Éparges, à Vauquois et ailleurs, a donné des résultats décevants, aussi bien pour eux que pour nous. Mais ils ont sorti en grand nombre les *Minenwerfer*, qui ont révolutionné les conditions du combat de tranchées, autant que les grenades à main. Ils ont initié la guerre chimique, la plus terrible, avec les gaz et les lance-flammes. Sans négliger pour autant l'artillerie de campagne : si les 77, faute d'obus peut-être, se sont tus, les canons lourds maniables sortent en série de chez Krupp et accablent nos lignes.

— Nous n'avons pas de riposte appropriée, déclare Castelnau, navré. Les canons de 58, transformés en obusiers, arrivent sur le front au compte-gouttes.

— Albert Thomas y veille. Il a pris des engagements. Vous devez utiliser les pièces existantes pour former des artilleurs de tranchée. Chaque artilleur préparé doit devenir un instructeur. Vous veillerez personnellement à établir des chaînes de formation.

— Les volontaires sont rares, intervient Dubail, dont le pessimisme a le don d'impatienter Joffre.

— Nommez-les d'office ! Le front ne peut pas attendre. J'ai besoin de ménager les hommes, de constituer des réserves. Le Parlement refuse d'envisager avant octobre la levée de la classe 17.

Ni Foch, qui vient de perdre son fils, ni Castelnau, dont deux enfants sont déjà morts au combat, ne sourcillent moindrement à l'idée d'engager sur le front des gosses de dix-huit ans. Les Allemands n'ont-ils pas fait de même ?

— Si je vous ai convoqués avant les commandants des armées alliées, qui seront là demain, dit Joffre en précipitant son débit, c'est pour vous annoncer la reprise de l'offensive. Nous ne pouvons pas attendre que les Allemands en aient fini d'une manière ou d'une autre avec les Russes, pour nous tomber dessus avec cent divisions supplémentaires. L'ouverture d'un second front aux Dardanelles n'a donné aucun résultat. C'est ici qu'il faut rechercher au plus tôt la décision.

— En avons-nous les moyens ? s'inquiète Foch.

— Nous les aurons en septembre. Deux actions simultanées, l'une en Artois, l'autre en Champagne, sur des fronts larges, avec des moyens puissants. Les deux armées anglaises à 21 divisions seront renforcées et marcheront avec vous, Foch. J'ai bon espoir d'obtenir du ministre Alexandre Millerand la mise à ma disposition de pièces lourdes des forteresses qu'il tenait jusqu'ici sous sa bonne garde. Je crois pouvoir jeter dans la bataille cinq mille canons, dont deux mille lourds avec huit millions d'obus.

— La date est-elle fixée ?

— 25 septembre, après la préparation d'artillerie.

Foch insiste. Les Allemands ont lancé leur première attaque chimique contre les Français de l'Argonne. Il demande où en est la riposte française et surtout la protection. L'armée a reçu des lunettes sans masques, ou des masques sans lunettes.

— Les masques arrivent, répond Joffre nerveusement. Ils sont semblables à ceux des Allemands : un sachet à tampon de coton imprégné d'hyposulfite de soude. Les Anglais sont tous équipés. Nous fabriquons par millions nos tampons. Un simple sergent, Cambuté, vient d'inventer un nouveau masque, plus confortable. J'ajoute que les Allemands auront des surprises. Les services du professeur Weiss ont bien travaillé. Nous tournons 50 000 obus à gaz de 75.

— Les effectifs consacrés à l'offensive seront-ils suffisants ? s'inquiète Castelnau. Pétain ne veut plus attaquer sans l'assurance d'une masse de renforts immédiatement disponibles.

— Je retire Pétain à Foch et je vous le donne. Il commandera en Champagne la deuxième armée, et non plus un simple corps. C'est pour lui une promotion amplement méritée, tranche Joffre.

– Direction d'attaque ? demande Castelnau.

– Vouziers-Sedan.

Le général de Curières de Castelnau, vainqueur de la rude bataille du Grand Couronné de Nancy, se contient de son mieux. Cet objectif lui semble parfaitement irréaliste, même avec le concours de mille canons. Aussi irréaliste que la bataille de Morhange ordonnée par Joffre en août 1914, qui a causé tant de morts.

– Vous devez comprendre, ajoute Joffre, que des divisions doivent être retirées dès maintenant de vos fronts respectifs, installées à l'arrière au repos, puis mises à l'entraînement intensif. Pour tenir les lignes, je compte absolument sur mes crapouilloteurs. Ménagez-les, employez-les à l'instruction plutôt qu'au combat. Évitez les engagements. Je me rendrai moi-même en secteur pour les voir à l'œuvre. Chaque homme perdu dans les semaines qui viennent compromet l'avenir de l'offensive. J'insiste sur la formation des grenadiers et surtout des téléphonistes. Saisissez les fils dans les bureaux des PTT si vous en manquez. La liaison avec l'artillerie est essentielle. Les Allemands lui doivent leurs succès. Et vous recevrez prochainement les premiers fusils-mitrailleurs, ainsi que les nouveaux modèles de masques.

Les généraux prennent rapidement congé. Foch et Castelnau la rage au cœur : le patron s'est préoccupé de la modernisation des armes, mais il reste acquis à la vieille formule de la percée. Il est surprenant qu'en haut lieu on le laisse faire.

Dans les lignes, on ignore tout de l'holocauste programmé. Julien, rétabli de sa blessure superficielle, est sans nouvelles de son frère Jean. Il a reçu, en tout et pour tout, deux lettres depuis le début de la campagne. La première, qui venait de Villebret, lui annonçait la venue au monde de Léon II, photographié nu sur un coussin de dentelles. L'autre lettre de Marie, très angoissante, lui apprenait que Jean était porté disparu au 121e. Peut-être est-il prisonnier ? Il reste cet espoir. Quant à Raymond, ajoute Marie, il va bien. Son secteur s'est stabilisé. Il écrit souvent à Villebret pour rassurer et se réjouir de la naissance du petit Léon. Il se plaint de la lenteur et de l'irrégularité du courrier. Julien n'est donc pas le seul à en souffrir, d'autant, se dit-il qu'il change souvent d'affectation.

À peine soigné, le sous-lieutenant d'artillerie de tranchée Julien Aumoine est retiré du front de Carency, où la grande offensive de Pétain a échoué. Son colonel l'affecte sur la butte du Vauquois, dans l'Argonne, aux tranchées du 46e régiment d'infanterie de Fontaine-bleau, 10e division du général Valdant, formée en Seine-et-Marne : il doit entraîner au combat, dans les délais les plus courts, une équipe d'intervention rapide, sur un des plus mauvais secteurs de la IIIe armée du général Sarrail.

Ainsi font les crapouilloteurs d'élite, les experts en mortiers : envoyés d'un bout à l'autre de la ligne pour former les bleus. Ils sont partout les bienvenus, surtout quand ils sortent de Bleau.

Une section de Briards, tous volontaires, venus du 32e d'artillerie à cheval de Fontainebleau, accompagne Julien.

Des jeunes hâtivement formés au tir du 75, ignorant tout du canon de 58 transformé en obusier. Il est urgent de les reconvertir, de les habituer à la vie de tranchée. Julien est secondé par un margis du 32ᵉ, Serge Vaillant, sous-officier d'active de trente ans, rompu à toutes les manœuvres. Un brave qui n'a pas peur de la tranchée, encore moins de la glaise.

À la gare de Sainte-Ménehould, en lisière des bois de l'Argonne, Julien est venu prendre possession du matériel pour l'embarquer sur la remorque d'un Berliet : deux pièces de 58 sorties de l'usine avec leurs bombes à ailettes, dûment vérifiées par le méticuleux Vaillant. Les hommes chargent le tout sur des brancards.

— Plus besoin de chevaux, se réjouit Henri Delbecque, dont les parents fabriquent à longueur d'année du brie de Coulommiers. Quel soulagement. Plus de bricole, plus de pansage ni d'attelage. Vive la liberté !

René Michard, le Parisien du groupe, prend le volant du camion. Lui qui aspirait, avant la guerre, à devenir chauffeur de taxi, s'étonne qu'à l'armée le permis de conduire soit si vite empoché. C'est la direction du parc automobile qui le délivre aux chauffeurs, après un stage très court. Il n'est jamais refusé.

La forêt d'Argonne, aux sombres sapins, défile en lisière de la route, prolongée par la forêt de l'Hesse. Ils s'arrêtent dans la vallée de l'Aire pour faire de l'eau à une fontaine. Le moteur chauffe dans les montées.

— La terre est bonne par ici, dit Hervé Guitton en émiettant une motte du pré. Quel dommage qu'elle soit aussi humide. L'été, elle sèche. C'est de l'argile verte. Elle forme une croûte dure comme de l'acier, et l'herbe jaunit.

Ce fils de Breton cultivateur, émigré au début du siècle dans une ferme de la campagne provinoise, a tout juste vingt ans, comme son conscrit, Hubert Delbecque. Ces deux-là ne sont pas dépaysés dans les villages du front.

— Le secteur est si calme ! dit Delbecque. On entendrait voler les mouches. Quelle injustice, cette guerre ! Des pépères auront fait huit ou neuf mois de tranchées sans jamais voir un Boche, pendant que notre lieutenant se faisait trouer le crâne à Carency.

— Attendez de voir ! dit Julien.

À Clermont-en-Argonne, l'église a été incendiée sur son piton. Ici, le canon allemand n'a rien ménagé. Les maisons sont rasées, les habitants se sont enfuis. Il ne subsiste qu'un hôpital de campagne, rempli de blessés. Les soldats découvrent un vaste champ où des croix de bois s'alignent à perte de vue :

— Les victimes de la Santé militaire, dit Delbecque. Les majors n'ont pas eu la main heureuse.

— Il faut voir dans quel état arrivent leurs clients, explique Julien. Une fois sur deux, un blessé est un mort en sursis. On s'est beaucoup battu dans l'Argonne, au temps de Gouraud, avant qu'il ne parte en Orient.

Le camion roule sur Neuvilly, et bifurque brusquement. Julien a fait signe à Michard de s'arrêter. Les gendarmes ont barré la route.

— Bombardée par des 210, mon lieutenant, dit un brigadier en saluant. Les territoriaux réparent les trous. Passez par Aubreville, c'est plus sûr.

L'artillerie lourde allemande prend pour cible les routes de l'arrière pour empêcher la montée en ligne des renforts et du matériel. Le camion a du mal à franchir le pont de bois dressé par le génie sur la Cousances. Le poids du chargement est tel que les sapeurs redoutent de faire plier les planches et craquer les madriers. Le village en ruine est peuplé de troupes, qui bivouaquent dans les décombres. Une roulante fume sous les murs de l'église au clocher abattu.

Julien décide d'arrêter le convoi pour profiter du café chaud.

— Dernière station avant le casse-pipe, plaisante le cuisinier. Vauquois est de l'autre côté du bois. Et qui voit Vauquois perd sa foi !

— Capitaine Pionsat, première compagnie du 46e régiment d'infanterie de Fontainebleau. Heureux de vous accueillir, lieutenant. Je vous attendais. Ma tranchée aussi. Buvez un verre avec moi.

Un convoi d'ambulances chargées de blessés serpente sur la route de terre, en direction du poste d'urgence d'Aubreville.

— Le contingent du jour, dit Pionsat. Offrez un verre à vos hommes. Il faut du cran aux bleus pour s'habituer au spectacle.

Julien observe l'officier. Il a plus de cinquante ans. Un réserviste, peut-être un engagé. C'est avec lui qu'il va travailler la main dans la main : l'officier d'artillerie de tranchée doit agir en liaison étroite avec les fantassins.

Pionsat ne lui fait pas bonne impression : un ancien architecte parisien, qui semble difficilement garder son sang-froid devant les horreurs du front et l'étirement perpétuel du conflit. Ils sont nombreux aux tranchées, plus qu'on ne croit, les officiers qui perdent le moral.

— J'ai six mois de Vauquois dans les bottes, lui dit l'autre tout de go. Croyez-moi, c'est l'enfer. Respirez l'air frais des bois. Une merveille. De l'autre côté, la forêt est empestée de merde. Des milliers d'hommes y sont passés, sans avoir le temps d'y creuser des tinettes. Les cadavres et les étrons attirent les mouches. Vous ne pourrez plus respirer.

— Nous mettrons les nouveaux masques, dit Julien en souriant. La merde des *T-stoff* est autrement toxique. Ceux qui la respirent ne s'en remettent pas.

— Vous avez le modèle le plus récent?

— Il sort de l'usine.

Le capitaine ne commente pas. Les compagnies au front n'ont pas été approvisionnées. Elles n'ont pas davantage touché le casque de l'ingénieur Adrian, que Julien et ses hommes portent depuis Fontainebleau.

— Nous serons les derniers servis, à croire que Joffre nous a oubliés.

Le canon gronde au loin, de l'autre côté de la forêt.

— La salve de trois heures, dit le capitaine en regardant sa montre. Ils n'y manquent jamais. Quatre fois par jour, ils arrosent à heures régulières. Il faut rentrer, accompagnez-moi au PC du colonel.

Le camion suit le capitaine à cheval, et les artilleurs découvrent, au sommet d'une colline, la butte de Vauquois, avec son village perché. Le PC culmine au mont des Allieux, d'où l'on peut voir l'ensemble du champ de bataille.

Le colonel Lefranc, qui les reçoit, ne s'attarde pas en salamalecs. Cet officier d'active a vu mourir tous ses chefs de compagnie dans l'assaut de la butte sanglante, creusée de tranchées, percée d'abris, mangée de mines et de contre-mines comme un fromage de gruyère, autour de son village ravagé par le canon. Il était là au premier assaut d'octobre 1914, quand deux bataillons se sont fait massacrer en attaquant sans aucune protection d'artillerie. Il a protesté au QG de la division, en vain. Les nôtres n'avaient plus de canons et ils économisaient leurs munitions. Pourquoi avoir attaqué sans répit dans ces conditions ?

— À l'est de la forêt d'Argonne, explique le colonel en dépliant sa carte, Vauquois est à la fois un observatoire unique et un verrou stratégique. De la butte, on peut observer à la jumelle et bombarder la route et le chemin de fer, qui, des Islettes, conduisent à Verdun. À la fin de septembre dernier, les Allemands ont occupé la butte. Ils en ont fait une forteresse protégée par de nombreuses batteries d'artillerie lourde.

— Il était donc impossible de donner l'assaut, constate Julien.

— En cinq mois, au prix de pertes sérieuses, nous n'avons réussi qu'à leur prendre les accès au sud de la position. Du 17 février au 4 mars, nous avons lancé plusieurs attaques et perdu trois mille hommes. Les blessés n'ont pu être secourus. Les mitrailleuses, en très grand nombre, interdisaient toute approche. Ceux qui s'en sont tirés ont rampé dans un marécage de purin, mètre par mètre. Pourtant, nous nous sommes obstinément accrochés au terrain, et nous avons réussi à constituer un solide réseau de tranchées.

– Ils nous ont alors attaqués au lance-flammes, intervient le capitaine Pionsat. Les rescapés des attaques à la baïonnette ont été grillés vifs.

– Des renforts sont arrivés. Joffre nous a envoyé les sapeurs, avec un matériel considérable. Nous avons creusé des kilomètres de galeries, de puits et de rameaux. Les Allemands ont fait de même. Nous sommes le secteur le plus affecté par les tirs de mines : plus de cinq cents, dont trois cents françaises.

– Sans résultats ? interroge Julien.

– Des morts par centaines, de part et d'autre. Aucune avancée possible.

Julien observe le paysage désolé de la termitière. Les lignes sont parfois séparées seulement par un fossé profond de dix à vingt mètres, ponctué de cratères gigantesques. Les guetteurs sont soumis à une veille continuelle.

– C'est pourquoi nous avons pensé à vous, les crapouilloteurs, dit le capitaine Pionsat. Vous êtes les seuls à pouvoir nous protéger des tirs de *Minenwerfer*, qui causent chaque jour des pertes sévères.

– Je ferai de mon mieux, répond Julien. Mais avec deux pièces de 58, n'attendez pas des miracles.

La montée en ligne est un martyre pour les seize hommes de la section, qui doivent traîner les pièces et les caisses de munitions dans des boyaux larges d'à peine un mètre. Pas de relève d'infanterie, la route est libre, mais elle est longue et dangereuse.

Au départ, l'avance est assez régulière. Sur la route, les godillots résonnent. Les plus solides prennent en mains le transport des canons en se relayant tous les deux cents mètres. Ils ne peuvent tenir davantage sous la charge, d'autant que Delbecque et Guiton, pour se donner du courage, ont un peu forcé sur le vin des mercantis, au cantonnement de l'arrière.

Forts comme des Turcs, ils progressent encore bravement pendant l'étape escarpée du sentier qui serpente jusqu'à l'entrée du boyau. Au moindre faux pas, la pièce roule par terre, s'écrase sur les cailloux. Deux hommes se hâtent de la relever. Les autres posent leur sac à terre, court répit avant la reprise de la marche.

Les artilleurs, peu habitués à des efforts aussi épuisants, trébuchent sur le sol inégal du boyau, s'empêtrent dans les souches d'arbres. L'été brûlant a asséché la boue, Dieu merci ! mais les trous d'obus obstruent par endroits le boyau. Il faut avancer sur les planches disposées pour le passage des colonnes, qui ne demandent qu'à riper sous les pieds.

Un blessé surgit au débouché du boyau. Il gagne seul le poste de secours, le crâne enturbanné d'un linge sanglant. Il a reçu une balle perdue dans la tranchée. Le juteux lui a fait un pansement sommaire, grâce à sa trousse individuelle, en lui recommandant d'aller se faire piquer à l'arrière. Chacun s'écarte pour le laisser passer ou l'escorter sur quelques mètres : solidarité du front, le blessé est sacré.

Le vent rabat dans le nez des bleus l'odeur des cadavres qui n'ont pu être enterrés. Certains défaillent, s'arrêtent pour vomir tripes et boyaux. Chaque nuit, des équipes se relaient pour évacuer les morts, mais la tâche est infinie. On assure que les Allemands tirent la nuit sur les équipes protégées par des lanternes à croix rouge.

Les hommes traînent leur sac alourdi par les besoins de la campagne. À l'ordinaire, sont venus s'ajouter les vêtements chauds, les vivres, les réchauds à alcool, les tablettes de café et de chocolat. Le margis a prévenu qu'en première ligne il ne fallait pas compter sur l'intendance. Ils ont donc aussi chargé les fils de fer et piquets de bois permettant d'isoler leur position. Ceux qui portent les caisses de bombes succombent sous l'effort et doivent être remplacés souvent. Julien s'arc-boute de nouveau sur le canon, relayant Delbecque qui donne des signes de fatigue.

Partie du cantonnement à quatre heures de l'après-midi, la colonne arrive en ligne vers trois heures du matin. Personne pour l'accueillir, hormis les sentinelles et les guetteurs du parapet. Les veilleurs du 46e dorment recroquevillés dans les niches de la tranchée qu'ils ont creusées à même les parois, pour se mettre à couvert de la pluie et des éclats d'obus. Les autres se reposent dans des abris étayés de rondins. Les chefs de section sont absents, le capitaine Pionsat ne se montre pas. Les artilleurs doivent se débrouiller seuls.

À peine arrivé, Julien prend des dispositions pour enterrer ses munitions dans un abri profond, en arrière de la ligne. Le jour levé, il sera trop tard, les tirs ennemis empêcheront toute mise en place. Pour les artilleurs exténués, la pause se fait attendre : on retire sans maugréer les pelles et les pioches des sacs, afin de dégager la terre d'un nouveau boyau et approfondir une vaste fosse où seront déposées les précieuses munitions.

Rien n'est prévu pour leur abri : il faut encore creuser des cagnas derrière la tranchée Faure, à la pointe sud-est de la position française. Alors seulement, quand le jour se lève, les hommes prennent un peu de repos, en retrait des balles qui ricochent sur le parapet avec un bruit de coquilles de noisettes brisées.

Le capitaine Pionsat, le premier levé, le teint rose et l'haleine parfumée au café arrosé, exprime au sous-lieutenant Aumoine sa satisfaction. Julien, titubant de fatigue, a le visage strié de poussière et plus creusé que celui d'un homme mûr. On ne reconnaît plus son uniforme blanchi, noirci et déchiré par endroits.

– Il nous faudrait beaucoup de gens comme vous, dit Pionsat. L'artillerie de tranchée est la seule efficace, quand les positions sont trop rapprochées. Nos 75 ne peuvent donner sans risquer de tuer les nôtres, ce qu'ils ont fait trop souvent.

Julien ne peut l'entendre. Il n'a pas même la force de retirer ses bottes, il s'allonge dans sa cagna et s'endort aussitôt.

La règle est de ne pas faire donner les crapouillots tant que les marmites de l'ennemi n'arrosent pas la tranchée. Le colonel redoute la supériorité du tir ennemi. Il entend réserver les pièces de Julien à la dissuasion d'une attaque et lui recommande d'éviter toute provocation.

Les crapouilloteurs mènent donc, dans les tranchées du Vauquois, la vie des biffins. À l'aube, quand le brouillard dégage les pentes et découvre la cime des forêts, les hommes émergent de leurs trous, grattent leur crâne envahi de poux, peignent leur barbe inlassablement. Ils attendent le café, et s'engueulent pour des questions de gnôle, dont les rations sont toujours jugées trop faibles. Les artilleurs sont servis les derniers, comme des étrangers auxquels on fait l'aumône d'une distribution. Delbecque proteste, traite les biffins de péquenots, mais Julien le calme d'un geste.

— Il faut leur laisser le temps de s'habituer à nous.

Les artilleurs attirent bientôt l'attention de leurs voisins de la biffe. L'ingénieux Michard a trouvé un moyen de boire son café chaud sans risques. Il plante quatre bougies aux coins d'une boîte à sardines vide, tord une armature de fil de fer destinée à recevoir, sur un plateau, un quart de poilu ; le tout caché sous un passe-montagne, afin d'éviter à la fois les coups de vent et l'éventuel repérage de l'ennemi. L'eau finit par bouillir, on y jette le café. Une boîte de singe trouée au poinçon sert de passoire. Triomphant, René offre son café à Julien, qui y trempe seulement les lèvres.

— Il ne reste plus qu'à trouver des bougies en quantité, a-t-il le temps de commenter, tout en faisant signe au Parisien de se courber. Les balles pleuvent.

Dans les tranchées rapprochées, le tir des guetteurs ne cesse pas. Qu'ils surprennent une silhouette dans le créneau d'en face, et le fusil part tout seul. Julien entend les tireurs pester. Les Allemands emploient des balles qui transpercent les boucliers d'acier. On ne peut plus s'y fier. À l'instant, les adjudants font ouvrir de nouveaux créneaux, et boucher les anciens. Un homme vient de mourir, par ricochet d'une balle.

Les copains l'entourent aussitôt, vident ses poches au creux d'un mouchoir déplié : portefeuille sans forme, contenant quelques photos intimes et les dernières lettres de sa femme. Le capitaine enlève au soldat son collier à plaque. Les hommes pensent à leur propre famille, se rangent en file et saluent le défunt, la main au képi. Une victime de plus de l'hécatombe.

Ceux des créneaux tirent pour le venger. Chacun prend son poste et ajuste son Lebel. Le capitaine sort de son abri. Est-ce le début d'une attaque? Pas de tir d'artillerie, un simple échange de balles, dû à la nervosité. Il commande l'arrêt du feu. Le silence retombe. Il faut évacuer deux blessés. L'un, touché à l'épaule, peut gagner à pied le poste de secours. L'autre, la jambe en charpie, doit être transporté par deux camarades.

Le colonel Lefranc se présente à la tranchée pour juger de l'état des pertes. Son régiment n'a pas été réellement reconstitué depuis les grandes batailles meurtrières de février-mars. On a nommé des juteux chefs de sections, envoyé les plus courageux au stage de trois semaines à l'arrière, organisé désormais pour former rapidement des caporaux et des sergents. Le renfort des Bretons n'a pas rendu à la troupe son énergie, après les pertes quotidiennes enregistrées sur ce front.

Le colonel s'inquiète. La tranchée est trop vulnérable. Il donne des ordres pour qu'on approfondisse le fossé, que les parois soient tracées à angle droit, et que des madriers protègent les accès aux abris. Il prend à témoin les adjudants de l'excellent travail des artilleurs qui ont su, en une nuit, abriter convenablement leurs pièces, leurs munitions, et se creuser des cagnas à l'épreuve du feu. Éloge qui donne aux biffins l'occasion de détester un peu plus les nouveaux venus.

Julien n'ose demander au colonel Lefranc l'autorisation d'essayer son matériel, afin de répliquer à l'ennemi par un feu nourri. Il se présente, un peu plus tard, au PC du capitaine Pionsat, qu'il estime plus accommodant. Une toile de tente masque la descente vers l'abri par un escalier de rondins. Le toit est recouvert de madriers. Des places séparent en deux le petit espace. L'officier peut s'isoler dans son coin, disposer d'un lit de camp et d'un petit réchaud à alcool.

Les sergents-majors et le fourrier occupent l'autre côté de l'abri. Assis sur des troncs coupés, un carton sur les genoux, ils remplissent des questionnaires pour la division, toujours demandeuse d'états détaillés des effectifs, des réserves en pelles, pioches, eau de Javel, hyposulfite contre les gaz, munitions diverses. On insiste sur l'installation de feuillées dans des boyaux perdus. Il faut répondre au général de division point par point, et rédiger, de plus, le journal de la compagnie.

— Faut-il répliquer à la bombe ? demande Julien à l'officier, que la mitraille vient de tirer de son sommeil.

— Gardez-vous en bien. Ils se calmeront tout seuls. Il me semble qu'ils ont déjà compris. Ils doivent avoir au moins autant de pertes que nous. Ils ont été bien arrosés. Voyez plutôt votre courrier. C'est l'heure du vaguemestre.

Julien hausse les épaules. Il est depuis trop peu de temps en position pour que les lettres suivent. Il ne veut pas se joindre au cortège des déçus qui rentrent dans leur trou les épaules basses, faute d'avoir participé de la distribution. Il se surprend à penser à Gabrielle : aurait-elle eu la bonne idée de lui écrire ? Comment en trouverait-elle le temps, prise dans le tourbillon de ses soirées parisiennes ?

— Il faut que je vous raconte Vauquois, dit le capitaine Pionsat à Julien, qu'il invite à passer la soirée dans son abri. Vos hommes doivent trouver les biffins d'ici bien mal embouchés. Moi-même, je ne suis pas un officier très conforme au modèle courant. Vous me voyez plus en salopette qu'en uniforme. Mais dites-vous bien que nous avons pris dans la gueule un tel paquet de malheurs que les caractères se sont aigris. Pour les hommes de cette tranchée, il y a ceux de Vauquois, et les autres. Pendant que le front était tranquille à Verdun et que les soldats de Reims pêchaient à la ligne dans le canal, les nôtres sont morts comme des mouches pour reprendre cette maudite butte. Tous leurs copains y sont passés.

— Durant l'attaque de mars, quand vous avez pris les ruines du village ?

— Tout juste. Mais Vauquois n'est pas un massacre comme les autres. On mourait aussi bien à la bataille de Morhange ou à Charleroi pendant l'été 14.

— J'allais vous le dire.

— Ici s'inscrit, comme sur un tableau noir, l'absurdité de la guerre. Pour prendre une butte, on l'écrase, on l'éventre, on détruit tout ce qu'elle porte, village, église, cimetière, tout est rasé. Soit ! Admettons que la table rase soit essentielle au réglage du tir des artilleurs. On tente une fois, puis dix, vingt fois l'assaut de la même butte que l'ennemi a creusée comme un gruyère pour s'y enfouir et laisser passer l'orage. On y laisse tellement de morts que la terre alentour ne suffit pas à les recouvrir. Pour reprendre ce maudit piton que les nôtres ont abandonné faute de combattants, le canon retourne ce magma, expulse à vingt mètres les cadavres du cimetière et les morts récents du ravin. Sur les branches des arbres, les cervelles s'écrasent, les membres s'accrochent, pendant que les balles ne cessent de tomber, comme pleuvent les noix qu'on gaule à l'automne. Puis les obus hachent encore ces restes sanglants, les labourent inlassablement jusqu'à les réduire en bouillie.

— Combien sont revenus? dit Julien, impressionné.

— Quand je suis monté au début de mars, j'étais adjudant. Je suis rentré capitaine. Tous les autres officiers étaient morts. Deux régiments presque entièrement exterminés au premier assaut, et les renforts de même.

— Les mitrailleuses?

— Le canon, surtout. Les nôtres ne soutenaient pas. On comptait sur l'infanterie, comme toujours. On nous a gâtés. Un bidon de gnôle pour quatre. N'oubliez pas la gnôle! disait le général. Un bidon de vin chacun, et 250 cartouches pour grimper la pente! Pas d'ordre d'attaque précis. Grimper, grimper, sans se retourner. On marche sur les corps des camarades. À minuit, de nouveau l'attaque. Le commandant m'ordonne de rallier la compagnie autour de l'église... «Plus d'église, lui dis-je, elle est rasée. Où sont les Allemands?» On tire au hasard. Pas la moindre maison, des tas de briques, des cailloux. J'ai failli tomber dans un puits. Et les *Minen* qui nous assomment. Rien pour riposter. Moulec, un géant breton, bloquait les grenades dans ses pognes à leur arrivée, avant qu'elles n'éclatent, et les relançait chez l'ennemi. Il l'a fait une fois, deux fois, la troisième l'a déchiqueté. Nous nous servions des cadavres comme abris, nous construisions une tranchée de morts.

— Combien êtes-vous alors?

— Une vingtaine à la section qui s'accroche au terrain, faute de pouvoir bouger. Les obus explosent sur chaque mètre, en commençant par le bas de la pente. Ils remontent, méthodiques, jusqu'au sommet de la butte. Je plonge, avec les miens, dans un boyau du ravin. Nous sommes comme des lapins au terrier, affolés par la chasse. Plus des hommes : des bêtes traquées. Nous en sommes sûrs : pas un ne reviendra vivant. Peur de la mort? Pas le temps. Réflexe de survie plutôt, le bras autour de la tête pour la protéger, les épaules qui plongent dans le magma des corps disloqués, pour s'y faire un trou.

— Les pertes?

— Les deux tiers, tu entends? Des régiments massacrés, sur un espace si restreint qu'il est saturé, pourri de cadavres. Nulle part, on n'a traité les hommes comme à Vauquois. Les généraux allemands et français qui observaient, du haut de leurs buttes, saluaient le courage des attaquants, baïonnettes droit devant sous le canon, les mitrailleuses et les marmites. On a pris Vauquois. Ils ont contre-attaqué. On en a gardé la moitié. De nouveau les *Minen*, puis les lance-flammes. On a dû se contenter de la pente.

— Les renforts sont alors arrivés pour la reprendre, suppose Julien.

— Sans aucun doute. C'est pourquoi les hommes vous font la gueule. Votre zèle les énerve, votre bonne santé les irrite.

— Je reviens de l'Ourcq et de Carency…

— Je sais bien. Mais Vauquois, c'est Vauquois. La butte de la mort. Vous aussi, jeune homme, vous êtes ici pour mourir. Je ne connais pas un général qui ait renoncé à prendre Vauquois. C'est la butte-témoin.

Depuis le début du mois de juillet, le *Kronprinz* impérial a décidé d'en finir. Dans son uniforme de hussard de la mort, dolman noir à brandebourgs blancs, il a visité les lignes allemandes de sa V^e armée, qui tiennent le haut de la butte, afin de soutenir le moral des troupes. De son côté, Joffre se déplace en personne pour conforter les survivants de la 10e division et remettre la nouvelle croix de guerre aux soldats les plus méritants.

Les hommes de parade portent enfin le casque Adrian, et, pour la circonstance, le nouvel uniforme bleu horizon. Mais ils n'ont pas rasé leur barbe. Julien et sa section, au garde-à-vous à la droite de la compagnie d'honneur du 46e régiment, ont conservé les insignes et les parements de l'artillerie, complétés par le badge des «bombardiers». Le capitaine Pionsat a troqué sa salopette contre un uniforme irréprochable, dont le collet le serre abominablement. Il attend, comme sa compagnie, depuis une heure, et transpire sous son casque.

La cérémonie a lieu le 10 juillet, après midi, dans une clairière de la forêt de Hesse, en face du Mamelon blanc que bombarde, d'heure en heure, le canon allemand. Deux voitures grises arrivent sans escorte. De la première, au-dessus de laquelle flotte un fanion cravaté de blanc, descend avec peine un homme lourd, épaisses moustaches blanches et teint frais sous un képi galonné et orné de feuilles de chêne. Bottes noires, cottes d'artilleur, vareuse bleu horizon contenant à grand-peine un estomac proéminent. Les mains derrière le dos, il avance à pas lents, boudiné dans sa veste, seulement décorée de la médaille militaire que lui a remise Raymond Poincaré le 26 novembre.

– Un bourgeois, un notaire, se dit Julien qui n'imaginait pas la corpulence de Joffre, ni son allure tranquille et presque débonnaire.

Le commandant en chef passe sans un regard pour le général Valdant, ni pour le colonel Lefranc. Il se précipite sur les artilleurs, reconnaît l'insigne des bombardiers, fixe Julien de ses yeux myosotis et lui serre la main sans un mot, d'un geste appuyé, comme pour dire : « Je compte sur vous. » Étonné par la jeunesse des bleus, il les dévisage longuement. Sans doute regrette-t-il que les tranchées du 46e n'aient qu'une section de crapouillots.

Il se retourne vers Pionsat. À la surprise générale, et d'abord de l'intéressé, c'est lui qu'il vient décorer de la Légion d'honneur. Julien apprend ainsi que l'architecte est un engagé volontaire, qu'il a conquis tous ses galons au feu, et que Joffre récompense en lui le seul officier du 46e ayant survécu aux batailles de Vauquois. Le capitaine en pleure sous son casque, plus ému par le souvenir des copains morts que par cette célébration de son propre mérite. Y en avait-il à survivre, quand tous tombaient autour de lui ?

Joffre est déjà reparti. Pas loin. Il est venu pour demander des explications au général Valdant et au colonel Lefranc. Il veut comprendre pourquoi la butte de Vauquois est imprenable. On le conduit à l'observatoire du Mamelon blanc, dont l'accès passe par la ferme de la Cigalerie. Le général en chef courbe la tête instinctivement, comme un simple poilu, quand un gros noir vrombit à cinquante mètres.

Il veut savoir, il saura. Il est blanc de terre quand, de tranchée en boyau, il gagne enfin le Mamelon d'où l'on peut observer les lignes de l'ennemi.

— Attention au créneau, mon général, prévient Valdant. Ils tirent juste! Maunoury y a perdu un œil.

— Où est leur canon? s'enquiert Joffre.

— Loin. À dix kilomètres sur Montfaucon. Des batteries lourdes. Où sont les nôtres? risque Valdant, une pointe de reproche dans sa question.

Joffre ne répond pas, absorbé dans l'examen minutieux de la ligne boche, dont on aperçoit fort bien les levées de parapets des tranchées ramifiées à l'extrême. Il repose ses jumelles et triture pensivement sa moustache de phoque. Il sait que les seuls 155 ou 105 dont il dispose ont été employés dans l'Artois, et qu'il n'a pas de réserve pour ce front de Vauquois. Il a vu la pente qui grimpe au village, sur laquelle l'infanterie s'est fait massacrer pendant l'assaut. Aucune troupe n'aurait pu tenir sur cette butte ouverte à tous les tirs des batteries lourdes allemandes.

— Ménagez votre infanterie, dit-il à Valdant, elle a eu trop de pertes. Restez dans vos trous, sans chercher à repartir. Mais améliorez vos tranchées. Elles sont négligées.

Le général Valdant ne le sait que trop : chaque secteur

a ses servitudes. La ligne inégale et discontinue qui zigzague depuis les sables des Flandres jusqu'au grès des Vosges est loin de ressembler à un boulevard bétonné.

– Ici, lui a dit un jour un capitaine, on ne peut creuser à volonté. Le sol est plein des restes de nos camarades.

Valdant a dû se contenter de fossés sans angles nets, de parapets branlants. Les avancées en barbelés sont insuffisantes. Impossible de construire des abris corrects pour les hommes. Les ouvrages de résistance et de flanquement, véritables fortins garnis de mitrailleuses et désormais de crapouillots, devraient être encore renforcés. Ils restent à la merci d'un bombardement.

Le général commandant la 10ᵉ division connaît d'avance les reproches que pourrait formuler Joffre, cet ancien officier du génie, spécialiste des fortifications. À force de conduire des attaques sur les tranchées de l'ennemi, la ligne s'est fragmentée, hérissée de multiples boyaux parallèles, en un fouillis inextricable. Il est vrai que les mêmes désordres règnent chez les Allemands.

Joffre insiste pour qu'on améliore très vite les positions, soucieux que les artilleurs y soient en sécurité.

– Gardez en vie les gens des crapouillots. Vous n'en avez aujourd'hui qu'une poignée. Veillez-les comme le lait sur le feu. J'en veux demain dix mille, cent mille, avec des 58 tout le long des lignes. Ils sont l'avenir de la guerre, la condition de la victoire, dit-il en remontant dans sa voiture grise pour rentrer à Chantilly.

À la tranchée, la compagnie d'honneur est déjà de retour, après la corvée de la visite du général en chef. Les hommes ont hâte de changer leurs beaux vêtements neufs pour retrouver les pantalons de velours informes et sans couleur qui ont fini par remplacer les pantalons rouges de la Marne. À l'aise dans leurs vieilles vareuses sans boutons et les godillots faits à leurs pieds, ils recoiffent vite le casque en acier pour se protéger le crâne.

Julien est gâté pour son arrivée en ligne : à peine a-t-il eu le temps d'organiser solidement sa position que, dans la nuit du 13 au 14 juillet, les Allemands attaquent.

Ils commencent par un tir dense de *Minen.* Depuis mars, les biffins connaissent ces torpilles qui grimpent à cent mètres et culbutent brusquement pour s'abattre dans un sifflement violent. Elles sautent comme des mines, dégageant des cratères.

— Nous avons renoncé à crapouilloter avec des boîtes de conserve, dit à Julien le capitaine Pionsat. Les hommes les bricolaient comme des forcenés... Ils voulaient répondre au mal par le mal, balancer des clous, des morceaux de verre, des billes d'acier, tout ce qui leur tombait sous la main. Leurs engins leur pétaient à la gueule.

— Laissez-moi répondre à leur tir, dit Julien.

Il court d'un canon à l'autre, emmanchant lui-même les bombes dans l'âme des 58. Les coups partent, et portent. Les Allemands, surpris de la réplique, se taisent progressivement.

— Ils enterrent les *Minenwerfer,* observe Julien. Leurs bouches ne sortent que pour tonner. Impossible de les avoir au gîte.

Aidé par la section, il déplace les deux pièces sur des brancards, les change de position et reprend son tir sur la tranchée ennemie, où l'assaut se prépare. Des geysers de pierres et de poussière. C'est au tour des Allemands de trinquer. Ils sont massacrés dans les parallèles d'attaque. Les postes de mitrailleurs leur interdisent toute sortie.

Julien poursuit ses tirs jusqu'à épuisement de ses munitions. La tranchée de la première ligne allemande est à moins de cinquante mètres, il a les moyens de la retourner de fond en comble, de la labourer par le feu de ses bombes de dix-huit kilos. Il s'en donne à cœur joie.

Mais l'ennemi riposte. Au canon d'abord, qui complète l'œuvre des *Minen* et amplifie les destructions dans la ligne française par une pluie de milliers d'obus. Au tour de l'infanterie française d'être accablée. Les grenadiers ont beau faire le gros dos, ils sautent avec leurs réserves de grenades, dispersées au vent, et les hommes massés dans la tranchée de départ, qui préparaient déjà les échelles pour grimper à l'ennemi, sont anéantis. Les membres épars des soldats virevoltent, giclent sur les arbres, éclaboussent les survivants de sang, de cervelle, de lambeaux de viscères.

Les plus chanceux ont été plaqués à terre par le souffle des projectiles. Couverts de débris, ils s'ébrouent, se redressent, attrapent leur Lebel et tirent comme des fous par les créneaux, contre un ennemi qui n'apparaît pas encore. À quelques mètres de Julien a atterri un corps aux vêtements arrachés. La tête est là, mais les quatre membres ont disparu. Un fantassin sort son Opinel pour récupérer une miche de pain, maculée de débris de chair humaine.

– C'est moche quand même comme dîner, lâche-t-il entre ses dents.

Impossible de dégager les cadavres. Le bombardement s'est tu : il faut attendre l'assaut. Les Boches vont surgir, baïonnette au canon. Ils reprennent les tirs de *Minen*, lancent des torpilles qui retombent bruyamment dans la tranchée. Mais les Français grenadent ferme, leurs tirs de 75 aboient comme des chiens de garde. L'ennemi semble renoncer à l'attaque.

– C'est le moment, dit le capitaine Pionsat, revolver au poing. À moi, les hommes !

Il a déjà le pied sur la première marche de l'échelle. Julien ne reconnaît pas le pacifique compagnon de veillée, l'architecte au doux regard nostalgique. Le visage est crispé, les yeux exorbités. Il tire en l'air pour entraîner à sa suite les Briards du 46ᵉ, les Bretons agiles, les Parisiens déchaînés. Tous se ruent par bonds d'un trou d'obus à l'autre en poussant des cris effrayants. Leurs grenades fusent sur la tranchée allemande. Les biffins sautent, baïonnette en avant. Tac-tac d'une mitrailleuse, cris de blessés, explosions en chaîne. La mitrailleuse se tait, la tranchée est prise.

Julien, impuissant, ne peut tirer. Le combat est trop rapproché. Un blessé rampe vers lui, demande de l'aide. Il saute sur le parapet pour tirer l'homme à l'intérieur de la tranchée.

– Le capitaine ! souffle le blessé en désignant la ligne allemande. Il est mort !

Julien bondit, suivi par Hervé Guiton, une grenade à la main. Dans la tranchée boche, que les biffins consolident déjà en ouvrant des meurtrières protégées par des sacs de sable, il aperçoit tout de suite le cadavre du capitaine Pionsat. Il gît, revolver au poing, képi déchiré à terre.

Julien et Hervé soulèvent ensemble son grand corps intact. Il a de la chance, le capitaine, il a gardé forme humaine. On pourra l'exposer dans un cercueil. Un beau mort ! Julien s'apprête à hisser le corps sur le parapet.

– Attendez un peu, dit un adjudant. Vous allez vous faire tuer. La première ligne ennemie est prise. Il faut la relier à la nôtre. Nous creusons le boyau de raccordement. Vous passerez sans risque.

Ainsi, la dépouille du capitaine Pionsat, héros de Vauquois, est-elle ensevelie dignement sur la butte, au milieu de tant d'autres, à l'arrière des lignes françaises, sous une pluie d'orage, au soir du 14 juillet.

Est-ce la conséquence de la visite de Joffre ? Les bombardiers sont retirés du front du 64e régiment et cantonnés à Esnes, en Argonne, non loin de Verdun et surtout de Dombasle, où Julien a fait son premier stage de tir au mortier avec le capitaine René Marchand.

Il retrouve avec émotion son ancien chef lors d'une démonstration de tir à cinq cents mètres d'une batterie de six mortiers de 58 devant le général Muteau, commandant le corps d'armée. Il démontre au général que la pièce de 47 qu'on lui fait expérimenter n'est pas fiable. Sur six coups, cinq éclatements prématurés. Mieux vaut s'en tenir au canon de 58, plus sûr.

– Vous avez fait le bon choix, le félicite Marchand après l'exercice. L'état-major m'envoie en permanence des artilleurs à former. La préparation de Bleau est désormais axée sur le mortier et les canons lourds, non plus exclusivement sur le 75. Vous avez eu raison de partir le premier. Je vois qu'on vous en a su gré, dit-il en désignant les galons de sous-lieutenant fraîchement cousus sur la nouvelle tenue bleu horizon. Ce soir, vous êtes mon invité. Concert de gala à Verdun. Vous y verrez Frémont, Fontanet, les artistes parisiens, peut-être quelque actrice, et même le clown Zitty. Nous dînerons au Coq Hardi. Cela vous changera des boîtes de singe.

Heureux d'échapper au front, Julien prend à la gare d'Esne le train de Verdun, débarque dans la petite station aux voies courbes et longées de plateformes portant des pièces d'artillerie lourde.

— Des renforts ? demande-t-il au chauffeur du capitaine Marchand qui l'attend à la gare.

— Non pas. Les ordres de Joffre sont de démanteler les places fortes de la région fortifiée de Verdun. On enlève les vieux Debange pour les recycler et les transformer en pièces lourdes de campagne. Pas besoin de canons à Verdun, c'est un secteur calme !

L'esplanade est encombrée de voitures civiles, où prennent place des élégantes pour déjeuner avant le concert. Julien croit reconnaître la silhouette de Gabrielle, mais l'auto disparaît très vite quand il s'approche. Il s'en veut de ce mouvement irraisonné. Pourquoi la «première» de chez Patou suivrait-elle une tournée de music-hall à Verdun ?

Son premier souci est de se rendre dans la rue Saint-Paul pour trouver un coiffeur. Il doit attendre longtemps. En service à la Territoriale, le patron exerce à ses heures libres et, devant l'affluence des heureux permissionnaires de Verdun, a dû s'adjoindre deux retraités qui s'appliquent à raser parfaitement les poilus.

Le premier garçon fait *le passage*, coiffe et rase les officiers en mission, tel Julien. L'autre a ses habitués de l'hôpital, ceux qui ont retrouvé assez de forces pour sortir en ville. On ne reconnaît pas les visages des clients, recouverts de mousse. Ceux qui ont échappé à la mort se délectent de voir tomber à terre leur barbe sale de poilu. Julien, qui parcourt des yeux les pages de l'*Illustration,* sursaute à la vue du client qui l'a précédé. L'homme rasé de frais est un officier. Il a le bras soutenu par une écharpe et s'aide d'une béquille pour marcher.

— À vous revoir, lieutenant Genevoix !

Sous le képi du 106ᵉ, Julien a juste eu le temps d'apercevoir le visage attentif, égayé d'un sourire discret, de l'officier blessé.

— Il est en soin à l'hôpital depuis près de trois mois, raconte le coiffeur. Trois balles au bras, une à la poitrine. C'est la deuxième fois qu'il trouve la force de venir se faire raser à l'extérieur. Il étouffe à l'hosto, il veut repartir. Il a un courage formidable. Mais je crois qu'ils vont l'évacuer vers l'arrière. Ses blessures sont trop graves, trop lentes à guérir.

Le territorial en blouse blanche est la gazette de l'arrière. Ponctué du cliquetis de ses ciseaux, son récit s'enrichit d'un grand luxe de détails lorsqu'il évoque les tournées des comédiens de Paris dans les villes du front.

— J'ai porté moi-même, en personne, moi qui vous parle, avec mon collègue Lebranchu, le fauteuil à brancard de madame Bernhardt. Elle a perdu une jambe, et ses soixante et onze ans la font souffrir.

— Qui attendez-vous ce soir ?

— Dumény, l'étoile de l'Odéon. Il sort d'ici. Je lui ai fignolé ses moustaches. C'est un des plus demandés du théâtre aux armées, naturellement après Sarah Bernhardt et la belle Dussane, de la Comédie française. Cette dernière sera là ce soir, en grands tralalas. Elle est si coquette qu'elle exige sa maquilleuse personnelle et sa couturière. Mais les poilus lui préfèrent Gabaroche et ses chansons de tourlourou.

« *Au tourlourou, c'est le nom du cabaret*! » fredonne le territorial.

– Que me chantez-vous là?

– Un artilleur? Vous ne la connaissez pas? Louis Bousquet l'a chantée pour la première fois devant le 12ᵉ d'artillerie à Fontenay-sous-Bois! Il me l'a dit assez souvent! Et Bach, notre grand Bach, l'a reprise à l'Eldorado. Sans grand succès, avant la guerre. Mais aujourd'hui, elle fait fureur, notre *Madelon*!

Les soldats sont en képi, au premier rang près de l'orchestre, dont le piano est aux mains d'un prix de Conservatoire mobilisé. La salle est pleine. Les familles de Verdun ont eu du mal à trouver une place dans les balcons, où trône, dans sa loge décrépie, l'avantageux maire de la ville, entouré de ses invités parisiens lesquels accompagnent les vedettes. La loge voisine est occupée par le général Sarrail, qui commande encore la IIIᵉ armée de Verdun, venu avec plusieurs officiers de son état-major. Les poilus installés dans les rangs d'orchestre, et pour la plupart triés sur le volet, arborent au moins la croix de guerre et quelquefois la médaille militaire.

La voix vibrante de la Dussane récitant un long

poème de Charles Péguy sur les morts de l'été 14 arrache des larmes aux plus endurcis. Julien songe à son frère Léon, à ses camarades tués dans la cagna. Le capitaine Marchand respecte son émotion, comprend qu'il ne peut partager la joie bruyante et expansive des poilus qui bissent avec frénésie les couplets de tourlourous. Le soldat Aumoine a trop de souvenirs douloureux. Rien ne peut le dérider.

— Accompagnez-moi dans les loges, lui dit-il à l'entracte. Venez féliciter Madame Dussane. C'est la meilleure actrice du Français. Sa diction est inimitable.

Marchand a ses entrées dans la place. Une ouvreuse, à qui il glisse un billet, le conduit à travers un dédale de couloirs encombrés des malles d'osier de la tournée, jusqu'à une loge où la maquilleuse s'emploie à raviver de fond de teint et de rouge le visage exténué de la comédienne. Dans le grand miroir violemment éclairé d'une double rangée d'ampoules, la vedette reconnaît le capitaine.

— René! Vous ici!

— Toujours à vos pieds pour vous présenter mes hommages admiratifs et empressés, lance-t-il du ton ampoulé d'un mondain en habit.

Rose de plaisir, l'actrice accepte le baisemain appuyé. Elle se souvient des grandes soirées d'avant-guerre, quand le jeune polytechnicien, fils d'un riche antiquaire, fleurissait sa loge d'orchidées.

Julien devine une intimité qu'il hésite à troubler, et s'éloigne vers le fond de la loge, où une jeune femme élégante sort d'une malle une tenue de scène qu'elle s'emploie à défroisser.

– Gabrielle!

À peine l'a-t-elle reconnu qu'elle lui ouvre les bras.

– Julien! Je vous croyais blessé ou disparu. Je vous ai si souvent écrit! Mes lettres m'ont été retournées, sans explication, sans commentaire, comme si l'armée vous ignorait. Quelle joie de vous revoir!

Depuis qu'il baroude de secteur en secteur, de poste de secours en poste avancé, il pense à elle. Il se croyait oublié, le vaguemestre ne lui délivrant jamais de ces lettres parfumées, rédigées d'une écriture fine, que recevaient certains de ses camarades. Et voici qu'elle l'appelle par son prénom. Elle lui a gardé un petit coin de son cœur.

– Eh bien Gaby, ma robe! s'impatiente la Dussane, qui traite la «première» comme une habilleuse.

Gabrielle s'éloigne à regret.

– Venez, dit Marchand à Julien. La sonnerie de reprise ne va pas tarder. Nous nous retrouverons tous ce soir au Coq Hardi.

Julien trépigne d'impatience. Les couplets de *La Madelon*, qui clôture la soirée, lui paraissent interminables. Il faut encore laisser passer le cortège du général Sarrail et du maire, puis la foule des poilus de l'orchestre, avant de respirer enfin l'air vif de la nuit et de gagner à pied, par les rues obscures, le restaurant tout proche, dont les fenêtres sont protégées de volets épais, même si le canon ne tonne que rarement sur Verdun. À sa grande surprise, le général n'est pas prévu au repas. Il est reparti au mess de la citadelle avec sa suite, pour y manger, comme chaque soir, le brouet du soldat. Julien s'en étonne. Le capitaine Marchand précise :

– Sarrail a fait plus que son devoir quand tout bougeait sur le front de Verdun, non sans s'attirer l'inimitié de Chantilly, alors que Joffre et lui sont du même bord. Sarrail doit se garder en permanence. Ses moindres faits et gestes sont rapportés au quartier général par les émissaires de Joffre, acharnés à sa perte. Il ne s'affiche jamais en ville. Le bruit court qu'il recevrait bientôt un nouveau commandement, loin de France, en Orient.

Julien a entendu parler de ces poilus volontaires pour aller combattre à Salonique. Il y aurait, s'il en croit Marie, sa mère, des Montluçonnais parmi eux. Un tel désir d'échapper à la boue du front lui semble une désertion. C'est ici qu'il faut combattre pour arracher aux Allemands le sol de la patrie. Les gens du Nord le savent, tout comme les Lorrains, les Ardennais et les Picards.

La table d'hôtes, dressée au restaurant, est décorée de serviettes immaculées, plantées sur les assiettes comme des bonnets d'âne. Le capitaine fait signe à Julien :

– Je crois que vous êtes attendu.

Près d'une table isolée, rehaussée d'un bouquet de pivoines, le maître d'hôtel fait signe au sous-lieutenant d'approcher. Après que la délégation du maire, derrière Madame Dussane, a pris place autour de la grande table, une jeune femme d'une élégance discrète s'en détache pour rejoindre Julien.

– Nous serons mieux seuls, lui dit-elle. J'ai tant de bonheur à vous revoir.

Dans l'immense pièce aux murs recouverts de boiseries, réchauffée par une cheminée de pierre de château médiéval, Julien contemple enfin, à la lueur des bougies, les yeux vert de jade de Gabrielle, ses lèvres délicatement ourlées et soulignées de rose pâle. Ainsi restait-il en arrêt, à l'église Saint-Pierre de Montluçon, devant le visage parfait de Marie-Madeleine, une dame du temps jadis. Mais la statue, cette fois, s'anime. Elle parle, lui parle. Ces sourires et ces inflexions tendres de la voix, la douceur de cette main fine, ornée d'une discrète améthyste, qui se pose par instants sur la sienne, tout est pour lui.

Julien n'ose croire à sa félicité. Ses angoisses passées le hantent, et la joie de revoir Gabrielle, si heureuse de leur simple tête-à-tête, si proche de lui dans cette salle bruyante, lui semble irréelle, inexplicable. Il revoit la « première » courtisée par de beaux officiers, amie de la très légère Henriette, si adroite à retenir l'attention des aviateurs alliés.

Gabrielle dissipe d'un sourire ce brouillard de pensées troubles.

— Je ne m'appartiens plus depuis que je vous ai quitté, lui dit-elle. La Dussane est venue commander vingt ensembles de scène chez Patou. Elle partait en tournée sur le front. Elle n'a confiance qu'en moi. J'ai reçu la charge de lui présenter les nouveaux modèles, de les adapter à son goût. Elle a exigé qu'on me détache auprès d'elle, que je la suive de ville en ville, d'un secteur à l'autre. Je vous ai cherché partout. Je me souvenais du numéro de votre régiment et je n'ai cessé de demander des nouvelles du 5e d'artillerie. J'ai même rencontré, dans une de nos soirées, son colonel. Il m'a juré qu'il ignorait votre affectation spéciale, qui ne dépendait plus de lui.

Julien regarde la jeune femme avec tendresse. Il se souvient d'avoir écrit au moins dix lettres à l'adresse du boulevard de la Chapelle. Autant de bouteilles à la mer, aucune n'avait reçu de réponse. Il n'ose lui en faire reproche.

Elle ouvre son sac de taffetas noir, orné d'une boucle d'argent. Ses lettres sont là, reliées par une faveur rose. Les enveloppes jaunies ont été ouvertes cent fois.

— Voici celles que je vous ai écrites, et qui m'ont été retournées, mon petit lieutenant, dit-elle en lui tendant une autre liasse qu'il serre aussitôt sur son cœur.

Il lui prend les mains et les baise avec dévotion, n'osant toujours pas donner libre cours à son bonheur.

— Vos lettres sont d'un chevalier, d'une eau pure et bouillonnante, l'eau d'un amour de source. Je suis si heureuse, Julien, d'être la dame de vos pensées. Je ne croyais pas être capable d'un grand amour, ni même d'inspirer de l'amour. Et puis vous êtes venu.

Il ignore comment, sortant des lèvres de sa belle, les mots peuvent prendre une telle force d'expression. Pour sa part, il est incapable de répondre. S'il sait écrire, avec son cœur, des lettres enflammées, ici sa gorge se noue. Trop d'émotion, de pudeur peut-être, l'empêche de prononcer la moindre parole.

À quoi bon parler, d'ailleurs? Il serre la main blanche de Gabrielle. Il la baise mille fois.

— Je vous aime, lui dit-il, et n'aimerai jamais que vous. Vous êtes de retour, après une aussi longue attente. Je maudis la guerre qui nous éloigne l'un de l'autre.

— Nous sommes ensemble, lui répond la jeune femme d'un ton ferme et convaincant, à quoi bon penser à demain ? Je sens se lever entre nous un sentiment fort, comme un vent puissant que rien ne peut retenir.

— C'est vrai, dit Julien, j'emporte avec moi, depuis que je vous ai vue pour la première fois, le souvenir ardent de votre présence.

— Vous voyez bien que rien ne peut nous séparer. Je vous ai retrouvé par hasard, dans cette ville sombre. Un signe du ciel. La guerre aura une fin et vous en sortirez vainqueur, comme saint Michel.

— Gabrielle !

Elle reconnaît la voix impatiente de la Dussane. La comédienne veut rentrer. Cette soirée l'ennuie. Le maire de Verdun l'assomme. Le général du groupe d'armée Dubail, fort apprécié dans la capitale, l'attend le lendemain dans une autre ville, devant un public de deux mille soldats. Elle partirait sur-le-champ, si elle le pouvait.

Elle cherche Gabrielle des yeux, la découvre en galante compagnie au fond du restaurant, et s'éloigne sans insister. La Dussane n'est plus une jeunesse, mais elle comprend l'amour.

L'immense salle est vide, le feu couve sous la cendre de la cheminée quand Julien et Gabrielle, la main dans la main, marchent ensemble vers leur lit de noces.

Sur la côte 304 qui domine la cuvette de Verdun et la boucle de la Meuse, Julien repère la position des mortiers qu'il s'apprête à installer avant la visite du général.

L'ennemi est derrière la forêt, au-delà du bois des Caures. Le front est tranquille, aucune salve d'artillerie ne trouble le ciel déjà bleu.

Julien vient d'être choisi pour commander la batterie de bombardiers organisée à l'échelon du corps d'armée de Verdun. Seize chariots de parc ont rejoint le convoi des pièces, en vue d'une installation complète des six obusiers de 58 de tranchée. Il a dû organiser les différentes sections chargées des munitions, des transports, des travaux de terrassement, des liaisons. Il est en mesure de présenter à ses chefs une installation prête à entrer en action.

Le général est satisfait de l'inspection. Il décide que la batterie sera divisée en deux. L'aspirant Bloch, formé hâtivement par Julien, son cadet sorti de Bleau, sera chargé de parfaire l'entraînement des volontaires, pour que chacun d'entre eux devienne à son tour instructeur et prenne en charge, avec de nouveaux artilleurs, les canons de 58 livrés au front et transformés en obusiers. Quant aux trois pièces de Julien, elles entreront immédiatement en action dans le secteur de Montzéville, entre le Mort Homme au nord et Bois Bourru à l'est, où le renseignement laisse prévoir un coup de torchon.

Le 16 juillet au matin, dans le bois de Montzéville, les Français décident de prendre les devants. L'infanterie a gagné les parallèles de départ. Il s'agit de donner un coup de poing dans la termitière, pour faire fuir en désordre les *Feldgrau* avant qu'ils ne soient prêts pour l'assaut.

Julien commence le tir de ses trois mortiers. Une batterie de 155 court, toute neuve sortie des usines Schneider du Creusot, allume l'obusier de 150 allemand qui visait ses pièces. Les lance-torpilles et les lance-bombes des Allemands ripostent.

– Pas plus de trente-cinq bombes par mortier, précise Julien à ses servants.

Hervé Guiton, le fils du cultivateur de Roissy-en-Brie, vérifie les ailettes pour éviter que la bombe ne leur éclate au visage. Hubert Delbecque fait exploser son tube. Sa bombe tombe à six mètres. Heureusement, il s'est abrité après l'avoir enflammée, sans quoi il était mort.

– Cessez le feu ! crie Julien.

Le capitaine l'a averti : à 4 heures de l'après-midi, une mine française doit sauter et rendre impossible toute attaque allemande. L'explosion est au rendez-vous : monceaux de terre, débris et troncs d'arbres culminent à trente mètres. Le canon tonne aussitôt, les mitrailleuses, elles aussi, entrent en action contre l'ennemi sorti de ses abris pour occuper l'entonnoir. L'infanterie française s'élance à son tour : elle est décimée dans son avance par les nids de mitrailleuses non détruits.

5 heures de l'après-midi : le colonel donne l'ordre de repli aux biffins. Un lance-bombes allemand en blesse deux à la minute. Julien appelle à la rescousse l'aspirant Bloch, qui s'est déjà rapproché de la fournaise. Il leur reste trois mortiers intacts.

David Bloch se surpasse. Ce polytechnicien, issu d'une famille de Toul qui s'est privée pour payer ses études, a choisi, comme Julien, l'artillerie de tranchée à Fontaine-bleau. Ses ordres sont nets et brefs, il place lui-même les bombes dans l'âme du 58, en les couvant des yeux afin qu'aucune anomalie ne lui échappe. Il stupéfie Delbecque par sa minutie, et Julien lui-même par la précision de son tir. En dix secondes, le lance-bombes allemand explose.

– Aux munitions ! ordonne Julien.

Les territoriaux s'activent, charrient les bombes sur des brancards, grimpent en position en trébuchant sur les racines. Bloch s'emploie à dégager une torpille non éclatée, fichée dans le sol, à dix mètres de son obusier. Une des plus dangereuses : un beau morceau d'acier luisant de 75 cm, avec une fusée à double effet.

– Attention, prévient-il, les coups de 210 se rapprochent. C'est nous qu'ils visent.

Un éclatement de 150 rend inutilisable l'un des mortiers. Les hommes sortent des abris, indemnes. Julien et Bloch font feu ensemble. De terribles explosions secouent les positions de tir allemandes. Deux de leurs engins sont détruits. Le feu cesse. Julien compte ses hommes : trois blessés, dont Hervé Guitton, qui a reçu un éclat dans l'épaule. La jambe de David Bloch saigne. Dans l'action, il ne s'en est pas rendu compte. Julien puise lui-même dans sa trousse d'urgence pour soigner cette blessure sans gravité. L'aspirant a été touché dans le gras du mollet.

David et Julien sont cités à l'ordre de la division, proposés pour la croix de guerre avec palmes. On leur envoie des chevaux pour leur permettre de passer une nuit convenable dans les combles du château, où l'état-major du 15e corps de Verdun tient ses assises.

Quand le soleil se lève sur les cimes du Mort Homme, Julien se lave, torse nu, à la fontaine où les bêtes ont fini de se désaltérer. Arrivé sans bruit derrière lui, David s'amuse à l'asperger en riant aux éclats. Sans même se concerter, tous deux bondissent à cru sur les montures et piquent un galop effréné à travers le bois. Julien, qui a perdu Gabrielle, vient de trouver un compagnon d'armes. Ils ont vingt ans, ils peuvent mourir demain, mais rien ne peut leur enlever, sous le soleil de juillet, leur joie de vivre, dans l'instant qui passe.

L'anniversaire

À la fin du mois de juillet, le premier anniversaire de l'entrée en guerre des Français approche. Marie Aumoine arrache une à une les feuilles de son éphéméride, sans croire que le 4 août ramènera la paix. Ses trois fils sont au front. Ils y resteront sans doute longtemps encore.

Rien ne dit, en effet, qu'à l'été chaud d'août 1915 succédera un automne tranquille. Il n'est pas sûr que les garçons puissent conduire les labours d'octobre à la ferme de Villebret.

Pour l'armée enterrée dans les tranchées, aucune issue n'est prévisible, elle peut y rester cent ans. Joffre, à deux reprises, a tenté de l'en sortir pour percer le front allemand. Par deux fois, il a tragiquement échoué.

Les poilus sont presque les seuls à soutenir la pression énorme de l'armée ennemie. Les Anglais ne sont pas encore assez nombreux, les Russes reculent et les Italiens tardent à entrer dans la danse. Dans les rangs des soldats français, on commence sérieusement à se demander si le sacrifice n'est pas trop lourd. À l'arrière, chez les civils, on s'indigne de la levée prochaine de la classe 1917. Jusqu'à quand va-t-on conduire à la mort les enfants de la patrie ?

Marie a reçu des nouvelles récentes de ses fils et se réjouit, au fond de son cœur, qu'ils soient tous les trois indemnes. Jean, que l'on croyait disparu, a été libéré par la Suisse, dans des conditions inexpliquées. Il est retourné en ligne au régiment de Montluçon, le 121e. Julien tire le canon de tranchée dans le secteur calme de Verdun. Raymond semble se reposer à Vénizel, un charmant hameau sur la rivière sud de l'Aisne, fleuve tranquille aux eaux vertes et poissonneuses dont les berges sont garnies de saules et de peupliers d'Italie. Il peut y tendre des lignes pour les ablettes et, la nuit, piéger à son gré les garennes. C'est du moins ce qu'il écrit à sa mère.

L'adjudant Bourdon lui a donné, c'est vrai, carte blanche pour améliorer l'ordinaire de l'escouade. Depuis le début de l'été, le 321e régiment d'infanterie de réserve de Montluçon est au repos, pas même en secteur. Il a perdu tant de monde depuis le début de la guerre qu'on laisse au lieutenant-colonel Flocon le temps de reprendre en main sa troupe, recomplétée de territoriaux. Il n'a qu'une mission : constituer une ligne arrière de retran-chements solides, de part et d'autre de la rivière. On ne lui a rien demandé d'autre pendant les deux premières offensives montées par Joffre en 1915, considérant que son unité n'avait que trop donné dans les batailles meurtrières des frontières.

Les biffins se croiraient volontiers en vacances sur le front de Soissons, n'étaient les travaux agricoles. Ils sont heureux de prêter main-forte pour les foins et les moissons des familles de l'arrière, cruellement privées de leurs hommes.

Les Allemands, de l'autre côté du Chemin des Dames, moissonnent aussi pour leur compte, ou réquisitionnent le blé et l'avoine des pays de Laon. Ils n'attaquent guère plus que dans les forêts épaisses de l'Argonne, ou dans la plaine des Flandres. Occupés en Russie, ils ne préparent pas d'offensive sur le front de l'ouest.

Dans le secteur tenu par le 121e régiment au sud-ouest de Roye, Jean Aumoine est stupéfait de l'inactivité des lignes. Le commandant Latouche en est réduit à mettre en scène de faux préparatifs d'attaque, pour tromper l'ennemi. Seul Julien poursuit la formation des équipes de bombardiers, dans les bois à l'ouest de Verdun. Il se voue à cette tâche avec un acharnement qui lui vaut les éloges de sa division.

Marie Aumoine est heureuse de pouponner l'enfant de Léon, sage comme une image dans son berceau de chêne, en compagnie de Marguerite, l'infortunée mariée d'un jour. Les permissions agricoles ont été refusées à ses fils. Jean et Julien sont officiers, Raymond n'y a pas droit : incorporé depuis trop peu de temps. Bigouret a obtenu de la préfecture l'aide de deux prisonniers allemands pour la ferme de Marie. La vaillante jument aveugle et le mulet suffisent aux travaux des champs conduits par le valet Germain, trop âgé pour être mobilisé.

Le vaguemestre est longtemps venu les mains vides auprès des gars du 321e. À croire que Montluçon était un bout du monde, plus loin du front que les Dardanelles. Les irrégularités et les canailleries du service de la poste aux armées ont été dénoncées par les journaux : des détrousseurs de poilus volaient les mandats et les colis dans les bureaux de quartier. Un agent occasionnel des PTT vient d'être arrêté pour détournement de courrier. Il a subtilisé 280 francs dans 87 lettres différentes, destinées à des soldats. Une surveillance active s'exerce dans les centres de tri. Une voleuse professionnelle, spécialiste du repérage des billets sous enveloppe, a été placée sous les verrous.

Dès lors, la distribution est plus régulière. Marie expédie de semaine en semaine des colis au front, persuadée que ses fils manquent de tout. Il est difficile de la convaincre qu'en période calme l'intendance suit, la roulante fume, et les mercantis sont à l'affût dans tous les cantonnements, prêts à livrer leurs trésors contre espèces sonnantes.

Raymond partage avec ses camarades les savoureux pâtés en croûte, sacs de noix et autres gâteries venus de Villebret. Chaque jour, ils entendent rouler au loin le canon de Soissons, les Allemands poursuivant le châtiment de la cité rebelle qui les a chassés de ses ruines. Opérations qui ne dérangent en rien la digestion des poilus, délaissés par les artilleurs d'en face. Les Boches réservent leurs munitions pour les Russes.

Cette vie champêtre, ce quotidien sans but et sans fin, depuis la diane jusqu'à l'extinction des feux, ennuie Raymond, qui retombe dans son humeur vagabonde et fugueuse, incapable de se fixer. Il n'est pas du genre à sculpter des pipes en bois ou à graver des douilles en cuivre. Puisque les guerriers d'août 1914 sont devenus des joueurs de manille, il reprend sa liberté, bonsoir mon adjudant!

Ses fugues nocturnes sont connues, mais qui songe à sévir? Bourdon couvre Aumoine – c'est un brave, à ses yeux, il l'a montré au combat. Chaque matin, celui-ci se présente à l'appel, les yeux battus, les cheveux défaits, une barbe drue lui bleuissant le visage. Il est pourtant le seul à se raser régulièrement sur les bords de l'Aisne, sans être autrement dérangé que par les copains pêcheurs. Ils viennent poser leurs lignes au crépuscule et regardent Raymond, tel un oiseau de nuit, s'envoler à tire d'aile pour mener à sa guise ses virées nocturnes. Il ne déserte pas, il s'absente, s'évanouit à l'heure de l'extinction des feux pour réapparaître à l'aurore. Qui peut le lui reprocher?

Tailler des branches pour les fascines ou clouer les lattes des caillebotis de tranchées sont des tâches qui ne l'excitent pas outre mesure. Il s'endort vite, appuyé contre un des troncs abattus par ses camarades, qui les débiteront ensuite en planches. Ancien déjà du front, il considère que les territoriaux de renfort sont bien assez nombreux pour assumer seuls ces travaux secondaires. Quant à creuser des tranchées, il n'en est pas question. À quoi bon? Les lignes passent au nord du fleuve et le Chemin des Dames est calme. On y cueillait le muguet en mai. Au sud de la rivière, les pépères suffisent à organiser les retranchements de repli, sans trop d'énergie. Vénizel est une thébaïde.

— Tout de même, lui dit son ami Dutoit, l'ouvrier des Fours à chaux, j'aimerais bien savoir ce que tu fais de ta jeunesse, quand le clairon Beaujon sonne le soir l'extinction des feux.

Les chaleurs de juillet n'accablent pas les copains de Raymond, les anciens bleus du bataillon Lacassagne, partis tardivement à la guerre et déjà au repos, après les premiers combats, dans la paille fraîche des granges. Les moustiques et les mouches pullulent, attirés par les reliefs des popotes, et non par les cadavres. Les villages ont gardé leur population et leurs troupeaux. Il n'est pas rare de voir une escouade rôtir un mouton, ou faire rissoler dans une poêle du boudin frais et moelleux, offert par quelque fermier après l'abattage du cochon. Les soldats aident aux travaux des champs et récoltent en échange tous les agréments de ce pays de cocagne. Plus de fayots en conserve mais des légumes frais, plus de singe mais des saucisses du village. Seul le vin de l'intendance n'est pas buvable, mais celui de qualité coûte trop cher à l'échoppe des mercantis.

L'armée attire derrière les lignes une population errante de commerçants ambulants, de filles publiques, de trafiquants de tout poil et de mauvais garçons. Non pas dans les villes, surveillées par les prévôts, mais dans les hameaux, les petits bourgs, parfois les fermes isolées ; là, les soldats en cantonnement peuvent trouver à peu près tout, pourvu qu'ils aient la bourse garnie. La guerre a ses gros profiteurs, mais aussi ses petits.

Les mercantis s'approvisionnent aux Halles de Soissons, à moitié détruites, où ils achètent tout ce qui reste en fin de nuit, quand les balayeurs attaquent le carreau. Ernesto Calas est un Espagnol de Murcie, gras comme un *alcadil*, marchand de bananes aux Halles de Paris avant la guerre, soupçonné de tous les trafics, y compris celui de la cocaïne, fiché et connu de la police.

Chaque semaine, il rapporte de la ville des provisions impressionnantes de charcuterie, et des montagnes d'oranges d'Espagne. Un compère importateur de pinard lui remplit, à bas prix, ses barriques de vin du Languedoc et d'Algérie, qu'il présente ensuite au poilu comme un nectar. On pense qu'il fricote avec l'intendance militaire quand il fait le déplacement de Soissons.

Quelques détours par les merceries et les papeteries de la ville, et le voilà de nouveau sur le chemin du front, derrière sa mule tirant la charrette. Plusieurs longues heures de voyage, et une dizaine de contrôles au bout desquels les pandores ont fini par connaître ce mercanti. Ils l'ont soupçonné, suite à une dénonciation, de prendre en charge le voyage clandestin des déserteurs de la Légion étrangère. Mais l'homme n'a jamais été pris sur le fait. Il exhibe en outre tous les papiers nécessaires. Aussi le laissent-ils passer, non sans le traiter avec mépris et brutalité.

Il se rend quelquefois à Paris, pour s'y procurer des articles spéciaux, lampes à acétylène, bougies, préservatifs, apéritifs et vermouth, Opinels et Laguioles à cran d'arrêt, couteaux suisses à lames multiples, blocs de papier à lettres, papiers tue-mouches et pétroles anti-moustiques – tout ce que le soldat réclame à cor et à cri à l'intendance sans jamais l'obtenir. Le marchand s'absente alors vingt-quatre heures et prend le train, pour revenir avec deux énormes valises. Entre-temps, son échoppe reste close, mais nul ne songe à en forcer la serrure. Un molosse gronde à l'intérieur.

Indispensable, l'Espagnol n'en est pas moins si impopulaire auprès des soldats qu'il ose à peine ouvrir l'étal de sa baraque faite de planches et de tôle ondulée, hâtivement installée à la sortie du village de Sermoise, dans une ancienne carrière. Les soldats tapent à son volet : «Ernesto, du pinard! du tabac! du chocolat! » Le boutiquier soulève à moitié un panneau de bois, indique le prix, prend l'argent tout en donnant la marchandise et referme aussitôt, abreuvé d'injures. Mais les hommes font la queue pour obtenir à n'importe quel prix du *vin bouché*, des cigarettes anglaises et du chocolat suisse.

En « magasin », Ernesto a aussi des journaux de Paris, avec des photos de femmes, des cartes à jouer et des fiasques de cognac ou de Marie-Brizard. Sa baraque est une caverne d'Ali Baba.

Les habitants de Sermoise changent de côté quand ils l'aperçoivent sur la route. On l'évite comme un gitan. Les quelques commerçants du village ne redoutent guère sa concurrence. Ils ne vendent que des produits locaux courants.

Mais ils prêtent tous les crimes à l'étranger, le surveillent et le dénoncent aux gendarmes au moindre doute, au moindre écart. Ils assurent qu'il n'est pas seul dans son gourbi. Il y passe ses nuits avec une femme brune. Parfois avec des filles de moins de vingt et un ans, des mineures. La dernière recrue est une blonde, coiffée à la mode, avec des cheveux très frisés. Ferait-il aussi le commerce des femmes ?

Les gendarmes, alertés, ont perquisitionné. L'Espagnol ne s'est pas caché : il a présenté sa fille aux pandores. Une adolescente de seize ans, aux yeux noirs, aux cheveux très longs, qui l'aide, assure-t-il, dans son commerce. Elle garde les lieux quand il est absent. Il lui interdit de sortir pour éviter tout rapport avec les militaires.

Pourtant le cabaretier de Sermoise est formel quand il raconte ce qu'il a vu aux soldats : c'est bien une blonde, de vingt ans au plus, qui est entrée dans la baraque du mercanti. Une créature inconnue au village. Il précise : c'était un soir de la semaine, à la tombée du jour.

Le caporal Porché a surpris cette confidence derrière le comptoir en zinc du bistrotier. De retour au cantonnement, il jure au lieutenant Bériot qu'il a vu Raymond se faufiler un soir dans la baraque du gitan. Non pas par-devant, pour faire ouvrir au trafiquant son battant de bois, mais par la porte de derrière, au crépuscule.

Armand Bériot est de ces civils qui prennent très au sérieux leur fonction militaire. Agent d'assurances, il n'a manqué aucune des périodes de réserviste avant la guerre et, avec son grade de lieutenant, a été chargé d'une section, puis d'une compagnie lors du dédoublement du régiment de Montluçon. Il décide de mener lui-même une enquête sur les fugues répétées de Raymond Aumoine, avant d'en référer au capitaine Lacassagne, dont il redoute les réactions par trop brutales.

Il connaît le patriotisme de Raymond Aumoine. Il sait que son frère aîné a été tué sur l'Ourcq. Il est de son devoir d'empêcher le jeune homme de se laisser aller sur des pentes dangereuses. Ses escapades nocturnes et ses retours au petit matin sont un secret de polichinelle, tous les hommes sont au courant et lui-même n'y trouve rien à redire car il ne s'agit pas d'un délit grave, à peine une entorse au règlement. À la caserne, le fugueur serait mis au cachot. À la guerre, il faut fermer les yeux sur bien des choses. Le lieutenant Bériot se fixe une conduite : il prendra Raymond sur le fait, et il lui parlera.

À cheval, il s'engage, en fin d'après-midi, sur la route de Sermoise qui longe l'Aisne jusqu'au confluent de la Vesle. Il repère la baraque de l'Espagnol au milieu de la carrière déserte. Des soldats tempêtent devant le volet fermé. L'homme est absent. Sa mule est attachée au tronc d'un bouleau.

Bériot s'approche, entend les grondements du chien. Il frappe très fort à la porte de derrière, devant les biffins goguenards : le gradé aurait-il une combine ?

— Ouvrez ! dit-il d'un ton autoritaire, tel un prévôt.

Mais nul ne répond. Bériot ne se sent pas le droit de forcer la porte et poursuit son chemin vers le village, où il s'arrête pour faire boire son cheval à la fontaine. Il commande une omelette au lard dans une maisonnette où les officiers du régiment ont leurs pratiques. La femme qui le sert est une paysanne ridée comme une pomme sèche, peu portée aux confidences.

— Le gitan est parti ? Sa baraque est fermée.

— Sa fille est là, mais elle ne sert pas, lui répond-elle. Il la séquestre. Elle ne sort jamais.

— Les gendarmes l'ont vue ?

— Pour sûr. Une gamine rachitique, elle n'a que la peau sur les os. Le soir, on l'entend crier. Il paraît qu'il la bat. Mais les papiers sont en règle et, vous autres, vous tolérez les mercantis.

Au crépuscule, le lieutenant met pied à terre à cent mètres de la baraque, s'approche sans bruit de la clairière entourée de touffes de genêts. Une silhouette apparaît au même moment. Un homme jeune, un civil, marche d'un pas rapide et referme la porte derrière lui. Le lieutenant colle son oreille à la cloison. Il entend distinctement les éclats d'une voix virile, et des rires de femme.

— Raymond Aumoine, ouvrez-moi! Je sais que vous êtes ici. Je suis le lieutenant Bériot. Ne m'obligez pas à alerter la prévôté.

Il entre. Raymond est en chemise. Une femme blonde, allongée sur un lit de camp, se cache sous une couverture. Une jeune fille brune se réveille et gagne le fond de la pièce, où elle s'accroupit derrière des sacs de légumes secs, retenant près d'elle le molosse qui gronde.

— Sortez, nous avons à parler, dit l'officier à Raymond.

Le jeune Aumoine n'a pas un geste d'insoumission. Il boutonne calmement sa veste, serre son ceinturon, remet son képi, chausse ses brodequins. Son regard s'attarde un instant sur les boucles blondes qui dépassent de la couverture, puis il sort sans un mot.

Ils gagnent la ligne des saules, sur les bords de l'Aisne. Pour entendre la confession du jeune soldat, Bériot ne veut pas de témoins. L'autre a été pris sur le fait, il devra s'expliquer d'homme à homme, se justifier s'il le peut. Il l'invite à s'asseoir sur un banc de pierre, près d'un débarcadère de péniches, et lui offre une cigarette. Raymond refuse. Il semble désespéré.

— Ce que vous avez à me dire restera entre nous, dit Bériot, comme s'il s'agissait d'une simple fugue amoureuse.

Raymond ne répond pas. Il sait bien qu'il est en situation délicate, que le lieutenant veut lui rendre service, le ramener dans le droit chemin, et pourtant il se tait.

— Un mercanti qui séquestre dans sa baraque une fille et une femme de passage n'est tout de même pas un cas ordinaire, dit Bériot à voix basse. Un soldat ne peut fréquenter sans dommage et sans risque la compagnie de gens de cette sorte. Ernesto Calas est un suspect. Les gendarmes l'ont à l'œil. Ils le soupçonnent des pires trafics, y compris celui des prostituées.

Que Raymond se rende le soir chez l'Espagnol en familier des lieux le désigne d'avance à la justice, si une affaire judiciaire est instruite, ce qui ne saurait manquer un jour ou l'autre. Mieux vaut prévenir que subir.

D'une voix sourde, Raymond se met à parler.

— Elle s'appelle Albertine. Elle était faite pour rire et pour aimer. C'est une enfant du Nord, blonde et blanche. Un corps de statue, des boucles dorées comme une auréole céleste, un visage de madone. Si douce qu'une voix trop forte la fait trembler, craintive comme une agnelle, gracieuse comme les biches de la forêt de Tronçais. Si je parle d'abord d'elle, dit-il à voix basse, c'est pour qu'elle soit présente à votre esprit tout au long de mon récit. C'est bien un ange, mais tombé du ciel, déchu, dépossédé, abandonné, bafoué. Elle vient de Lille, qu'elle n'aurait jamais quitté si les bottes allemandes n'étaient entrées dans la ville abandonnée. Quand d'autres sont au collège, elle est à l'usine chimique. Elle s'enfuit comme un animal traqué, parce que ses cheveux tombent le soir à ses pieds quand elle les démêle, touffes d'étoupe corrodées et brûlées. Un maquereau en a fait une fille à soldats. Elle est résignée, morte déjà avant d'avoir vécu. Dans son pauvre corps humilié, elle ne trouve pas l'énergie de lutter.

– Vous n'y pouvez rien. Elles sont des milliers dans ce cas, tout le long des lignes. On les appelle ignoblement des filles soumises. Elles n'ont aucun moyen d'échapper à leur condition, sinon par la mort, consumées par la maladie et l'épuisement.

– Je suis allé la voir tous les soirs pendant dix jours. J'ai tenté de lui inspirer confiance, de préparer sa fuite. Elle a fini par m'avouer qu'elle était sous la dépendance d'un Français, déserteur de l'armée.

– Vous l'avez identifié?

– Oui. Le souteneur s'appelle Georges Mobuchon, du 23ᵉ régiment d'infanterie coloniale. Il se cachait chez une autre fille, dans le quartier des Halles, à Paris. Elle connaît son adresse, puisqu'elle doit lui apporter la recette de la semaine, en main propre. Au 8, rue Rambu-teau.

– Vous avez tenté de le joindre, de le dénoncer?

– J'ai voulu le ramener à la raison. Le mercanti espagnol, Ernesto Calas, est un homme de cœur et de courage. Il compte aux soldats trois fois le prix des choses, c'est vrai. Mais pourquoi croyez-vous que le prévôt le laisse exercer? Avec ses amis espagnols des Halles, il dispose d'un réseau efficace pour repérer les espions. Ceux qui dorment au village sans éveiller les soupçons, installés dans des fermes depuis l'avant-guerre sous l'identité de travailleurs belges ou italiens, et qui renseignent l'ennemi chaque nuit par des envols de pigeons, des signaux convenus, et même des lignes téléphoniques souterraines, quand les tranchées sont très rapprochées. Il en a fait démasquer quelques-uns. Je l'ai vu livrer aux gendarmes un berger passant pour simple d'esprit, qui délivrait des messages aux aviateurs boches en disposant ses moutons dans le pré selon un code chiffré. Personne ne le soupçonnait à Venizel. On s'était habitué à sa présence, depuis quinze ans, dans la même ferme. C'était un agent allemand.

— Voulez-vous dire que l'autorité tolère que votre héros du contre-espionnage se livre au trafic des femmes?

— Comment pouvez-vous l'en soupçonner? La brune qui se cache dans sa baraque n'est pas sa fille.

— Je m'en doutais...

— C'est une mineure, prénommée Élise — certainement pas son vrai nom. Une gamine de Charleroi. Elle a été enlevée dans une foule de réfugiés au mois d'août, violée par un Italien, Luigi Coppolani, exploitée d'abord dans son beuglant de l'arrière, et destinée à un bordel très spécial de Paris. Elle s'est enfuie lorsqu'elle a appris à quoi Luigi la destinait, grâce à l'aide d'Ernesto, qui la cache depuis un mois.

— Pourquoi ne la livre-t-il pas au prévôt?

— Pour qu'elle finisse à Saint-Lazare, à quinze ans, avec une carte de prostituée? Il doit la mettre demain sous la protection de l'ambassade de Belgique à Paris.

— Comment avez-vous connu l'Espagnol?

— Dans la boîte du maquereau italien, où j'ai également rencontré Albertine. Ernesto fournissait la maison en whiskey et cigarettes anglaises, par grosses quantités. Peut-être aussi en cocaïne. Il m'a dit, un soir, que plus de vingt paquets venaient d'être saisis aux Halles de Paris sur un déserteur du 82ᵉ d'infanterie. Une sombre histoire qui semblait l'inquiéter. La drogue lui était-elle destinée ? Je me suis lié d'amitié avec lui, parce que j'attendais son aide pour évacuer Albertine. Il a fini par me promettre de la cacher dans sa baraque, le temps de la faire prendre en charge par son réseau espagnol. Elle s'est laissée convaincre et il a tenu parole. Pour sa libération, il s'est chargé de négocier avec Georges Mobuchon. À ses yeux, le déserteur était du menu fretin. Il se faisait fort de le décourager en lui garantissant sa liberté contre celle de la fille. Un chantage.

– Résultat ?

– Il vient d'être assassiné. On a retrouvé son corps sur le carreau des Halles. Un Espagnol du réseau vient de nous en informer. Vous l'avez sans doute croisé sur la route. Les filles sont perdues si elles ne sont pas évacuées en lieu sûr.

Le lieutenant fait preuve d'esprit de décision. Une demi-heure plus tard, le prévôt, alerté, fait embarquer par ses gendarmes les jeunes filles en voiture fermée. Des avis de recherche sont lancés à Paris par la préfecture de police contre Georges Mobuchon. Coppolani est arrêté, sa boîte fermée. Le prévôt a promis de veiller personnellement à la prise en charge des malheureuses par le Secours catholique. Ne sont-elles pas aussi des blessées de la guerre ?

– Quant à vous, dit le lieutenant à Raymond, vous êtes attendu à l'aube pour rejoindre le peloton des élèves caporaux. Votre courage au premier feu mérite cette promotion. À vous de réapprendre à dormir la nuit.

Le lieutenant-colonel Flocon en a averti ses officiers : le flottement dans les unités de l'arrière est intolérable. Le général Jullien, commandant la 63ᵉ division dont font partie les régiments de Montluçon, Roanne, Montbrison, Clermont et Riom, admet que les pertes subies au combat justifient la mise au repos de son unité.

Mais les directives du général de Castelnau, commandant le groupe des armées du Centre, sont formelles : le repos n'est pas l'inaction. Les soldats ont pris des habitudes de paresse, laissant travailler aux retranchements les seuls territoriaux, qui, eux-mêmes, sont loin de faire du zèle. Si l'armée doit franchir la rivière sous la pression de l'ennemi, rien ne sera prêt. Il est essentiel de creuser des défenses en profondeur et de familiariser la troupe avec les nouvelles techniques de combat. Les Allemands améliorent leurs armes de jour en jour. Il faut se donner les moyens de leur répondre.

Aussi le colonel Flocon est-il prié par l'état-major d'armée d'accélérer la formation des unités spécialisées de grenadiers, mitrailleurs, poseurs de fils téléphoniques, spécialistes de radio et, pour l'artillerie, de bombardiers. Nommé caporal après six semaines de stage, Raymond a le choix entre le fusil-mitrailleur et le téléphone. Aussi mauvais élève qu'il ait pu être au lycée de Montluçon, il choisit pourtant la technique, et le capitaine Lacassagne, son ancien prof de maths, l'encourage vivement dans cette voie : trop d'attaques échouent, lui dit-il, faute de liaisons entre l'artillerie et l'avant, entre l'aviation et les batteries.

Armand Bériot, son lieutenant, lui donne de bonnes nouvelles d'Albertine. Elle a été placée dans un hôpital militaire parisien, au blanchissage du linge, avant d'être affectée à un stage de formation d'aides-soignantes. Georges Mobuchon, qui exploitait ses charmes, a été arrêté par la police dans le quartier des Halles, où il se cachait chez une fille publique, et condamné pour proxénétisme de mineures et d'irrégulières. Il finira dans les *joyeux*, ces condamnés de droit commun affectés à des unités où ils ont peu de chances de survivre.

À son retour au cantonnement, les copains ne reconnaissent plus Raymond le cavaleur, à croire qu'il a été touché par la grâce. Il pose des lignes, d'abord entre le PC du colonel et ceux des chefs de compagnie, avant de relier les batteries de 75 et les crapouillots de 58 qui ont fait leur apparition au 321e.

Raymond a toujours été curieux de technique. Son instructeur s'appelle André Leynaud. Pour cet Ardéchois aux sourcils broussailleux, au sourire amène, et doté comme lui d'une tignasse de cheveux bouclés et noirs, l'électricité n'est pas un fluide mystérieux, mais une énergie quantifiable. Ancien élève d'une école de Lyon, il a d'abord été recruté comme artilleur et affecté à une batterie de vieux canons de 90. Le colonel Nivelle, du 5e régiment, s'est vite aperçu de ses compétences et l'a fait affecter à une batterie comme téléphoniste.

— Aumoine? s'étonne l'adjudant Leynaud. Êtes-vous le frère de Julien? Il était mon bleu à la sixième batterie. Il a fait son chemin depuis. Mazette! Il doit être lieutenant à présent, quelque part du côté de Verdun.

Il prend Raymond sous sa protection. La cabine téléphonique installée par ses soins est un modèle du genre. Entièrement creusée sous terre, ses bas-flancs sont garnis de paille. Des troncs d'arbre protègent l'abri des éboulements. Une épaisse couche d'épis l'isole du sol. Une cheminée constituée de douilles vides, soudées, donne de l'air l'été, et de la chaleur l'hiver. Raymond apprécie, chez les techniciens, ce souci du confort, même à la guerre. Un deuxième abri sert de cuisine, on y boit la soupe chaude. Raymond devient vite l'ami du cuisinier Roland Lefort. Il guette pour lui les lièvres au terrier et fournit chaque jour la cantine des officiers en pâtés au genièvre.

La cabine est reliée au central du régiment, poste souterrain plus vaste qui porte le nom du lieutenant-colonel Flocon. Leynaud a été détaché dans cette unité d'infanterie pour superviser toutes les liaisons téléphoniques.

— Tu dois d'abord travailler au central, dit-il à Raymond. Tu pourras y comprendre l'ensemble du système.

Son protégé apprend ainsi à bricoler les appareils à coups de pince et de toile émeri, pour les rendre plus audibles, puis à conduire la voiture des fournitures qui relie les postes entre eux. Il est chargé de rattacher aux batteries de l'arrière les retranchements construits par les fantassins, que Leynaud appelle des «bobosses». Les Allemands ne bombardent pas, et cependant les fils sont souvent coupés. Des branchettes affleurant la ligne des postes d'observation suffisent à les rendre inutilisables. La foudre fusille les magnétos, coupant les sonneries.

Leynaud apprend à Raymond à lire le manuel de téléphonie, qu'il comprend mal. Mais la pratique vient très vite. Il apprend à réparer les lignes, même de nuit, en tressant des épissures. Il sait installer des «multiples» à six directions dans les PC de compagnies. Il déniche un appareil de radio sans fil, appelé TSF, dans une caisse de livraisons venue de la division. Leynaud lui en explique le fonctionnement. Mais le réglage pour communiquer avec les avions est délicat, laborieux. Il n'importe : sous la tutelle d'André Leynaud, Raymond n'a plus aucune envie de partir en maraude. La nuit, il dort sous sa tente de caoutchouc, montée en plein air, seul, après avoir révisé quelques pages de son manuel d'électricité.

Réveillé à cinq heures du matin par la douleur d'une molaire cariée qui le vrille jusqu'au tympan, il se rend chez le sergent-dentiste du régiment. Ni éther, ni chloroforme, ni le moindre clou de girofle. Le praticien lui prend la tête sous le bras et enfonce de toutes ses forces la pince dans ses gencives. Il tourne, pousse, appuie, extrait enfin la dent. Il a oublié un morceau de racine, mais c'est un résidu négligeable, prétend-il. Sonné, la bouche ensanglantée, Raymond se retire sous sa tente, avec de l'aspirine pour tout potage. Avoir mal aux dents est un luxe de civil, presque inavouable au cantonnement.

Les « vacances » se poursuivent, à la grande joie de Raymond et de ses camarades, malgré les consignes de fermeté du colonel. Le matin, bain dans l'Aisne, le soir, chasse aux grenouilles dans les ruisseaux pour améliorer la popote. Les lignes de téléphone sont montées entre les unités et, jusqu'à la moindre batterie, avec un soin méticuleux. Il suffit de les entretenir.

L'adjudant Leynaud s'acharne à faire de Raymond un as de l'électricité. Dans l'abri du central, il multiplie les schémas, pose des problèmes difficiles à résoudre, oblige l'élève à régler des exercices d'application ardus. Le voilà de retour au lycée, mais contraint de travailler pour un adjudant qui ne lui passe rien.

— Si tu continues à bosser, lui assure-t-il, tu pourras être radio sur les avions.

Raymond se sent des ailes. Il a assisté, avant la guerre, à une démonstration du pilote cascadeur Adolphe Pégoud au camp de Villars, à Montluçon, sur l'un des premiers appareils fabriqués pour l'armée, un avion Blériot. Ce Pégoud devait sa célébrité d'acrobate à la réussite, en 1913, du premier vol homologué sur le dos.

Les aviateurs étaient encore rares, mais leurs exploits, relatés par la presse, faisaient le tour du monde avant la déclaration de guerre. Raymond collectionnait les photos d'appareils, qu'il épinglait aux murs de sa chambre. Le biplan Farman, le Voisin et le moteur révolutionnaire de Gnome, équipant l'avion de Jules Védrines, n'avaient pas de secrets pour lui. Il connaissait dans le détail les procédés de fabrication et leurs performances, aussi bien pour le *Blériot* que pour le célèbre *Antoinette* de Levavasseur. Il rêvait, comme tant d'autres enfants, d'être aviateur.

Qu'on lui laisse entrevoir une porte ouverte vers l'aéronautique le remplit de joie : il embrasserait l'adjudant. Leynaud lui a dit ce qu'il fallait pour stimuler son zèle. Il sera, en attendant l'occasion de s'échapper, un téléphoniste modèle.

Rien ne le décourage, ni les corvées d'eau, ni la construction de postes en rondins, ni les vérifications interminables des lignes enterrées par les «bobosses» de la territoriale. Il apprend à fabriquer solidement une ligne, reliée aux filins qui retiennent l'engin, dans la nacelle d'un ballon d'observation. Le lieutenant-colonel Flocon remarque sa compétence. Il demande à Leynaud de l'installer au PC du régiment, dans une maison bourgeoise où son lit de camp est dressé au fond d'une cave très fraîche.

Le travail est vite achevé, bien que les liaisons se compliquent sans cesse. Il pose désormais des multiples à dix-huit lignes. Le colonel a fait monter dans un abri blindé un poste de TSF pour communiquer avec les avions. Raymond s'en fait expliquer le principe.

Il passe ainsi le mois d'août sans tirer un coup de fusil, sans même toucher à son Lebel, devenu inutile. Il se grille au soleil sur les berges de l'Aisne. Leynaud lui apprend parfois à disputer d'interminables championnats de boule lyonnaise. Au matin, des coiffeurs amateurs rasent les barbes des poilus. Raymond aime être rasé de frais. Il se fait prendre en photo dans son nouvel uniforme à bandes molletières bleu ciel pour l'envoyer à sa mère. Est-ce encore la guerre?

On lui signifie, un jour, qu'il a droit à une semaine de permission, comme tous les poilus présents depuis plus de six mois sur le front. Le Parlement l'a exigé, Joffre a cédé. Le colonel l'a inscrit sur la liste. Le train de Soissons le dépose en quelques heures à la gare du Nord, mais il doit ensuite se rendre à Austerlitz, où le seul départ pour Montluçon a lieu le lendemain au matin. Il en profite pour se rendre à l'hôpital où travaille Albertine, selon les indications du lieutenant Bériot.

C'est en fait le lycée Victor-Duruy, en face des Invalides, qui a été reconverti en centre de soins en raison de l'afflux des grands blessés après la sanglante offensive de l'Artois. Raymond fait d'abord viser sa permission aux bureaux du gouverneur militaire, qu'il demande à prolonger d'un jour en raison des délais de la correspondance ferroviaire. Sur le pavé luisant de la cour carrée de l'hôtel des Invalides, des trophées sont exposés au public : une pièce de 77, un énorme obus non éclaté de 420, des *Minenwerfer* en vrac et en morceaux, entassés jusqu'au premier étage de la galerie, sous l'œil de l'Empereur.

Raymond pénètre ensuite dans la cour du lycée-hôpital, franchit différents obstacles d'un air conquérant, et parvient enfin au bureau des infirmières. Par la porte ouverte, il aperçoit Albertine, entièrement vêtue de blanc, méconnaissable. Elle prend les ordres de l'infirmière en chef, qui lui parle avec douceur. Raymond n'ose se manifester. Il contemple, de loin, les cheveux blonds qui ruissellent sous la coiffe de la jeune femme, dont le visage sans maquillage a repris sa fraîcheur. Leurs regards se croisent. Raymond se précipite vers elle et la serre dans ses bras.

— Albertine ne vous a pas dit qu'elle était marraine de guerre ? se hâte-t-il de dire à l'infirmière en chef.

Il lui baise les joues trois fois, quatre fois, comme à la campagne. Elle lui sourit avec une reconnaissance éperdue, se voit octroyer un congé pour le reste de la journée, à charge pour elle de rentrer au Centre avant minuit. Un seul coup d'œil au caporal a suffi : la supérieure a jugé que son assistante très particulière, dont le passé lui est parfaitement connu, était entre de bonnes mains.

Dans Paris, ils accomplissent le parcours obligé de la marraine de guerre et de son poilu, à ceci près qu'elle ne peut lui mijoter un petit repas chez elle, n'ayant pas de logis. Raymond se comporte en soldat plein de gratitude, s'excusant presque de lui faire perdre du temps. Elle ne lui doit rien, bien au contraire, il lui est reconnaissant de ne pas l'avoir oublié, et de l'avoir accueilli chaleureusement à sa première permission.

Albertine rosit de bonheur. Habituée aux grossièretés des hommes, ces égards la touchent infiniment. Raymond, brisqué aux manches de l'insigne de sa première campagne, attire les regards. Ils forment un magnifique couple, lui et cette blonde éclatante dont le tailleur de lin blanc est maintenant orné de la broche en opaline qu'il vient de lui offrir chez le bijoutier de la place de l'Opéra. Personne n'irait les prendre pour un embusqué sortant une poule. Toute de discrétion et presque de modestie, la jeune femme est au bras de Raymond comme à celui d'un fiancé, n'osant croire à ce retour d'innocence dans son corps et son âme martyrisés.

Raymond la conduit chez un photographe du boulevard des Capucines. Une manière de lier leur avenir : ils garderont chacun le même cliché sur le cœur, Raymond dans son portefeuille de poilu, elle dans un médaillon.

Ils repassent en fiacre sur la rive gauche, par le pont Alexandre III, aux statues rassurantes. Elle demande à descendre devant le jardin du Luxembourg, et guide doucement le soldat vers la fontaine Médicis. Sur un banc de pierre, ils s'embrassent en amoureux. Ils restent longtemps sans parler, l'un contre l'autre, puis ils parcourent l'allée des reines, sous l'œil attendri des chaisières et des vieux sénateurs, heureux de voir un caporal du front en d'aussi belles mains. Près du bassin, ils suivent un moment des yeux la navigation des petits voiliers des enfants qui restent dans Paris en guerre, en cette fin de mois d'août d'une écrasante torpeur.

– Un an déjà, soupire Albertine.

Il écarte le nuage qui assombrit ses yeux verts. Lille, ville ouverte, Lille abandonnée, les habitants en fuite dans les trains bondés... Elle oublie tout en se serrant contre Raymond.

Elle lui prend la main et le guide cette fois vers un restaurant de la place Saint-André-des-Arts, proche de son centre d'accueil, installé dans un hôtel réquisitionné de la rue de l'École-de-Médecine. De très jeunes étudiants s'y pressent, avec des élèves infirmières. C'est là qu'elle aime déjeuner seule, à l'issue des cours qu'on l'oblige à prendre avant son engagement ferme dans les services de santé.

– L'administration de l'hôpital m'a promis une chambre dès que j'aurai un traitement, lui dit-elle. Je la partagerai avec une collègue. Je serai libre, totalement, de penser à vous et de poser votre photo près de mon lit.

Raymond ne cesse de s'étonner de cette métamorphose, dont il ne s'attribue nullement le mérite. Il a tiré la malheureuse de l'ornière, mais elle a accompli seule sa remontée de l'enfer. Elle détestait la vie, ne supportait que la nuit opaque. Personne ne pouvait rouvrir les yeux à sa place. Elle a dû se reprendre, chercher des ressources au plus profond d'elle-même, afin de ne plus s'offusquer de l'éclat du soleil sur sa peau et de la lumière dans ses yeux.

A-t-elle retrouvé la foi de son enfance? Avant de rentrer au Centre, elle tient à entraîner Raymond à l'église Saint-Sulpice, ouverte jusqu'au crépuscule pour permettre aux femmes en deuil de venir y oublier leur détresse et confier leur douleur à la Vierge. Parcourant le déambulatoire, Albertine s'arrête devant la fresque de Delacroix, éclairée par les rayons du soleil couchant. Le *Combat de Jacob contre l'Ange* la plonge dans une longue méditation. Raymond ne comprend pas son trouble. Elle lui serre la main avec force, cherche son appui. Elle ne veut pas que la nuit tombe sur leur séparation, sans s'assurer une dernière fois de sa présence ; qu'il reparte au combat, peut-être à la mort, alors qu'il l'a tirée d'un gouffre où gargouillaient des monstres ; qu'elle le perde pour toujours, l'ayant retrouvé.

— Les anges aussi peuvent déchoir, lui dit-elle, même s'ils viennent du paradis.

Il est Jacob, le combattant sans tache. Il mène le combat des hommes, et si Dieu l'abandonne, il affronte l'ange envoyé de Dieu. Sans révolte, avec résolution. Il est temps que Dieu ouvre les yeux sur les malheurs de la terre, sans les attribuer à ses créatures. Il est temps qu'il affronte le mal, et qu'il aide à s'en délivrer, au lieu de déployer devant le héros les ailes grises des anges de la résignation.

Marie est à la fête. Elle serre sur son cœur son Raymond, le plus fou et le plus tendre de ses fils, et son sourire en dit long. Il est passé au travers de l'orage, les gouttes ne l'ont pas effleuré. Il rentre intact comme après ses fugues d'enfant, quand tout le village le croyait perdu et le cherchait jusqu'au fond des puits.

— Tu viens bien après la moisson. Tant mieux, nous pourrons te dorloter.

Marguerite lui présente Léon II, qu'il soulève et tient à bout de bras, comme un Romain reconnaissant son fils. L'enfant n'a pas tout à fait quatre mois. Il se met à pleurer devant ce géant aux odeurs fortes, inconnues de lui, à la voix profonde et aux mains énormes. Habitué aux caresses des femmes, à leurs mots doux, le bambin se croit en danger. Marie le reprend dans ses bras. Il se calme aussitôt, rassuré par la chaleur d'un corps où il a l'habitude de se blottir.

— Mon Dieu, dit Jeanne Bigouret à Marie, sortez la lessiveuse, et mettez tous les habits de Raymond dedans, ils vont donner des poux au petit!

Le fils proteste en riant, explique qu'il se baigne en rivière tous les matins et lave lui-même ses habits. Il n'est pas en tranchée, mais au cantonnement depuis trois mois. À preuve, il n'a pas de barbe.

Dès que son arrivée est signalée par le boucher Bouguin qui l'a vu passer dans la voiture du maire, les voisins de Villebret accourent. Gaston Bigouret, venu d'Huriel, les rassemble, comme au soir d'une élection. La petite Jeanne Picavier, que Raymond a connue au catéchisme, s'est faufilée derrière son père, le marchand de journaux. Sa sœur Colette est fiancée à un gendarme.

— Elle serait là, l'excuse-t-elle, si elle était encore au village.

Gaspard Michot, le mécanicien d'Eygurande qui a conduit Léon dans son train jusqu'à Clermont-Ferrand au matin de la mobilisation, a confié sa locomotive à un camarade pour être à la ferme en même temps que Bigouret. Pour rien au monde, il ne manquerait le retour du poilu.

Raymond est confus. Il se sent indigne de tant de liesse. Léon a perdu la vie au front. Jean a été blessé. Julien s'y conduit en héros. Et lui revient des rives tranquilles de l'Aisne, avec une seule bataille à son actif. Pas de médaille, une toute petite brisque rouge, un chevron de caporal… Pour sûr, il usurpe la gloire de ses frères.

– Regarde comme les voisins sont heureux de te revoir, le rassure Marie. Pour une fois qu'il nous en revient un du front indemne, ils te tresseraient des couronnes. Ce n'est pas le vainqueur qu'ils célèbrent en toi, c'est le survivant.

Le père Bouguin est le plus expansif. Ce colosse de soixante ans, encore capable de porter un demi-bœuf sur ses épaules, se réjouit sans laisser filtrer son inquiétude. Son petit-fils est de la classe 17. Il peut être appelé en octobre. C'est l'enfant unique de son fils unique, Michel Bouguin, recruté dans la territoriale au régiment formé à Montluçon, et expédié au front comme les autres pour des travaux «pépères». Sa femme en mourrait si elle perdait son fils, comme Madeleine Bouin, la directrice de l'école des filles, a perdu le sien.

Chacun veut voir le poilu, lui serrer la main, prendre le pouls d'un de ces hommes du front dont les exploits emplissent les colonnes de la presse patriotarde. Ils sont déçus, Raymond ne raconte rien, n'a pas envie de raconter. Il est simplement heureux d'être parmi les siens et ne voit pas pourquoi il les roulerait tous dans la boue des tranchées. Il se contente de parler longuement d'Émile Dutoit à son père, venu exprès à pied du quartier des Fours à chaux pour prendre des nouvelles fraîches.

— C'est à peine croyable, lui dit-il, nous n'avons rien à faire. Émile pêche tous les jours des ablettes dans l'Aisne.

— Mais le canon?

Émile, comme Raymond, n'a connu qu'un seul engagement, assez dur il est vrai pour que des camarades trop nombreux y aient laissé la peau. Le reste du temps, ils sont restés tranquillement en secteur.

Raymond se promet de rendre visite aux parents de Maurice Dubost, tué le 30 novembre à Vingré, pour évoquer avec eux les derniers moments de leur fils. Les souvenirs les plus cruels sont ceux des fusillés. Il ne veut pas les raconter aux amis. Ils attendent de l'héroïsme. Peut-on leur parler des morts d'un peloton d'exécution? Comprendraient-ils la sourde colère des soldats, leur amertume et leur découragement? De même, peut-on raconter le détail de la vie au front : le régiment décimé, puis au repos pendant des semaines, en attendant la prochaine offensive réservée à la dernière levée du 321e – la dernière couvée de l'adjudant Bourdon? Un poilu qui se baigne dans l'Aisne et enfouit des fils téléphoniques pour des officiers logeant dans un château est-il crédible?

Raymond voudrait satisfaire ce public familier, avide de récits de permissionnaires, mais il peine à trouver les mots adéquats. À l'arrière, la vision de la guerre est irréelle, décalée. Personne ne peut imaginer le bruit d'enfer, les ciels illuminés la nuit de lumières fulgurantes, les membres disloqués, les cris des blessés entre les lignes.

Et pas davantage l'inaction interminable et incompréhensible, les parties de manille, les attitudes maniaques des sculpteurs de bagues en aluminium. Bigouret rend service à Raymond : il raconte la guerre à sa place, il amplifie, sans risque d'être démenti, les faits d'armes du régiment de Montluçon, quand il ne les sort pas tout droit de son imagination.

— Nous n'en avons plus pour longtemps, assure Bigouret au café de la place, à l'heure du Claqueçin. Trois mois peut-être. Ils reviendront pour Noël.

Le maire Jean Moreau opine, ainsi que Picavier le marchand de journaux :

— Les Italiens se préparent à attaquer dans les Alpes, dit-il, comme s'il commentait une carte de la guerre. Les Russes ont repris du poil de la bête. Ils reconstituent leurs armées inépuisables. Quels soldats, tout de même !

— Ils ont lâché presque toute la Pologne, corrige Joseph Bouin, l'instituteur secrétaire de mairie.

— Les Allemands manquent de tout, ils sont au bout du rouleau, soutient Bigouret. J'ai lu dans *Le Centre* que leur grande compagnie maritime, la *Hamburg-Amerika*, avait déposé son bilan. Pour eux, c'est une catastrophe, qui annonce la débâcle financière. L'effondrement de la Grande Allemagne a déjà commencé.

— Leurs pertes sur les deux fronts sont supérieures aux nôtres, assure Picavier, qui a fait un décompte approximatif d'après les colonnes du journal. On parle couramment d'un million de morts allemands.

— On oublie de souligner, intervient Joseph Bouin, que les pertes françaises sont au moins de cinq cent mille hommes, et que trois cent mille prisonniers ont pris le chemin des stalags.

— Je ne crois pas à une campagne d'hiver, dit Bigouret qui affiche un optimisme impossible à entamer. Trop de morts de part et d'autre. Au Palais Bourbon, ils n'osent pas lever la classe 17 comme l'ont fait les Allemands. L'opinion publique, chez nous, ne l'accepterait certainement pas. Notre député revient de Paris. Il a entendu dire dans les couloirs de la Chambre que notre «président-académicien», Poincaré, laissait espérer la fin du conflit pour plus tôt qu'on ne croit. Inutile d'attendre une percée. C'est la négociation qui va commencer.

— Ils nous ont arrêtés en Artois, reprend Picavier, mais nous les tenons dans l'Argonne. On n'a pas assez dit que le *Kronprinz* s'était cassé le nez contre la IIIe armée de Sarrail. Ah! si c'était Castelnau, tous les journaux auraient fait chorus. Mais Sarrail est de gauche! La politique n'est pas oubliée dans les calculs des états-majors et dans les réactions de la presse bien-pensante. Aucune importance. On fera les comptes après la guerre. L'immobilisation des lignes annonce la paix. Il est possible que tout soit réglé par les diplomates d'ici le 15 octobre. Ceux qui voudraient prolonger l'aventure sont des fous, assure le vieux jaurésien. Bien entendu, il faudra s'arranger pour que notre effort soit reconnu, nos pertes réparées.

— Par qui? demande Jean Moreau. Si les Allemands sont ruinés, je ne vois pas comment ils pourraient payer.

Raymond sent une certaine lassitude l'envahir. Ces discours ne le concernent pas. Il doit revenir au front, retrouver les camarades, reprendre sa place au bataillon, sans se soucier de ce que mijote le commandement. Les parlotes de comptoir l'accablent, comme s'il ne s'y reconnaissait pas.

— Il ne faut pas oublier, fait remarquer Joseph Bouin, que le soldat est un citoyen d'abord, et qu'il doit être traité sans mépris. On veut instaurer la censure du courrier à partir du 20 août. On ne lui dit rien de la suite des opérations. Les secteurs se désespèrent d'une attente sans fin.

Raymond respecte Bouin, son ancien instituteur, et mesure sa peine d'avoir perdu un fils au front. Celui-ci prend à cœur la défense du poilu, mais il ne sait rien du moral des hommes. Ils se feront encore tuer, s'il le faut, pour libérer le territoire. Ils ont oublié la politique. Ce qui compte pour eux, c'est de tenir jusqu'au bout. Sans doute souffrent-ils d'ignorer ce que l'avenir proche leur réserve. Mais qui connaît vraiment les sentiments qui les animent?

— Nos journaux sont eux-mêmes filtrés, poursuit Joseph Bouin. Ils ne nous disent pas la vérité. À peine nous a-t-on annoncé la chute de Varsovie. Nous considère-t-on, nous, les républicains, comme des irresponsables? Les jours de Millerand, le ministre de la Guerre, sont comptés. Qui le remplacera? Il est temps que les députés trouvent les moyens de contrôler le commandement, de savoir ce que Joffre nous prépare.

— Pour que les Allemands soient au courant? lance Bigouret. Pour qu'ils aient leurs informateurs sur les bancs de l'Assemblée? Une affaire de trahison a éclaté hier à la Chambre. Plus que jamais, le secret est nécessaire. Pour protéger ceux-là, dit-il en désignant Raymond.

La fille Picavier vient chercher son père. Le colis de journaux a été livré par les autobus montluçonnais. La petite est fraîche et accorte. Jadis, Raymond la poursuivait. Il lui sourit sans conviction.

Il n'est plus le même. Marie l'a compris la première. Il ne lui a pas fait de confidences, mais elle a vu passer dans ses yeux une image radieuse, de celles que l'on ne songe pas à chasser.

À son retour au front, les officiers s'activent, le régiment est repris en main, rudement, par le lieutenant-colonel Flocon, sur ordre de la division. L'adjudant Bourdon a relancé l'entraînement intensif, formant tout spécialement des grenadiers.

Raymond pense aux gens de son village, qui prédisaient la fin de la guerre et croyaient impossibles de nouveaux engagements. Ici tout indique le contraire. Les biffins s'agglutinent autour du premier fusil-mitrailleur sorti des caisses, flambant neuf. Un sous-officier spécialiste, envoyé par l'état-major du régiment, en fait la démonstration, comme un représentant de commerce. Les balles luisent au soleil sur les bandes.

— Une invention de l'ingénieur Chauchat, dit à Raymond l'adjudant Leynaud. Il l'a étudié et réalisé à Saint-Étienne.

— Encore Saint-Étienne! Déjà, leur mitrailleuse ne fonctionne pas, dit Raymond, elle s'enraye tout le temps. Ils l'ont finalement remplacée par la Hotschkiss. Elle tire moins vite, mais est plus sûre.

— Les gradés assurent que le fusil-mitrailleur est l'arme de demain, comme les grenades VB. L'adjudant Bourdon en fait déjà la démonstration. VB sont les initiales de l'inventeur, le capitaine Viven-Bessières.

Raymond regarde son adjudant aux prises avec un fusil à tromblon, où il veut faire entrer en force une sorte de baba au rhum, un gros projectile de quatre cents grammes percé d'une cheminée. La balle du fusil s'engouffre dans la cavité, amorce et projette la bombe dans les airs. Elle explose sept secondes plus tard. Un exercice qui demande du doigté.

Au bout d'un moment, Leynaud rappelle à l'ordre le poilu, qui assiste aux démonstrations d'un air détaché.

— Rejoignons au plus vite la section de téléphonistes, lui dit-il. Le PC du 321ᵉ régiment est sur les dents. Une affaire se mijote.

À cinq cents mètres du poste de commandement, sur une butte protégée par une colline boisée, Raymond remarque une batterie de 75 qui s'installe à grands renforts d'attelages. Les chevaux et les artilleurs escaladent la pente en plein soleil, sans souci de se faire repérer et sans fatigue apparente. Les « bobosses » de la territoriale ont creusé des emplacements et s'emploient ostensiblement à les camoufler.

— Vous avez vu, dit-il à Leynaud. Les artilleurs manœuvrent les pièces à la main sans aucun effort. Faut-il qu'ils soient solides. Si vous vous approchez, vous verrez que toutes les pièces sont en bois. Camouflage, leurre. Vous pouvez vous méprendre, la reproduction est parfaite. Il s'agit de tromper les observateurs ennemis. Les vraies batteries sont installées de nuit, dans des lieux soigneusement préparés. Vous pensez bien que les nouveaux 155 tractés sont trop rares et trop précieux pour qu'on les exhibe...

— Ainsi, les parallèles ouvertes par les bobosses ne serviront à rien?

— Si fait, à abuser les observateurs des avions. On a même amené des Écossais dans la région de Verdun, pour faire croire aux Allemands que les renforts envoyés par Kitchener sont destinés à une offensive dans cette région.

— Une opération se prépare, mais pas chez nous.

— Rassurez-vous, nous y serons associés. Joffre est devenu un maniaque du secret. À la dernière affaire d'Argonne, les Allemands ont trouvé sur le cadavre d'un de nos officiers un plan complet d'action, avec toutes les unités. Depuis lors, personne n'est informé d'un bout à l'autre de la chaîne du commandement. Notre colonel n'apprendra qu'au dernier moment son rôle dans la bataille qui se prépare.

— Car une offensive est bien sur rails.

— Il me semble. Nous sommes constitués en réserve. On peut, du jour au lendemain, conduire notre bataillon par camions sur une autre partie du front. Si nous restons dans le secteur, nous ne serons pas pour autant ménagés. En voulez-vous la preuve?

On entend des coups de marteau provenant d'une clairière située en dessous du PC. Raymond suit l'adjudant. Ils pénètrent dans une scierie où s'alignent des rangées de planches de sapin, tronçonnées à la machine. Des territoriaux s'affairent à les scier, puis à les clouer. Ils fabriquent en série des cercueils qu'ils empilent sous un couvert de sapins.

– Pour les camarades, dit André Leynaud. Vous voyez que tout est prévu.

Sur l'Aisne, Émile Dutoit a caché sa canne à pêche dans un bosquet de saules des berges. Il se hâte de rejoindre l'escouade. Le clairon Beaujon sonne le rassemblement. Le lieutenant Moulinet s'impatiente. Dans la nuit, le régiment doit faire mouvement sur la berge nord de la rivière.

Au 5e corps de la IIIe armée, les officiers supérieurs s'interrogent. On vient de limoger le général Sarrail, avant de lui confier le commandement du corps expéditionnaire interallié à Salonique. Son remplaçant, immédiatement désigné, comme s'il attendait la place, est l'ancien chef de la division marocaine, le général Humbert. Un foudre de guerre, véritable héros de la prise du château de Mondement, pendant la bataille de la Marne.

L'offensive est-elle prévue dans la région de Verdun? On essaie de s'informer. En vain! Toujours en position devant le Mort-Homme, Julien reçoit un nouveau matériel de bombes de 150, avec des mortiers de 58 de renfort. Il est chargé d'organiser plusieurs batteries et d'instruire les artilleurs.

Il organise des tirs de bombes devant le général, sur des cibles à des distances variables. Une offensive locale, plus à l'ouest, dans l'Argonne, est prévue dans les jours qui suivent, et le commandement veut être sûr de son artillerie de tranchée, comme s'il ne pouvait compter que sur cet appui modeste, en l'absence du soutien plus efficace de l'artillerie lourde, toujours trop rare. On renonce désormais à tirer des obus lourds. Dans cette région, 80 % des projectiles pour canons de 120, livrés aux artilleurs, n'ont pas éclaté au cours des combats précédents. D'autres ont explosé, décimant les servants.

– On a découvert, explique à Julien le capitaine instructeur Le Moël, que les nouvelles fusées n'étaient pas fiables. Le commandant Brassart a écrit au GQG un rapport circonstancié : on s'est tout simplement trompé de modèle à la livraison. Les projectiles ainsi équipés ne peuvent éclater que s'ils frappent un terrain très ferme, sous un angle favorable. Autrement, ils se fichent mollement en terre. On les retrouvera encore dans cent ans en se promenant dans les bois de l'Argonne, conclut Le Moël.

– Quelle insouciance ! s'exclame Julien, stupéfait.

– Il y a pire. Joffre comptait sur une première attaque française au gaz asphyxiant. Elle a échoué d'un bout à l'autre. La nappe était tout près d'exterminer nos propres troupes. Heureusement, le vent l'a dégagée. Prenez garde, les Allemands ont renforcé leurs effectifs de *Minen*. Ils sont capables d'aligner neuf batteries sur neuf cents mètres, qui détruisent entièrement la tranchée en moins de cinq minutes. Les charges sont de 50 kg.

– J'ai obtenu des renforts, dit Julien. Le temps d'apprendre aux gars à s'en servir et nous verrons !

378

— Il est temps de rétablir l'équilibre des deux camps, actuellement rompu au profit de l'Allemagne. Ici, les officiers eux-mêmes deviennent mabouls. Ils se promènent entre les lignes, au risque de se faire tuer. On les évacue dans les cas de dépression extrême. Plus de quatre-vingt-deux mille hommes sont déjà morts en Argonne, à la IIIe armée, depuis le début de l'année.

— Avec Humbert, dit Julien, tout va s'accélérer. Les copains ne mourront pas pour rien. L'ancien chef de la Marocaine n'est pas un partisan du piétinement sur les lignes.

— Il prépare une action indépendante, «locale» comme ils disent au QG. C'est bientôt notre tour d'entrer en scène, en Argonne.

Julien est affecté en soutien d'artillerie de tranchée au 89e d'infanterie de Sens, intégré à la 10e division, levé dans la région parisienne. Il n'attend que le signal du colonel pour commencer le tir. Il a suffisamment rongé son frein devant le Mort-Homme, où les officiers de la ligne l'empêchaient de tirer, par crainte des représailles. Il veut en découdre au plus tôt, montrer l'efficacité de ses nouvelles batteries, qu'il a soigneusement mises en place le long de la tranchée.

Il dispose de quinze canons de 58, prêts à cracher le feu. Il compte s'en donner à cœur joie, du côté du ravin des Courtes-Chausses, où il a fini de faire aligner ses pièces. L'infanterie doit attaquer ferme et s'emparer des tranchées allemandes, très proches dans ce secteur. Ainsi en a décidé le général Humbert.

L'ennemi devance ses plans en attaquant le premier. Les artilleurs de Julien sont surpris. Ils n'ont pu avoir le moindre soupçon, tant les préparatifs allemands ont été discrets.

— Mettez vos masques, hurle-t-il, c'est une attaque aux gaz.

Ils sortent du sac le tampon de coton protecteur, les lunettes. Par salves de quatre coups, les canons allemands tirent toutes les trente secondes, pendant une demi-heure. Le ravin des Courtes-Chausses est vite infesté. L'infanterie doit l'abandonner. La protection du masque est loin d'être parfaite. Le nuage blanchâtre s'abat sur les tranchées.

Pour la première fois, les Allemands emploient les gaz, non plus en bonbonnes d'acier, mais inclus dans des obus spéciaux. Ils ont une odeur d'amande amère. Les artilleurs qui arrachent leurs lunettes protectrices pour se frotter les yeux, quand le gaz a pénétré, multiplient les risques de devenir aveugles. D'autres suffoquent et quittent leurs abris. Les officiers de l'état-major du colonel eux-mêmes sortent de leur trou en courant, un tampon devant la bouche. Le gaz ne se disperse pas. Il reste en nappe dans les creux.

Les *Minenwerfer* se mettent de la partie, lancent des marmites de ferraille sur les fantassins de Sens. Ceux-ci ne peuvent résister à ce bombardement qui bouleverse la ligne des tranchées. Affaiblis par l'attaque aux gaz, titubant dans les trous de torpille, mal protégés par les masques, ils reculent en attendant la contre-attaque du 82ᵉ de Montargis. Alors, seulement, les crapouillots de Julien crachent le feu.

Il épuise ses munitions contre les colonnes allemandes d'attaque et réussit à empêcher la progression des régiments de *Landwehr* et de chasseurs du *Kronprinz* de Prusse. Il voit sauter en l'air les corps des *Feldgrau* sous l'effet de l'explosion de ses bombes à ailettes. À dix kilomètres vers l'est, à trois lieues vers l'ouest, le front est calme, les biffins tranquilles. Mais dans le ravin des Courtes-Chausses ou dans celui des Meurissons, dans l'Argonne, du côté des bois de la Gruerie ou de Lachalade, sur les bords de la petite rivière de l'Aire qui serpente entre les cimes des sapins noirs, plus de huit mille hommes vont trouver la mort en deux jours, dans l'offensive locale avortée du général Humbert.

Julien ne peut tenir ses positions. Les Allemands ont réussi à avancer des lance-flammes qui projettent leur liquide brûlant jusqu'à vingt mètres. Un puissant tir d'artillerie lourde anéantit la plupart de ses mortiers, tue les servants par dizaines. Sur la position, rien ne résiste. Les nids de mitrailleuses sont abandonnés, les engins brisés ou enterrés. Les fantassins désertent les tranchées investies par des rigoles de goudron enflammé.

Le général Hallouin, commandant du 5e corps, fait intervenir en renfort le troisième bataillon du régiment de Sens. Les biffins marchent sur les morts pour reprendre les tranchées. Les unités sont disloquées. Les chasseurs à pied, les marsouins de l'infanterie de marine et les fantassins de plusieurs bataillons avancent en sautant de trou en trou, avec une ardeur infernale pour attaquer à la grenade, puis à la baïonnette, sur le plateau de la Fille-Morte. Les Allemands sont bousculés, surpris par la rage de l'assaut.

Reviendront-ils en force? Julien, seul et sans armes, s'est emparé d'un Lebel pour suivre la colonne d'assaut et participer à la contre-attaque, n'ayant plus un mortier en état de marche. Les survivants de son équipe le rejoignent, se portent avec lui en avant. Un haut gradé l'arrête, fort étonné de voir un sous-lieutenant partir au combat comme un simple fantassin.

– Prenez mes jumelles et grimpez dans le ballon, lui ordonne un général sorti de son PC pour assister lui-même à l'opération.

L'observateur de la saucisse, installée dans une clairière du bois de la Gruerie, vient d'être tué par un éclat. Julien saute dans la nacelle, ôte le téléphone des mains du mort, dont il débarque le corps avec l'aide de deux territoriaux. Il vérifie la ligne en appelant un officier à terre. Le courant passe par un fil déroulé autour du filin du ballon. Le récepteur est installé devant l'opérateur, sur un tracteur qui peut transporter la saucisse n'importe où, à la demande, une fois dégonflée et arrimée sur la plate-forme. Les territoriaux lâchent le filin, le ballon s'élève au-dessus des sapins, grimpe jusqu'à six cents mètres.

Julien a le temps de transmettre ses premières observations. Il aperçoit, au loin vers l'est, la butte de Vauquois, environnée de nuages. Au nord, celle de Montfaucon. La vallée de l'Aire est à ses pieds. Des convois de camions allemands montent vers le front par la route de Varennes-en-Argonne. Julien annonce l'arrivée de ces renforts ennemis, évalués au bas mot à un bataillon. Il en indique la position exacte, repérée sur sa carte.

– Où sont les batteries qui tirent sur nous? demande l'officier au bout de la ligne.

Il vient de donner des ordres aux artilleurs de la batterie proche des canons de 75 pour qu'ils prennent à partie le convoi des renforts.

Julien distingue, dans une clairière du bois du Bel Orme, des départs de pièces qu'il signale aussitôt. Mais l'artillerie ennemie a repéré son ballon. Les nuages blancs des 77 se rapprochent et encadrent dangereusement la saucisse. À terre, les territoriaux tirent sur le filin pour la ramener au plus vite au sol. Julien continue à transmettre ses observations, découvre in extremis de nouveaux emplacements de canons lourds. Il est bientôt aveuglé. Des éclats atteignent la nacelle. Pas de parachute à bord. Si le ballon prend un coup de plein fouet, il descendra en flammes.

La traction se poursuit. Julien voit monter autour de lui la cime des plus hauts sapins avec soulagement. Les obus éclatent désormais trop haut, les observateurs ennemis ont perdu de vue la saucisse.

Julien saute quand la nacelle n'est plus qu'à deux mètres du sol. Il roule aux pieds d'un officier d'artillerie qui l'aide à se redresser et le présente, légèrement blessé à la cheville, au général Hallouin. Derrière le PC, le feu des 75 se déchaîne. De longues files de territoriaux traversent la clairière, la pelle sur l'épaule, pour construire des lignes solides à l'orée du bois. La contre-attaque allemande vient d'échouer.

— Beau travail, dit le général à Julien. Pour vous, c'est une citation à l'ordre de l'armée.

Les officiers l'entourent. Ils n'ont jamais vu un crapouilloteur grimper aussi courageusement dans un ballon. Mission suicidaire, sous le feu de l'ennemi.

— Vous avez permis, par vos observations, de diriger le tir d'interdiction des 75 contre les colonnes ennemies, lui dit Hallouin.

« Cela ne remplace pas mes mortiers mis en pièces, pense Julien, ni mes servants tués. »

— C'est vous qui commandiez les 58 ? lui demande un commandant.

— C'était moi, lâche Julien avec tristesse. J'ai épuisé toutes mes bombes, avant d'être écrasé sous le feu.

— Les renforts arrivent, lieutenant, dit le général. Vous aurez d'autres crapouillots, et des bombes en quantité. Et c'est vous qui écraserez les Boches !

Une fois encore, le quatrième fils de Marie Aumoine a échappé à la mort. Guerre d'usure et de matériel. Encore des canons, et des hommes par milliers. La guerre n'a pas de fin, elle ne peut en avoir.

La citation rédigée par l'état-major du général Hallouin a attiré l'attention de Joffre, très attentif aux événements d'Argonne, excédé par cette opération sans moyens réels, lancée à la seule initiative du général Humbert. Il ne songe qu'à sa nouvelle grande offensive, préparée dans le plus grand secret à Chantilly. Les bombardiers de l'Argonne ont fait leur devoir, mais ils ont été laminés par la supériorité du feu allemand. Tels sont les rapports du major général Bélin.

Au matin du 25 août, Joffre est furieux des mauvais résultats des affaires d'Argonne. Il a convoqué à Chantilly le général de Curières de Castelnau, chef du groupe d'armées du Centre, et lui demande aussitôt des explications sur ces échecs répétés.

— C'est actuellement la partie la plus sensible du front, dit le général. Le *Kronprinz* y mène en personne les opérations de sa cinquième armée prussienne. Il ne laisse pas Humbert en repos.

— J'ai recommandé, indique Joffre, d'économiser les hommes et d'annuler toute opération inutile et coûteuse. Je vois que nous avons subi beaucoup de pertes.

— Le général de Castelnau, intervient Gamelin, a mis en garde Humbert contre toute action risquée.

— C'est exact. Je lui ai même demandé de venir à mon état-major de Château-Thierry. Je lui ai redit qu'il ne convenait pas de lancer des attaques contre l'ennemi pour diviser son attention et ses forces. La IIIe armée devait ménager ses hommes, construire des défenses solides.

— Elle n'en a rien fait, s'irrite Joffre. Une division a été dépensée en pure perte. L'action a été préparée en dépit du bon sens! Nous avons laissé des prisonniers entre les mains de l'ennemi. L'artillerie de tranchée a été éliminée.

— Pour sa défense, signale Gamelin d'une voix doucereuse, Humbert explique à qui veut l'entendre qu'il a trouvé en arrivant sur ce front une organisation «d'une grande indigence matérielle et intellectuelle». Ce sont ses termes.

— Encore une attaque personnelle contre Sarrail. Il faut cesser ces jeux stériles, tonne le général en chef. Sarrail est parti, et les erreurs de son successeur sont encore plus coûteuses.

Castelnau ne souffle mot. Le «général de la Jésuitière», comme l'appelle Clemenceau, s'est gardé d'attaquer lui-même le franc-maçon Sarrail. C'est Humbert le Marocain qu'il veut neutraliser. La préparation de l'offensive de Champagne exige la disponibilité de nombreuses unités placées en réserve, donc le renforcement des fronts secondaires. Il est essentiel que les lignes françaises soient stabilisées dans l'Argonne, aux moindres frais.

— Vous aurez des renforts de divisions territoriales lance Joffre à Castelnau. Je vous prie de veiller personnellement à l'exécution des travaux de défense dans les différents secteurs de l'armée Humbert.

— Dois-je lui retirer les moyens d'artillerie lourde ?

— Nous en aurons besoin ailleurs, chez Pétain.

Joffre a placé ce général auprès de Castelnau, avec le titre d'adjoint, pour tromper l'ennemi. En fait Pétain doit prendre la tête de la IIe armée, chargée, avec la IVe de Langle de Cary, de l'offensive de Champagne, dont la date vient d'être arrêtée au 25 septembre.

— Le général Humbert demande pour sa IIIe armée des moyens renforcés en crapouillots et autres engins de tranchée, poursuit Gamelin.

— Même remarque. Plus vous lui donnerez de canons, plus il sera tenté de prendre l'offensive. C'est chez Pétain qu'il faut renforcer l'artillerie de tout calibre. Il en aura le plus grand besoin.

— Nous manquons de cadres pour les crapouillots, mon général, affirme Gamelin. Les pièces livrées à la future IIe armée n'ont pas d'instructeurs.

— Formez-en sur-le-champ, autant que vous pourrez. J'ai vu des groupes d'une belle tenue devant Vauquois. Les cadres existent, dispersez-les comme instructeurs à l'arrière des troupes d'assaut, et qu'ils se tiennent prêts le moment venu.

— L'un d'eux vient de se distinguer en Argonne, dit Gamelin en ouvrant le dossier du 5ᵉ corps. Hallouin l'a cité à l'ordre de l'armée. Un simple sous-lieutenant a pu arrêter, par le feu de ses quinze engins, l'attaque d'un bataillon de la garde prussienne.

— Nommez-le lieutenant instructeur. Comment s'appelle-t-il? demande Joffre, s'attendant à ce que Gamelin désigne un jeune polytechnicien, peut-être le fils d'un camarade de promotion.

— Jean Aumoine, ancien de Bleau, arrivé par le rang, volontaire à dix-huit ans.

— Il nous faut beaucoup d'artilleurs de cette trempe, dit Joffre. Le combat sera acharné, de tranchée à tranchée. Les obusiers de 58 nous seront plus utiles que les pièces lourdes.

— Versez le sous-lieutenant à l'armée de Pétain, suggère Castelnau, et plus précisément au centre de formation de bombardiers. Les canons de 58 sortis d'usine et dirigés sur ce front n'ont pas d'équipages.

Ainsi Julien, nanti d'un nouveau «clou» à sa croix de guerre, se retrouve-t-il, pour l'anniversaire de ses vingt ans, au grade de lieutenant bombardier instructeur à l'arrière de la IIᵉ armée. Il est alors à Sainte-Menehould, où il passe une visite médicale pour sa cheville, qui le fait souffrir. La ville a été retenue par Pétain à l'arrière du front pour le service d'évacuation des blessés de la future offensive. Julien s'en étonne : Sainte-Menehould est dans la zone d'opération de l'armée Humbert.

— Le général, explique le major qui le soigne, considère que Vitry-le-François n'offre pas suffisamment d'hôpitaux pour les pertes prévues.

Quand Marie apprend, le 8 septembre, par une lettre de son fils, sa promotion inattendue, elle songe que ce jour-là, précisément un an plus tôt, Léon mourait sur le champ de bataille de l'Ourcq.

La vendange tragique de Champagne

Élégant dans ses bottes noires lustrées, ses galons de lieutenant accrochés aux manches de sa vareuse, Julien Aumoine prétend se rendre à l'hôtel du Lion d'Or, à Reims, où l'attend, pense-t-il, Gabrielle, au matin du dimanche 19 septembre.

Elle participe plus que jamais, lui a-t-elle écrit quinze jours plus tôt, aux tournées théâtrales sur le front. Or, la Dussane doit déclamer une ode héroïque en l'honneur de la résistance de la ville champenoise, devant le général commandant la place. Gabrielle a prévenu Julien, lequel a réussi, vu ses états de service, à obtenir une permission très exceptionnelle de vingt-quatre heures.

Il croit débarquer dans un secteur tranquille, comme à Verdun. Dans la gare, en grande partie détruite par le bombardement et où n'arrivent plus que des convois militaires, il constate tout de suite qu'il est dangereux de se risquer sur la chaussée.

Le canon tonne sans discontinuer. Les Allemands célèbrent à leur manière l'anniversaire du premier bombardement de la cathédrale. Ce jour-là, le 19 septembre 1914, ils ont osé !

Quand Julien, attentif à éviter les éclats, longe enfin la façade de l'hôtel du Lion d'Or, la conciergerie est déserte, le hall d'entrée vide, les vitres donnant sur la rue pulvérisées. Un obus est tombé récemment à proximité. Un officier d'état-major descend l'escalier de marbre, époussetant de sa main gantée des débris de plâtre tombés sur sa vareuse. Il répond fort courtoisement au salut de Julien et l'invite, non sans panache, à prendre un verre de cordial au bar.

— Nous y serons plus en sécurité que dans la rue, lui dit-il. Voilà qu'ils bombardent les hôtels. Il est vrai qu'ils ont bien détruit la cathédrale.

— La tournée Dussane est-elle arrivée ? demande Julien d'un ton faussement désinvolte.

— Une tournée ? Vous n'y pensez pas. Le général Cassagnade, commandant de la place et pourtant amateur de théâtre, a tout décommandé. La Dussane, a-t-il très justement estimé, n'est pas du genre à déclamer sous les salves des 150 lourds. Ce n'est pas son emploi. Elle ne s'est pas fait dire deux fois de remballer ses falbalas.

— Pourtant elle a joué à Verdun.

— Verdun est un paradis, une ville de province endimanchée, avec des politiques et des généraux toujours en visite. Ici, c'est le front. Les Allemands sont juste au-dessus, sur les hauteurs de Brimont, Witry et Berry, où nous avons déclassé et désarmé nos vieux forts. Ils s'y sont installés le plus volontiers du monde. Ils peuvent y surveiller à la jumelle tout ce qui se passe dans les rues. Vous l'avez échappé belle.

— Jamais de répit ?

— Depuis un an, c'est l'enfer. Les enfants vont à l'école dans les caves. Ils y couchent également quand leurs familles refusent d'être évacuées, même si leurs maisons ont été détruites par le canon.

Joly, le directeur de l'hôtel, vient au bar leur servir en personne de la fine champagne millésimée.

— Tout a commencé le 4 septembre 1914, quand les Allemands sont entrés dans Reims, déclarée ville ouverte, raconte l'hôte volubile et attentionné. Pour s'assurer des bonnes intentions des habitants, ils ont tiré soixante obus préventifs, qui ont tué pour rien quelque quatre-vingts personnes. Quand ils ont aperçu le drapeau blanc hissé sur une des tours de la cathédrale, ils ont enfin daigné arrêter le tir.

— Ils ont occupé Reims ? demande Julien.

— Du 4 au 13 septembre, une grosse semaine. Nos troupes les en ont chassés, après la victoire de la Marne. Mais ils ont réussi à s'accrocher dans les collines à l'est. À partir du 14, ils ont commencé les tirs. Le 19, ils incendiaient la cathédrale. Tout a brûlé, les madriers médiévaux de la «forêt» des combles, les stalles, les chaises, la paille répandue sur le sol pour y allonger les blessés. Un formidable incendie qui s'est répandu dans tout le quartier.

— Ils tiraient aux obus incendiaires ? demande Julien.

— Bien sûr. Mais aussi avec leurs monstrueux 210. Ils ont rasé au moins huit hectares de notre bonne ville.

— Et ce n'est pas fini, enchérit l'officier. Nos pièces répliquent. C'est un duel d'artillerie qui précède sans doute de grands événements. Croyez-moi, lieutenant, rentrez dans votre secteur. Il n'y aura pas de représentation ce soir.

— Vous n'avez aucune réservation pour la tournée Dussane ? demande tout de même Julien au directeur Joly.

— Il en a été question, quand les bombardements semblaient faiblir, à la fin de juillet. Mais tout a été annulé. Néanmoins, il me semble... Vous devriez visiter nos caves : les clients s'y sont réfugiés.

À la lueur de lampes-pigeon et de lampes à pétrole, une population de troglodytes s'est organisée dans les catacombes de l'hôtel du Lion d'Or. Les enfants d'une école de quartier sont regroupés autour de leur maîtresse et poursuivent leurs exercices de lecture.

Un personnage solennel, longs favoris grisonnants et redingote noire, comme s'il avait un mariage à célébrer, accueille le sous-lieutenant Aumoine, bras ouverts. C'est le maire de Reims, le docteur Langlet : les employés de l'hôtel de ville détruit et les membres du conseil municipal ont en effet rejoint les rares clients du Lion d'Or dans cet abri providentiel.

— Je cherche, dit Julien, une jeune femme venue de Paris.

— Les pensionnaires de l'hôtel sont traités ici comme des rois, dit le maire, mais les Parisiennes sont assez rares. Suivez-moi dans les appartements spéciaux.

Il le guide à travers les sous-sols, jusqu'à une cave réservée aux hôtes et au personnel du Lion d'Or. Les marmitons s'affairent dans une cuisine de fortune, autour d'un chef plus que jamais toqué. Ils servent les clients attablés sur des caisses, assis sur des fauteuils réformés, abreuvés en champagne pétillant, débouché par un sommelier en queue-de-pie. Un membre de la Croix-Rouge, en uniforme de l'armée suisse, porte avec emphase un toast à la paix. Une élégante jeune femme lui donne la réplique, élevant sa flûte de cristal jusqu'à un lustre de bougies allumées, censé éclairer la salle à manger reconstituée du grand hôtel. C'est Gabrielle.

— Que je suis heureuse d'être restée, s'exclame-t-elle, j'étais sûre que tu viendrais me rejoindre.

— C'est fou, dit Julien. Nous sommes sur le front. Comment a-t-on pu imaginer une tournée à Reims ? Même l'archevêque ne peut y dire la messe.

— C'était prévu depuis longtemps, explique Gabrielle. On disait à Madame Dussane que la ville était dégagée. Il faut partir

— N'y songez pas, conseille le docteur Langlet. Plus de six cents Rémois sont morts pour avoir eu l'imprudence de circuler dans les rues. Les éclats tombent dru comme neige. Ne bougez pas. Vous pourrez tenter une sortie vers six heures du soir, quand les tirs s'arrêteront.

Il gagne lui-même l'escalier, en s'excusant de devoir les abandonner.

— Le docteur Jacquin, un de mes adjoints, vient de mourir, dit-il. J'ai enterré Stengel, le maître sonneur de la cathédrale, et le général Battesti, et le colonel de Lanzac de Laborie, du 3ᵉ spahis. Vous ne pouvez pas savoir comme il est éprouvant de porter en terre des familles entières, bien connues dans la ville, tuées parfois d'un seul obus. Le cardinal Luçon prend des risques personnels pour les conduire en terre chrétienne. Les victimes sont si nombreuses qu'il faut charger les cercueils sur des camions à chevaux, et les accompagner de la morgue jusqu'à la fosse commune. Le fils d'un capitaine de dragons a mené lui-même sa grand-tante au tombeau, sur une voiture à bras. Pas de convoi, pas même de service, une simple bénédiction au cimetière.

— Comment quitter la ville ? demande Julien

— Les trains de banlieue du chemin de fer régional, que nous appelons CBR, fonctionnent encore. Notre gare étant détruite, il faut aller les prendre à Bézannes. Une voiture à cheval fait le service, au départ de la place d'Erlon jusqu'à Pagny-les-Reims. Un de ces petits trains vous conduira jusqu'à Dormans, d'où la ligne de l'Est touche Épernay. Mais vous ne pouvez partir que demain matin à 7 heures et demie, pour être rendu à Épernay vers 17 heures.

— Trop tard pour moi, constate Julien, je dois rejoindre mon corps avant.

Pendant que le maire prend congé de l'assistance et se risque dans la rue, l'officier d'état-major, resté seul au bar, s'approche du couple. Il comprend que son jeune collègue, qui porte l'insigne des bombardiers de tranchée, est dans le plus grand embarras, pris entre le désir de passer vingt-quatre heures tranquilles en compagnie d'une jolie femme, et la difficulté de rallier son corps. Il se présente :

— Commandant Leflot, de la Ve armée, détaché à la place de Reims. Je crois que je puis vous être utile. Une voiture destinée au ravitaillement des troupes fait chaque jour la navette jusqu'à Épernay. Avec elle, vous y serez en

394

trois quarts d'heure. Inutile de rester à l'hôtel plus longtemps. Vous risquez la mort. Un obus de 210 est tombé hier sur l'hôtel de ville tout proche.

— N'est-il pas encore plus dangereux de sortir?

L'officier consulte sa montre.

— Je ne sais si c'est l'heure de la soupe chez nos amis d'en face, mais à 18 heures, c'est l'accalmie. Nous avons juste le temps de gagner la caserne Colbert, où la voiture attend.

— Partons tout de suite, glisse Gabrielle à l'oreille de Julien. Nous serons si bien à Épernay.

Le jeune homme se saisit du sac de voyage en cuir fauve de la jeune femme et le trio se dirige prudemment en direction de la place. Çà et là, se consument des débris de boiseries, de meubles, des rideaux en lambeaux, matériaux de toute sorte devenus la proie des obus incendiaires et arrosés en vain par les jets étiques des lances de pompiers.

La rue est plus fréquentée que Julien ne l'imaginait. Il y voit des manœuvres poussant des marchandises sur des voitures à bras, des employés des postes charriant le courrier, des curés se hâtant vers leurs églises à demi écroulées.

— Tous les jours, depuis un an, la ville est bombardée, dit le commandant flegmatique. Il faut s'y habituer. La population reçoit les services de la ville. Le journal ne paraîtra pas aujourd'hui. L'imprimerie vient de sauter. Mais il a pu être édité chaque jour du siège, presque depuis le début.

Gabrielle s'arrête, impressionnée. La cathédrale est de nouveau entourée de flammes. Les échafaudages destinés à empêcher les ogives de s'écrouler, ont été touchés par les obus. Des tourbillons de fumée jaune sont dispersés par le vent. Sur la place, un vieil homme, vêtu d'une simple soutane, a les larmes aux yeux. Des curés l'entraînent. C'est le cardinal-archevêque de Reims.

Des chevaux éventrés gisent au coin des rues, leurs attelages en morceaux, leur chargement dispersé sur le pavé. Des journaliers-terrassiers, payés par la mairie, désossent les bêtes et les chargent sur des tombereaux. L'odeur de charogne est si irrespirable que Gabrielle se protège le visage d'un mouchoir.

Un parc d'artillerie achève de se consumer.

— Des munitions sans intérêt, commente sobrement Leflot, des cartouches pour exercices de tir.

— Je ne vois pas de troupes dans la ville, s'étonne Julien.

— Pour quoi faire? Les tranchées sont en dehors, ainsi que les batteries. On creuse depuis hier des défenses à l'intérieur, en cas de contre-attaque. Les seules cibles des Allemands dans la ville sont les civils.

— Pourquoi ne pas évacuer?

— Les Rémois sont des patriotes. Ils ne veulent pas lâcher leurs caves. Ils ont les moyens d'y soutenir le siège. Ceux qui ont voulu partir sont partis. On a reconnu, parmi eux, des conseillers municipaux et des fonctionnaires. Cela n'a pas été apprécié. Le maire est resté, le cardinal aussi. Ceux qui s'en vont passent pour des lâches.

Gabrielle désigne à l'officier trois hommes entourés de gendarmes, les mains liées, le dos voûté.

— Des espions, dit le commandant Leflot. Ils renseignaient l'ennemi par signaux. Dans une heure, ils seront fusillés.

D'un pas rendu incertain par la couche de verre pilé répandue sur la chaussée, ils longent les bâtiments du champagne Roederer.

— Vous pourriez vous abriter dans les caves. Un millier de Rémois y sont recueillis. Le personnel de la maison continue de travailler. On expédie toujours les caisses de champagne par le CBR, le chemin de fer à voie étroite.

Des vendeuses de lait passent devant les maisons détruites, poussant de petites voitures jaunes à sonnette, remplies de bouteilles. Des femmes surgissent des ruines pour se fournir. La ville ne veut pas mourir.

Gabrielle se fige devant la façade du théâtre.

— Vous avez bien fait d'annuler la tournée, dit l'officier. Un 210 vient d'éclater à l'intérieur. Il ne reste rien de la scène. Sortez vite de la ville martyre. Vous reviendrez lorsqu'elle sera libérée.

Un caporal du Train des équipages les transfère sur son camion Berliet, qui grimpe en crachotant les pentes de la montagne de Reims, puis emprunte une route encombrée de convois d'artillerie lourde à tracteurs, des pièces de 120 aux longs tubes menaçants, menant à Mont-Chenot.

Épernay n'est pas loin, moins de trente kilomètres, mais il faut deux heures au camion pour gagner l'hôtel du Chapon Fin, sur la place Thiers, en face de la gare et du théâtre municipal.

La place est noire de troupes qui forment les faisceaux, attendant leur embarquement. C'est le 4ᵉ corps du général Putz qui monte en ligne, à l'aile gauche de l'armée de Langle de Cary. Des troupes d'élite en tenue de guerre, spécialement rassemblées pour les coups durs.

Le cœur de Gabrielle se serre. Julien partira lui aussi, le lendemain dans l'après-midi, pour se joindre aux centaines de milliers de soldats qui se préparent pour « le grand coup », comme on dit à Reims. En attendant, il est à elle seule dans cette chambre fleurie de cretonne où les a conduits l'hôtelier, plein d'égards pour ce garçon si jeune décoré de la croix de guerre avec plusieurs palmes.

Elle s'est donné beaucoup de mal pour organiser ce rendez-vous dans une ville du front, battue par un duel permanent d'artillerie. Sur le carnet de tournées de la Dussane, elle avait repéré Reims et la proposition du général Cassagnade d'organiser un concert quand la cité serait hors d'atteinte des canons longs allemands.

Elle avait aussitôt écrit à Julien une lettre parfumée, considérant ce rendez-vous de Reims, à mener toutes affaires cessantes, comme celui de Roxane rencontrant Christian au siège d'Arras. Elle n'avait pas prévu les obus de 210 à fragmentation, ni les bombes incendiaires. Elle se doutait, pourtant, que sa maîtresse ne jouerait pas la tragédie dans un lieu réputé dangereux, présenté dans la presse comme le bastion héroïque de la défense française – à moins que le général Cassagnade n'eût l'intention peu vraisemblable de produire un spectacle à l'abri, dans une cave à champagne.

Quand la tragédienne, dans un éclat de rire, lui avait dit qu'elle ne servait pas dans l'infanterie de forteresse et qu'elle attendait de ses commanditaires qu'ils lui réservassent des salles non battues par le canon, Gabrielle s'était bien gardée de décommander Julien. Roxane renonce-t-elle à chercher, au front, le cantonnement des Gascons ? Puisque la Dussane se désistait, elle irait seule.

Quels trésors d'ingéniosité pour arriver à ses fins ! Julien n'en avait pas idée… L'amour lui donnait des ailes. Elle avait appelé le général Cassagnade pour lui annoncer sa venue à Reims, en vue d'y préparer, assurait-elle avec aplomb, la tournée de la tragédienne. Le succès attendu de l'offensive permettrait de donner une glorieuse représentation dans la ville du Sacre libérée des barbares, la ville martyre à la cathédrale incendiée.

La Dussane avait daigné favoriser l'entreprise en écrivant au général de la place de Reims une élégante lettre de promesse, sinon d'engagement, se doutant bien que l'insistance de Gabrielle avait quelque motivation impérieuse. Elle aimait que sa « première » eût de ces faiblesses éclatantes, flamboyantes. Seul un cœur bien trempé pouvait donner des rendez-vous d'amour sous le canon.

Le séjour des femmes aux armées n'est pas une faveur mais une tolérance. Si l'on refuse généralement toute permission aux officiers – ils sont trop peu nombreux au front pour qu'on les lâche, fût-ce une semaine –, on admet la présence des femmes de qualité auprès de l'élu de leur cœur, pour un temps limité, dans des résidences proches du front. Julien est engagé dans l'armée d'un général célibataire, Philippe Pétain, dont les officiers connaissent le prix qu'il attache aux rendez-vous discrets avec celle qu'il affectionne – et quelques autres – dans d'anonymes établissements…

Cassagnade, septuagénaire récupéré dans la zone des étapes, homme sensible aux romances, a aussitôt fait parvenir à la jeune femme, avec des fleurs, les autorisations désirées, tout en la prévenant des difficultés d'accès et de résidence dans la place forte de Reims. L'officier discret que Julien a rencontré à l'hôtel du Lion d'Or était en réalité chargé d'une mission par le général : escorter l'inconsciente, l'adorable Gabrielle, entre la gare d'Épernay et la cave-abri de l'hôtel, et se tenir à sa disposition, tout en la préservant de tout danger.

En voyant débarquer Julien, le commandant a tout de suite compris les vraies raisons de la montée au front de la « première » de chez Patou et décidé d'être, lui, Roland Leflot, le Cyrano de son Christian. Sans rien dire, il préparerait le jeune amoureux à l'idée qu'une rencontre dans les caves du Lion d'Or manquait de romantisme. Il interviendrait au moment opportun pour suggérer un départ vers un lieu plus tranquille.

Il avait donc fait réserver par téléphone une chambre douillette, si possible munie de volets, à l'hôtel du Chapon Fin d'Épernay, insistant pour que l'hôtelier tînt bouillante l'eau du tub à l'anglaise, à défaut de salle de bain. Gabrielle-Roxane, débarquant d'un camion militaire, aurait la satisfaction de pouvoir se doucher par privilège spécial.

Cyrano-Leflot savait vivre, mais c'est Julien que Gabrielle aimait. Sa force insouciante lui était un viatique. La paralysie d'un père qu'elle idolâtrait la poussait vers ce jeune centaure musclé, capable de la prendre en croupe pour franchir les obstacles. Julien avait le cœur bon et l'irrésistible sérénité d'un homme au corps rompu à l'exercice, à qui tout effort semblait naturel.

Il était aussi invulnérable que le «bouillant Achille», de l'opérette des boulevards, traversant les batailles sans une égratignure. Son instinct le gardait du danger, sa confiance n'était pas aveugle. À sa manière de fermer les volets, de tirer le rideau de la chambre, Gabrielle comprend qu'il ne laisse rien au hasard pour protéger leur amour des lumières violentes des fusées. Dans ses bras refermés, elle retrouve la chaleur qu'éprouve l'enfant dans le sein maternel, elle qui n'a pas connu sa mère.

Lui aussi admire son courage. Au plus fort du combat, elle ne se sépare pas de son sac à malices, où bringuebalent des fioles aux noms mystérieux, mythologiques; produits de beauté aux consonances grecques, latines, égyptiennes peut-être, attirail de la chimie portative d'Aphrodite. À la voir esquisser avec soin son visage de la journée, il comprend qu'elle se compose un masque comme un chevalier s'abrite sous son armure. Si elle a changé son prénom, c'est contre celui d'un archange guerrier : Gabrielle.

Il devient soudain conscient que cette attention au moindre défaut de sa cuirasse doit renforcer ses défenses; qu'elle se fait un rempart de son charme ensorcelant, à la manière de ces guerriers d'Afrique qui peignent sur leurs visages des masques de gazelle pour approcher les lions et, plus sûrement, les tuer.

Elle a besoin de Julien pour juger de son allure générale ou pour choisir l'accessoire sorti du sac fauve – foulard, collier de perles, pochette, bandeau – qui illuminera le tailleur de campagne par quelque touche de couleur inattendue. L'artilleur trouve tout admirable. Mais elle sait surprendre dans son regard le petit éclat du désir.

Julien est un artilleur lyrique. Pour lui, c'est une première. Il n'a jamais été à pareil spectacle. Élevé par une femme austère dans une famille de garçons, il n'imaginait pas les délices de ces longues séances d'habillage. Devant lui, pour lui, Gabrielle se prépare à entrer en scène.

Mais il n'y a pas de scène. Quand elle entrouvre les volets, le bruit de la clique des chasseurs à pied envahit la chambre, des airs de cors ébranlent les vitres. Elle referme vivement. Julien la prend dans ses bras. Attiré par le masque, il ne rêve que de le profaner. Séduit par le costume, il n'a de cesse de le retirer. Elle proteste pour la forme. Le temps de la parade amoureuse est passé, celui du pur plaisir d'aimer est venu.

Midi sonne au clocher de l'église Notre-Dame. La faim aura-t-elle raison de leur exquise parenthèse? Les bulles du Moët ont tôt fait de prolonger l'illusion d'un temps arrêté par décision divine.

Des bruits de bottes ébranlent l'escalier de bois de l'hôtel. On entend les sonneries stridentes des téléphones de campagne, des ordres lancés à voix forte. Les officiers hébergés dans l'hôtel se préparent à rejoindre leurs trains, se bousculent vers la gare.

– Il faut partir, dit Julien, trouver une autre cachette.

Ils se glissent dans la rue, plus discrets que des chats, trouvent refuge dans l'église, à l'entrée du boulevard de

La Motte. Elle est miraculeusement préservée des obus, sa coiffure d'ardoises est intacte.

Les vitraux laissent filtrer le soleil de septembre. Ils ont gardé les couleurs délicates du plus ancien gothique et racontent l'histoire d'Ève au Paradis, de l'arbre de Josué, de l'accouchement de la Vierge. Ces images de première communion, qui ont échappé aux tirs du canon et aux bombes des Gothas, sont une promesse de paix.

– Qui peut être cette abbesse d'Argensolles? demande Gabrielle en déchiffrant ce nom sur une pierre tombale.

– Une de ces dames du temps jadis, je présume. De celles qui attendaient, leur vie durant, le retour des croisades du baron, et s'emmuraient au couvent quand il ne rentrait pas.

– Je veux sur sa tombe te faire un serment, Julien. Je t'attendrai le temps qu'il faudra, je suis à toi pour la vie, au-delà de la vie, comme l'abbesse d'Argensolles était à Dieu.

Le commandant Roland Leflot assiste discrètement à leurs adieux déchirants, dans la gare d'Épernay. Il ne s'approche qu'au dernier moment, pour faciliter à Gabrielle l'accès au quai. Un train pour Paris chauffe ses machines, ayant dégorgé son flot de jeunes venus des dépôts. Pas encore de blessés à charger en grand nombre vers les hôpitaux de l'arrière. Les wagons sont presque vides au retour. L'officier installe Gabrielle en seconde, lui baise galamment, la main puis redescend sur le quai.

Julien est déjà parti en direction de Suippe et de Somme-Tourbe, sur les arrières de la IIe armée du général Pétain, dans un train bondé de territoriaux du 110e régiment, recrutés à Romans dans la Drôme. Des anciens aux accents chantants du Sud.

— J'amène au front les dromadaires, dit un lieutenant quadragénaire, comptable à Valence de son état. Je ne sais si nous sommes destinés au feu. On a tué tant de jeunes que notre tour est venu.

— Avec le général Grossetti, dit Julien, vous ne chômerez pas. Il vient d'être nommé à la tête de votre division, je crois. C'est le héros de Dixmude. Partout où il est nommé, une opération dure se prépare. Celle-ci sera peut-être la dernière. Qui peut savoir ?

— Pas la dernière pour nous, j'espère. Joffre a dû le promettre aux civils, comme d'habitude, dit le lieutenant, résigné. Les Poincaré, les Viviani aiment bien que ceux des états-majors leur garantissent le succès. Ils sont si critiqués dans le pays, depuis que la guerre se prolonge. Comme s'ils y pouvaient quelque chose ! Pour signer la paix, il faut être au moins deux.

— Oui, tranche Julien, péremptoire. Il faut en finir une fois pour toutes. On aura tout le temps de parler de la paix après, quand messieurs les Boches seront rentrés chez eux.

Ce qu'il rencontre en chemin le conforte dans son optimisme : les avions de l'escadrille F50, basée près de Reims, survolent les colonnes à basse altitude pour empêcher les raids de *Taube* sur les routes. En approchant sa batterie de canons de 58 dans le camp de Suippes, Julien découvre un groupe de territoriaux fort affairés à creuser l'emplacement d'une pièce de 270, énorme, montée sur plateforme.

Il s'approche des artilleurs, fasciné par le calibre de leurs nouveaux obus.

— Ils ont plus d'un mètre de haut, affirme le pointeur, un brigadier du 4ᵉ régiment d'artillerie lourde de Versailles, l'ancien régiment de Joffre. L'homme est plein d'admiration pour sa pièce, et il en parle volontiers.

— Elle porte à douze kilomètres en balançant deux cent trente kilos de poudre et d'acier sur la tête des Pruscos.

Il tend ses jumelles à Julien :

— Regardez, mon lieutenant, la ligne de fond du paysage. Vous apercevez le clocher de Sainte-Marie-à-Py dans les lointains. Un observatoire boche à neutraliser. À sa gauche, Saint-Souplet ; à sa droite, le village de Somme-Py, sur la route de Suippes à Sedan. Le train de ravitaillement des lignes allemandes passe par là, derrière leur deuxième position de défense, qui file de Saint-Souplet à Cernay-en-Dormoy par la tranchée des Tantes, la butte de Souain et la Butte de Tahure. Il faut à tout prix détruire ce cordon ombilical de leur front de Champagne.

Julien touche l'acier glacé du tube énorme de la «bonne fille», la pièce de 270 réservée à la destruction du chemin de fer stratégique, celui qui achemine les tonnes de munitions aux abris bétonnés du général von Einem, chef de la IIIᵉ armée allemande. Mais aussi du *Kronprinz* de Prusse, qui lui donne la main vers l'est, sur la rivière l'Aisne.

En cinq minutes d'observation un peu attentive sur la butte des artilleurs de Versailles, le jeune Aumoine vient de découvrir le futur champ de bataille de Champagne, où tant de soldats vont mourir.

Toujours à la recherche de sa batterie de crapouillots, il est attiré par le fumet d'une roulante qui ne sent pas les haricots rouges ni les lentilles du Puy. On n'y parle qu'italien. Des gaillards hirsutes, mais rasés de frais, sont attablés autour d'un cuistot très affairé qui leur sert des platées de pâtes fraîches, arrosées de sauce milanaise.

Un lieutenant l'invite à la popote. Il se présente, tout en lui offrant un verre de vin sombre et lourd.

— Mon nom est Raf Barducci. Je suis du 4e régiment de la Légion étrangère. Notre colonel, Giuseppe Garibaldi, est reparti aujourd'hui sur notre front des Alpes juliennes. Tous nos amis présents ici sont des garibaldiens. Ils viennent défendre la *Republica francese*, la seule en Europe, comme ils l'ont fait déjà en 1870.

Julien est surpris : trois mille Italiens issus des Pouilles, de Vénétie, des Romagnes ou du Piémont sont prêts à mourir au son *du boudin*.

— Nous ne sommes pas les seuls, nous, les Italiens, à vouloir détruire les empires en Europe, affirme l'officier avec une emphase toute latine. Voyez nos voisins, du 2e régiment : ils sont tous tchèques. L'adjudant-chef qui leur donne des ordres est le sous-officier le plus décoré de l'armée française. Son nom est Mader et il est allemand !

Julien imagine mal que ces hommes soient prêts à mourir sans avoir une Alsace-Lorraine à libérer. Et pourtant, ces étrangers sont venus défendre en France la liberté de l'Europe. Toutes les nations encore opprimées sont représentées à la Légion.

– Tedeschi, Montenegrini, Polonesi anche Turci di Armenia o Syria, tutti volontarii contro il Kaiser, *il sultano di Costantinopoli, e tutte le tiranne!*

Et le lieutenant lève son verre en criant, comme le Don Giovanni de Da Ponte : *Viva la liberta !*

Après sa tirade enflammée, l'officier italien Raf Barducci indique son chemin à Julien Aumoine : il trouvera l'armée Pétain plus à l'est, au-delà de la rivière Tourbe, croit-il. Elle y tient position jusqu'à l'Aisne.

Le sous-lieutenant bombardier est l'éternel errant de la ligne du front. Il est expédié de régiment en régiment pour former en accéléré les servants des batteries de crapouillots, jamais assez nombreux sur la ligne des tranchées.

Un ordre de route signé de l'état-major de Castelnau, installé à Châlons, l'a récemment affecté à la IIᵉ armée, qu'il doit retrouver dans ses positions de départ pour l'offensive. On lui montrera, au PC de Pétain, l'emplacement de la nouvelle batterie dont il doit prendre livraison. Il ignore encore son affectation définitive.

Les premières lignes françaises de cette armée sont creusées dans la craie champenoise de l'orée du Bois-Sabot, à la Main de Massiges. Elles ont été conquises dans le sang au mois de mars. Le général se tient à Auve, en arrière de Somme-Tourbe. Impossible pour Julien de rejoindre un point aussi éloigné. Par chance, il tombe sur un officier de l'état-major du général Baret, du 14ᵉ corps, chargé de mener l'attaque à l'aile gauche de l'armée Pétain.

407

– Lieutenant Aumoine, de la 110ᵉ batterie? demande l'autre en consultant son ordre de bataille très détaillé. Vos pièces sont déjà livrées derrière les tranchées de Bois-Sabot. Vous y êtes attendu avec impatience.

Au soir du 23 septembre, grâce à cette information inespérée, il rejoint le secteur du 140ᵉ régiment de Grenoble, embusqué avec les Alpins dans des tranchées bien abritées, aux ordres du général de Bazelaire, dont la division doit attaquer le bois du Trou-Bicot.

Jean Rouquier, le colonel du 140ᵉ, lui fait visiter les tranchées. Il est surpris de leur confort : rien de commun avec la boue de Picardie. Elles sont creusées à deux mètres dans la craie, au cordeau. Le téléphone est partout branché. On installe des tôles pare-balles pour les guetteurs.

Les artilleurs de Julien ont déjà dégagé un vaste abri, recouvert d'une charpente en troncs de pins. Ils jettent à la pelle des mottes de terre sur cette toiture et répartissent la paille sur les châlits de bois. Les murs sont tapissés de papiers d'emballage et des sacs de terre protègent l'ouverture. Un palace.

– Ils vous ont attendu pour fixer les emplacements définitifs de la batterie, dit le colonel. Hâtez-vous. Des événements graves se préparent. Tout doit être prêt sous vingt-quatre heures. Et veillez à transporter votre matériel. Nous ne resterons pas longtemps sur cette position.

Julien retrouve parmi les servants quelques vétérans de sa batterie de Vauquois. L'aspirant David Bloch, un survivant, charge lui-même sur un brancard une pièce de 58 avec le margis Serge Vaillant, formé au crapouillot dans les tranchées de l'Argonne. Tous sont des volontaires levés dans plusieurs régiments d'artillerie de campagne. En vingt-quatre heures, Bloch n'a pu leur enseigner que des rudiments. Ils savent déjà tirer les bombes toutefois, en les fixant dans l'âme du petit canon de 58.

Six pièces, toutes neuves. Julien les caresse du regard. Il les essaierait bien tout de suite, mais il faut encore abriter les stocks de munitions, donner aux territoriaux l'ordre de creuser en toute hâte des boyaux de liaison.

— Nous travaillerons la nuit, assure David Bloch. Les tirs doivent commencer sous quarante-huit heures.

Serge Vaillant n'en finit pas d'admirer les avions de l'escadrille 50, dont le ballet se déploie dans le ciel depuis le lever du jour.

— Il faut croire que notre artillerie lourde est en place, dit-il. Ceux-là profitent du soleil pour repérer les objectifs.

— Plus de mille pièces sont en ligne, avance Bloch. Je le tiens du colonel. Et beaucoup de lourdes. Cette fois, les biffins seront soutenus.

Julien en doute. Il repère à la jumelle les lignes sombres du bois du Trou-Bicot, déjà très éprouvé. Les arbres sont abattus, tronqués, enchevêtrés. Une troupe d'assaut aura du mal à avancer. Il est probable que les Allemands ont concentré des batteries sur la butte du Mesnil, qui constitue, à deux cents mètres d'altitude, un très bon observatoire.

— Nous avons essuyé le tir des obus lourds venus de l'Est, explique David Bloch. Ils sont sans doute embusqués à dix kilomètres de là, du côté de Servon, sur notre flanc droit.

Un Farman d'observation survole les lignes, il ne peut aller loin. Un chasseur Fokker à croix noire, surgi à grande vitesse, le prend aussitôt en chasse.

— C'est le tout dernier modèle allemand, déclare Bloch, construit par un ingénieur hollandais. Il est redoutable. Son moteur est puissant. La mitrailleuse à l'avant est parfaitement synchronisée avec l'hélice. Pas besoin de renforcer celle-ci, comme nous le faisons, avec des plaques d'acier pour éviter que les pales de bois d'acajou ne soient hachées par les balles.

Le Farman donne de la gîte. Son aile est déchirée, son moteur touché.

— Il ne peut résister, déplore Bloch. L'Allemand tire trois cents balles de mitrailleuse dans la foulée. Nos chasseurs ne peuvent en débiter que vingt-cinq. Quant au Farman, il est déclassé. Une pie borgne vole plus vite.

L'avion français tente d'atterrir en vol plané, percute un sapin du bout de son aile restante. Le pilote s'extrait péniblement de la carlingue, demande de l'aide. Bloch, Aumoine et Vaillant se précipitent pour dégager l'observateur blessé à l'avant, ainsi que le mitrailleur de la tourelle arrière.

— Il faut immédiatement faire parvenir les résultats de nos observations au PC de Pétain, dit le pilote.

Le colonel Rouquier surgit. Il entraîne ce Jean Huré à son PC, où il dispose d'un poste émetteur de radio. Plusieurs trains d'artillerie ont été repérés près de la gare de Challerange, aux mains de l'ennemi, ainsi qu'un convoi de camions sur la route. Un régiment allemand de renfort se déploie dans le bois du Trou-Bicot. Les Allemands prennent déjà leurs dispositions pour résister à une attaque. Le commandement français doit impérativement le savoir. Le message est transmis.

— Il faut s'attendre à une forte résistance, confie Huré au colonel. S'ils expédient déjà des renforts en ligne, c'est qu'ils auront été prévenus. Avec le beau temps, ils ont tous les moyens d'observer nos préparatifs.

— Ce qui m'inquiète, s'étonne Rouquier, c'est l'absence de nos chasseurs. Vous n'étiez pas protégés.

— Dès qu'ils se montrent, dit Huré, ils sont abattus. Pour peu qu'ils soient attaqués par les Fokker. Le temps de sortir un modèle qui leur résiste, nous allons déguster.

Le 24 septembre, commence une assourdissante préparation d'artillerie. Tous les canons français tonnent sur l'ensemble de la ligne de Champagne. Des tirs d'obus asphyxiants, enfin mis au point par l'industrie chimique, accablent le bois du Trou-Bicot, ainsi que des obus incendiaires. Le grondement fait trembler la terre. Elle vibre depuis deux heures du matin, sans une seconde de répit. Les pièces de tous les calibres tonnent ensemble. Certaines lancent des obus de cinq cents kilos.

Les fantassins qui partent à l'assaut casqués et cagoulés ont un équipement allégé, mais portent quand même des outils de tranchée, des sacs à terre vides, roulés dans la toile de tente, et deux musettes. Cent soixante cartouches et trois grenades par homme, deux jours de vivres dans la musette, deux litres de vin dans le bidon.

Ils ont fixé des carrés de toile blanc et rouge au dos de leur vareuse et des fanions de même couleur, afin de faciliter le signalement de leur avance à l'artillerie. Des officiers de cette arme accompagnent les biffins, et les lignes de téléphone sont immédiatement déroulées pour suivre l'attaque. Des sapeurs, munis de cisailles et de charges de cheddite, avancent leurs longues perches pour faire sauter les champs de barbelés brillant au soleil telle une mer d'acier qui aurait résisté au feu destructeur de l'artillerie. Pétain croit avoir tout prévu.

— Il pleut. Pas un avion ne pourra prendre l'air, note Julien.

— Cela vaut mieux ainsi, répond Bloch. S'ils ont vraiment la supériorité aérienne, comme l'affirme le pilote Huré, ils ne pourront se rendre maîtres du ciel à cause du mauvais temps. Ils ne seront pas mieux renseignés que nous.

— Mais c'est nous qui attaquons!

Ils sont convoqués au PC du colonel Rouquier, lequel leur annonce le départ probable de l'offensive dans trois jours, avec pour objectif la conquête de la butte de Tahure et de toute la ligne des hauteurs, au-dessus du vallon de la Dormoise. Les cinq corps de l'armée Pétain seront engagés, coloniaux en premier lieu.

— Nous autres, dit le colon, nous sommes le 14e corps du général Baret, nous attaquons à gauche du dispositif, droit sur le Trou-Bicot. Nous devrons prendre de vive force les tranchées de la butte de Souin et de la Vistule.

— Que pouvons-nous faire pour vous aider? demande Julien.

— L'instruction de Pétain précise que votre batterie est totalement à ma disposition pour accompagner l'attaque. Vous déclencherez le tir de destruction un quart d'heure avant la sortie des parallèles. Vous devrez ensuite, à ma demande, accompagner les troupes, donc vous déplacer sans retard dans les premières tranchées ennemies conquises.

— Où est le PC du corps d'armée, si nous perdons la liaison avec vous ? demande Bloch, toujours prudent.

Il mesure la difficulté de l'entreprise : les mortiers doivent être acheminés par porteurs.

— Somme-Suippe, puis la cote 200, dès qu'elle sera conquise, précise le colonel.

— Sommes-nous limités en munitions ? s'inquiète Julien.

— Tout est prévu pour que vous n'en manquiez pas, répond laconiquement le colonel, comme s'il citait de mémoire un ordre de Pétain.

— Les cartes ? interroge Bloch.

— Voici la vôtre, au 5000ᵉ. Vous pouvez observer le tracé des défenses ennemies, reportées d'après nos observations aériennes et terrestres. L'itinéraire du régiment y est inscrit, avec l'objectif à atteindre, ainsi que les principaux points de passage. Vous ne pouvez pas vous tromper. Vous verrez que vous devez vous porter à tout prix sur le terrain libre, à l'est du Trou-Bicot, en soutien immédiat de l'infanterie, dès qu'elle aura occupé ses positions et creusé les trous nécessaires. Votre rôle est de prévenir toute contre-attaque du côté du bois des Lièvres, ou du bois du Désespoir, au cas où les unités voisines se feraient enfoncer.

— Qui nous aidera à nous retrancher ?

— Les gens du génie et les territoriaux. Votre batterie doit talonner la progression du régiment de Grenoble et

413

des chasseurs alpins. Les trains de combat veilleront à ce que vous ne manquiez jamais de munitions. Celles-ci seront acheminées par les boyaux dégagés aussitôt après l'assaut. Réglez vos montres sur la mienne. Il n'y aura ni clairon, ni coups de sifflets. À neuf heures quinze précises, le 25 septembre, heure de la Tour Eiffel.

— Excusez-moi, mon colonel, mais quelque chose a-t-il été prévu contre les gaz? s'inquiète Bloch.

— Les hommes seront munis d'une cagoule, ou, à défaut, de lunettes et de tampons récemment trempés dans une solution d'hyposulfite. Les abris doivent être pourvus de récipients à cette fin. C'est tout ce que je peux vous offrir.

Le colonel rectifie la position. Sans s'être annoncé, le général Pétain, suivi par le chef de corps Baret, vient de faire son entrée. Il salue, en touchant son képi bleu horizon, marqué de ses seules étoiles, et remarque aussitôt la présence des deux bombardiers dans le PC.

Il se penche sur la carte des positions allemandes, marquée des directions d'attaque.

— Cette carte ne doit être distribuée aux officiers qu'à la toute dernière minute, déclare-t-il au colonel. Il n'est pas question de la porter sur soi pendant le temps de l'action. Sitôt apprise par cœur, elle doit être détruite.

Ses yeux bleu d'acier sont froids, son visage immobile. Il s'exprime d'un ton mesuré, mais qui n'appelle nulle réplique.

— Il est essentiel, dit-il encore au colonel Rouquier, que la 27e division dont vous faites partie enlève d'un seul bond la première position allemande. Vous êtes à la pointe de l'action.

414

– Nous sommes prêts, mon général !

Pétain note que les deux bombardiers ont reculé d'un pas, par déférence. Il tend la main à Bloch, esquisse un sourire aussitôt réprimé.

– Le succès dépend de vous. Portez-vous en première ligne dès l'avance de l'infanterie, et ouvrez le feu.

– Vous pouvez y compter, mon général ! lance Julien d'une voix claire et décidée.

Le sexagénaire regarde avec une attention soutenue cet officier de vingt ans.

– J'y compte en effet, souligne-t-il simplement.

Les mortiers de Julien engagent un feu d'enfer, un quart d'heure avant l'heure dite. Les Grenoblois partent à l'assaut de tranchées entièrement bouleversées, traversent des fils de barbelés détruits, sans être assaillis par le tir des mitrailleuses. Ils s'organisent sur le terrain de l'Arbre 193 et progressent vers la source de la Dormoise. Les Allemands, tapis dans leurs fortifications du bois du Trou-Bicot, sont pratiquement cernés, après deux heures d'engagement.

Julien se hâte de porter les pièces sur des brancards dans les boyaux dégagés. Serge Vaillant charge un crapouillot avec l'aide du solide alpin Auguste Vasseur, volontaire du 2ᵉ régiment d'artillerie de Grenoble. Il a les épaules si larges qu'il pourrait presque porter l'obusier à lui seul. Julien est en tête du convoi, avec un cultivateur de l'Aisne, Albert Mousseau, du 8ᵉ régiment d'artillerie, formé dès 1914 au camp de Mailly. Bloch porte la troisième pièce au brancard avec un balayeur de la mairie de Grenoble.

415

Les six crapouillots se fraient ainsi le chemin du Trou-Bicot. Les porteurs ne se reposent que le temps de laisser les territoriaux remuer la terre humide et dégager un boyau d'accès vers le réseau allemand de première ligne.

Quand ils débouchent dans la tranchée de la Vistule, ils doivent mettre la main à la pâte. La position abandonnée par les Allemands est hérissée de débris de poutres, jonchée de sacs de terre crevés et de *Minen* écrasés. Des prisonniers se terrent à l'entrée des abris, attendant d'être évacués vers l'arrière.

Un adjudant du génie les oblige à aider au déblaiement, à creuser des passages dans les gerbes de pierraille. Ils s'attellent volontiers à la tâche. On leur a tellement dit que les Français fusillaient les prisonniers qu'ils s'attendaient à bien pire. On les expédie vers l'arrière, sous la garde des territoriaux, dès que le passage est libéré.

Julien et David mettent aussitôt les premiers engins en batterie pour soutenir l'investissement du Trou-Bicot. Le tir est bientôt nourri, comme si le ravitaillement en munitions ne posait aucun problème.

Impossible de joindre le colonel Rouquier. Il suit pas à pas l'avance de son 140e vers la cote 193, une colline laminée par le canon, dans la direction de la butte de Tahure, dont les Français doivent se rendre maîtres afin de percer de manière décisive les défenses de von Einen.

Un agent de liaison, le sergent Bosson, parvient pourtant jusqu'aux batteries en leur portant l'ordre d'avancer de nouveau d'un kilomètre et de suivre la troupe en direction de la butte de Tahure. Le Trou-Bicot vient d'être nettoyé, avec la ferme Navarin, par les Marocains du corps de Blondat. Ils sont au pied de la butte de Souain et passent à l'attaque de la tranchée des Tantes. À peine installés, les bombardiers, exténués, doivent recharger leurs engins sur les brancards.

— Nous sommes vainqueurs, dit Julien d'un ton optimiste destiné à soutenir le moral des siens. Il suffit d'élargir la percée.

— La tranchée des Tantes est-elle à nous ? demande Bloch.

— Hélas non ! répond Louis Bosson. Vous n'êtes pas au courant ? Dramatique méprise de notre artillerie. Un avion d'observation a pourtant parfaitement reconnu les nôtres. Ils avaient disposé des panneaux rouge et blanc sur la tranchée conquise, pour demander l'allongement du tir infernal de nos pièces.

— Et les artilleurs n'ont pas voulu croire au rapport de l'aviateur, comprend Bloch.

— Ils ont estimé qu'une telle avance était impossible. Elle n'était d'ailleurs pas prévue au programme. Le commandant de l'artillerie de corps d'armée a fait exécuter un tir de destruction massif.

— Les aviateurs ont dû confirmer leurs observations ? insiste Bloch.

— Naturellement. Au risque de leur vie, bravant la chasse allemande, ils ont de nouveau signalé la présence des Français dans la tranchée. Et de nouveau, les artilleurs ont refusé de se rendre à l'évidence.

— Et nos gars sont morts sous les obus de 75, dit David Bloch atterré.

— Pas tous. Un lieutenant à réussi à passer. Il s'est fait conduire au PC du corps d'armée. Il a insulté le général.

Cela ne ressuscite pas les morts, et la tranchée a été reconquise par les Boches.

Entre le Trou-Bicot et la mamelle sud, Julien doit faire passer sa colonne en terrain accidenté, dans des boyaux allemands encombrés de morts et de blessés des deux armées. Les pertes sont énormes. Les compagnies, réduites à cinquante hommes, sans officiers, doivent être regroupées. Au soir du 25 septembre, Pétain a donné l'ordre de poursuivre l'offensive coûte que coûte, conformément aux ordres de Joffre.

Les premiers blessés sont évacués sur des civières, mais beaucoup restent sur place, faute de brancardiers, s'époumonant à demander des secours. Les prisonniers se mettent à genoux, mains en l'air, au moment de sortir de leurs sapes blindées, au fond desquelles ils n'ont subi aucune perte.

Julien s'étonne de la qualité des tranchées allemandes. Les boyaux sont munis de nombreux abris et couloirs. Des escaliers descendent dans les sapes à vingt mètres de profondeur, à l'abri des plus lourds obus. Les nids de mitrailleuses blindés ont été cependant bousculés par les marmites de 120. Les servants sont morts sur leurs pièces disloquées.

On ne progresse dans les boyaux qu'en enjambant les cadavres. Il suffirait de recouvrir la tranchée pour en faire une longue fosse commune. La marche est difficile, et les brancards chargés de crapouillots pèsent lourd sur les épaules. Les territoriaux ramassent les fusils-mitrailleurs et les fusils VB des fantassins français tués dans l'action. Les ordres sont de récupérer les armes et les munitions, comme si l'on risquait d'en manquer.

Ils dégagent rapidement la tranchée pour laisser la place aux renforts. Arrivés en fin de boyau, les servants de Julien s'installent aussitôt dans des trous d'obus jonchés de cadavres, pour mettre leurs pièces en batterie. Ils sont en vue de la sinistre butte de Tahure, la seconde position allemande. Ils ouvrent aussitôt le feu, mais ils épuisent rapidement leurs munitions.

Les renforts d'infanterie tardent à déboucher. L'artillerie allemande, que l'on croyait anéantie, vient de reprendre ses tirs d'interdiction au matin du 26 septembre. Julien a consommé tout son stock de bombes. Il attend l'arrivée des caisses promises. Elles ne suivent pas.

Les avant-gardes d'un bataillon d'infanterie s'extraient péniblement du boyau. Il faut bien en sortir si l'on veut franchir le ru de la Dormoise. Ces poilus sont des soldats du 52e de Montélimar, appartenant à la deuxième brigade de la 27e division.

Les Méridionaux marchent depuis quatre heures en file indienne dans les tranchées. Ils s'en arrachent, épuisés, pour traverser à découvert, sur deux planches, le petit ruisseau qui jaillit de la source fraîche. Passage mortel : les soldats sont enveloppés dans un nuage dangereux de fumée opaque et bleutée.

— Ils toussent, éternuent, pleurent, raconte à Julien l'adjudant Paul Reboul, de son métier receveur des postes dans la Drôme et qui fait fonction, faute d'officiers, de chef de compagnie. Les yeux se brouillent, malgré les lunettes. Plus nous avançons vers la source, plus le brouillard s'épaissit. Et les obus à gaz pleuvent sans répit, ciblés précisément sur le vallon. Autour de nous, les arbres fauchés par les fusants tombent à terre. Plusieurs de nos camarades sont tués au passage de ce maudit pont de planches.

— Les tampons et les lunettes ne sont-il pas censés vous protéger ? s'inquiète David Bloch.

— Nous n'en avions pas tous. Certains les ont donnés aux hommes du ravitaillement, qui en manquaient. Les officiers ont reçu des appareillages qu'ils portent sur le dos et qui ressemblent à des pulvérisateurs, avec un tuyau de caoutchouc raccordé à une cagoule. Ceux qui ne peuvent plus respirer, et dont les yeux sont atteints, retournent vers l'arrière en se tenant les uns aux autres, les mains sur les épaules pour ne pas tomber.

— Et vous avez quand même progressé ! commente Julien, d'un ton à la fois las et incrédule.

Accablant. Découragé, il retire son casque, trop lourd d'au moins une livre, et l'accroche à son ceinturon.

— Au moment de traverser enfin le ruisseau, poursuit Reboul, nous avons été attaqués par une mitrailleuse portative allemande, embusquée dans un trou, indélogeable par notre artillerie. Elle est en mesure de balayer tout le ravin. Encore des morts et des blessés inévitables, tant qu'un grenadier ne parviendra pas à ramper jusqu'aux mitrailleurs.

— Mission insensée, proteste Bloch, suicidaire.

— Mais l'artillerie allemande a rallongé son tir au-dessus de la tête des combattants des premières lignes, reprend Reboul. Nous poursuivons notre marche, de nouveau sous la protection du boyau. Si encombré soit-il de cadavres et de mourants, il abrite des éclats d'obus. Les hommes de tête hésitent avant de déboucher dans la tranchée. Un commandant d'un autre régiment surgit, hagard : «Baïonnette au canon! » Veut-il commander la charge? À quel titre? s'indigne Reboul. Où sont ses troupes? Il les a sans doute perdues, toutes. Blessées, tuées, prisonnières, rendues à l'ennemi… Il est le seul survivant et il devient fou. Les hommes sont lourds de fatigue, ils ne peuvent l'entendre. Il s'obstine, gesticule, vocifère devant des poilus qui imbibent leurs compresses pour tenter de retrouver leur souffle dans la nappe de gaz qui fait pleurer leurs yeux…

L'adjudant Reboul raconte encore comment il a tenté de calmer, en vain, le commandant déboussolé. Aidé du sergent-chef Duval, il a maîtrisé le forcené, l'a désarmé et fait évacuer par des sanitaires, attaché à une civière.

— Il est temps de penser à l'assaut, termine-t-il en s'épongeant le front et en donnant le signal à la colonne.

Les soldats sautent avec précaution hors de la tranchée et avancent par bonds successifs jusqu'aux abords de la seconde ligne allemande. Aucune réaction de l'ennemi.

Julien fait charger les pièces sur les brancards pour les avancer au plus vite, dès que Reboul lui signifiera que la tranchée allemande est vide. Ses confortables pare-éclats doivent être changés d'orientation pour faire face au feu prévisible de la contre-attaque, à partir de l'arrière ou des flancs. Les hommes du génie s'en occupent, pendant que les Méridionaux déblaient la tranchée, jetant les cadavres par-dessus le parapet.

Les bombardiers portent les pièces à bras, suivis par des territoriaux qui convoient les rares caisses de munitions de supplément. Julien fait aussitôt mettre un mortier en batterie et tirer une bombe sur une position forte, constituée de deux petits blockhaus nichés à cinquante mètres au-dessus de la tranchée. La réplique est immédiate : les mitrailleuses et les *Minen* abreuvent les Français d'une pluie d'acier. Julien et ses bombardiers doivent se replier dans des trous individuels. Plusieurs servants sont blessés. Les bombes de 58 ne suffisent pas à détruire ces blockhaus. Il faudrait, pour en venir à bout, un tir de canons lourds.

Pendant que des artificiers du génie font sauter à la cheddite les réseaux de barbelés qui entourent les deux ouvrages, les volontaires de la compagnie Reboul, des corps francs, rampent pour cisailler les parties les plus denses du réseau.

Les vaillants « dromadaires » (ainsi l'adjudant Reboul appelle-t-il ses concitoyens de la Drôme) commencent à grenader les meurtrières des forts allemands, qui ripostent en rafales nourries. Les blockhaus sont ceints d'un mur de cadavres, mais la fumée des grenades jaillit bientôt des ouvrages, obligeant les Allemands à tenter une brusque sortie.

Un combat à la baïonnette s'engage sous les yeux de Julien, qui ne peut utiliser ses pièces. Il voit tomber Reboul, à vingt mètres, percé de nombreux coups, ruisselant de sang. L'arrivée des renforts du bataillon, conduits par le lieutenant Delorme, instituteur à Pont-Saint-Esprit, permet aux survivants de la compagnie de se dégager et de s'emparer des blockhaus en force. Julien fait aussitôt avancer deux crapouillots pour prendre possession des lieux, en organiser la défense. Les renforts allemands sont sans doute en marche pour la contre-attaque. Il faut à tout prix les empêcher de passer.

– Creusez un boyau, ordonne le lieutenant Delorme. Ils seront là à la pointe du jour. Ils vont nous submerger. Dans deux heures peut-être, l'artillerie lourde va nous tomber dessus. Creusez tous!

Côte à côte, les fantassins de la Drôme et les artilleurs de Julien alternent la pioche et la pelle, essayant de rattacher les blockhaus à la ligne des tranchées par un boyau assez profond pour protéger les hommes des *shrapnells*.

Delorme n'a pas à stimuler les énergies. Chaque homme sait que sa vie est au bout de sa pioche. Le lieutenant donne l'exemple, saisissant lui-même une pelle. En quelques heures, ils sont tous enterrés à un mètre.

Au petit jour, l'artillerie ennemie entre en action. On n'entend plus la voix du lieutenant Delorme. En accourant au secours du sergent Avrillon, blessé, il a reçu un éclat au visage : sa mâchoire, presque sectionnée, pend du côté droit. D'autres éclats ensanglantent sa poitrine. La guerre est finie pour lui.

Un deuxième obus de 105 surgit, en plein dans la tranchée. Les cris déchirants des blessés sont couverts par le bruit assourdissant de l'explosion.

– Évacuez la position, hurle Julien. Le boyau est sur une ligne de tir ennemie. Nous allons tous y passer. Il faut avancer au moins de quarante mètres.

La tentation est forte de se retrancher dans les blockhaus.

— Gardez-vous-en, continue Julien. Les artilleurs allemands connaissent leur ligne par cœur. Les retranchements figurent naturellement sur leurs cartes. Ils les feront sauter au 210 lourd.

Julien retourne aux blockhaus pour veiller à l'évacuation. Il déploie sur le toit une toile de tente où sont épinglés les signaux rouge et blanc, pour avertir les artilleurs français que les fantassins se sont avancés jusque-là.

— À la guerre, dit-il aux Grenoblois, survit celui qui creuse.

Il n'a pas besoin d'insister. Les bombardiers ont déjà agrandi des abris de grenades abandonnés, aménagé des cratères d'obus pour y installer les mortiers, dégagé un abri de béton allemand pour emmagasiner les munitions. Les «dromadaires» sont cachés dans leurs trous individuels, attendant l'orage d'acier.

La compagnie d'infanterie n'a plus aucun officier en ligne. Julien prend la tête des survivants, organisant la résistance.

— Où est le PC du général de Bazelaire? demande-t-il au sergent Montagard. Où sont les téléphonistes?

— Morts ou disparus, et les lignes coupées. Aux dernières nouvelles, le général se trouve dans la tranchée d'York, prise aux Allemands du côté du Trou-Bicot.

— Envoyez un agent de liaison, demandez des renforts. Les Allemands vont contre-attaquer sur notre axe. Les batteries de pièces lourdes tirent à partir de l'est, à hauteur de Servon, mais aussi de la butte de Tahure, au nord. Qu'ils envoient surtout des gargousses de 58. Je n'en ai plus. Sans poudre, nous sommes fichus. Suivez les conseils du général Baret : organisez une chaîne de coureurs jusqu'au PC de division et de corps d'armée. Nous ne devons pas être isolés.

Le sergent Montagard prévoit les relais en recrutant des hussards du 5ᵉ régiment.

— Ils viennent de se distinguer, explique-t-il, en conduisant l'assaut d'une position de mitrailleuses près de la butte du Mesnil.

— Des hussards ? s'étonne Julien.

— Joffre les avait prévus pour exploiter la percée. Point de percée. Ils ont d'abord rampé, attachant leurs chevaux aux moignons d'arbres du *no man's land*, puis ils se sont rapprochés des nids de mitrailleuses, par petits groupes. Ils n'ont pas eux-mêmes donné l'assaut. Ils ont préparé la voie à leurs camarades qui ont chargé à cheval derrière leur commandant, Lavigerie. Ils ont emporté et gardé la position. Ils sont devenus les meilleurs agents de liaison du corps d'armée. Baret n'en veut pas d'autres.

— Va pour les hussards ! dit Aumoine. Qu'ils précisent bien que nous sommes menacés d'un bombardement lourd et d'une contre-attaque. Le trou est fait, mais il a coûté cher. Nous sommes au flanc de la crête nord, courant de Tahure à Souin. Les cartouches ne vont pas tarder à manquer.

Les prisonniers allemands dévalent la pente, les mains derrière la nuque, sans même une escorte.

— La bataille est presque gagnée, dit Julien à David Bloch en les voyant cavaler. Il suffit d'un coup de pouce pour enfoncer la dernière ligne. Que les renforts arrivent et nous repartons les premiers, avant la contre-offensive allemande.

425

— Nous n'occupons qu'un petit carré de la tapisserie. Il faudrait savoir ce qui se passe ailleurs. Et nous n'en savons rien.

Joffre est-il mieux informé ? Au quartier général de Pétain, à Auve, le 27 septembre au soir, un officier fourbu écrit au général en chef. C'est le commandant Faucher, un envoyé spécial de Chantilly, qui surveille de près la IIe armée pour le compte du patron.

Il indique avec netteté que les seuls progrès réalisés ont eu lieu durant la journée du 25 septembre. Les échecs compensent malheureusement les succès. L'artillerie lourde allemande n'a pu être réduite et, trop souvent, les défenses ennemies, creusées à contre-pente, ont échappé aux observateurs. Conséquence : l'assaut de l'infanterie a trébuché, en de nombreux endroits, contre des nids de mitrailleuses et des réseaux de barbelés non détruits.

Pétain sait parfaitement que le commandant Faucher écrit à Joffre à son insu. Au lieu de s'en indigner, il l'encourage vivement.

— Le général en chef doit être informé des résultats de son offensive, insiste-t-il, dans le moindre détail. Surtout n'omettez rien sur les blocages, les fiascos, les pertes imprévues. Joffre doit tout savoir.

— Ne craignez rien, mon général, répond Faucher. Je dirai tout ce que j'ai vu.

Pétain hoche la tête, satisfait. Il faut aller jusqu'au bout de l'entreprise, afin qu'une fois pour toutes se dissipe le mythe de l'invulnérabilité du vainqueur de la Marne.

Quand la preuve de l'échec de ses offensives sera établie, il sera sans doute temps de changer l'esprit et les méthodes de la guerre. Jusqu'alors, il faut soutenir ce qui est fait, à fond.

Et même si le mauvais temps, rendant difficile et très intermittente l'observation aérienne, n'a pas permis à l'artillerie de détruire les défenses ennemies, au point que les attaques, réitérées le 26, n'ont rien donné d'appréciable, sinon d'autres pertes irréparables.

Les corps coloniaux ont été décimés, voire anéantis. Un régiment de zouaves a entièrement disparu des effectifs. On a cru mort l'illustre général Marchand, le héros de Fachoda. Les tirailleurs algériens et tunisiens ont perdu autant d'hommes que le régiment du Maroc. Quant aux quatre régiments de la Légion étrangère, ils sont à grand-peine regroupés en une seule unité de marche. Les beaux Italiens de la légion de Garibaldi sont presque tous morts.

— Les Allemands ne sont nullement à genoux, écrit le commandant Faucher. Leurs défenses ont été efficaces, elles le sont encore sur les buttes imprenables de Tahure et du Mesnil. Berthelot n'a enlevé l'épine de Védegrange qu'au prix d'une hécatombe. La Main-de-Massiges a été le Golgotha de la 2e division coloniale. Le bois Sabot, le tombeau des Bretons. Les canons de Tahure et les gaz asphyxiants ont rendu la vie impossible à nos hommes à peine installés, réfugiés pourrait-on dire, dans les tranchées conquises.

— Je vous demande seulement, recommande Pétain à Faucher, de souligner le moral remarquable de nos troupes. À aucun moment, en aucun lieu, elles n'ont manqué au devoir. Vous pouvez en témoigner.

« Sans doute, se dit Faucher, surpris du passé employé par le général. Considère-t-il l'offensive comme déjà terminée ? »

« Trois jours de lutte, écrit-il à Joffre, ont sensiblement amoindri la capacité offensive de la IIe armée, dont tous les éléments ont été assez éprouvés. Livrée à ses seuls moyens, elle ne sera plus susceptible, pour un certain temps, que d'attaques à portée limitée.

Ainsi donc, trois jours ont suffi à rendre inopérante la plus grande unité de l'armée française. Le commandant Faucher sait que son rapport plaira à Joffre et à Gamelin, quand il conseille « raisonnablement » d'aller jusqu'au bout de l'action si quelque renfort nouveau monte en ligne, de tenter encore la percée. « Dans ces conditions, écrit-il encore, nous avons des chances suffisantes de succès. » Il souligne que c'est aussi l'avis de Pétain. Avec des moyens très affaiblis, le général estime qu'il ne faut pas perdre vingt-quatre heures à attendre des renforts plus importants diligentés par Joffre.

« Le général Pétain, conclut Faucher en toutes lettres à la fin de sa missive, a préféré poursuivre l'offensive sans discontinuer. »

Le commandant de la IIe armée n'obéit qu'à son devoir. Il est également certain de laisser ainsi à Joffre la responsabilité de l'échec global de l'offensive, au cas plus que probable où le renfort trop faible d'une seule division ne permettrait pas d'emporter la décision sur le front.

Qui sera chargé de la nouvelle attaque ? Le corps de Baret, naturellement. N'a-t-il pas réussi à se rendre maître du Trou-Bicot et de la cote 201, une colline truffée de défenses ? Les Grenoblois et les « dromadaires » de la 27e division, engagés sans discontinuer au plus dur de la bataille depuis trois jours et trois nuits, devront repartir derrière la 16e division coloniale du général Bonnier, hâtivement constituée au mois de juin. À peine trois mois d'instruction pour ceux qui vont mourir sur les pentes de la butte de Tahure.

Ainsi Julien doit-il remettre ses pièces en batterie et préparer l'assaut. Dans la tranchée, le capitaine Vannier, du 140e de Grenoble, a reconstitué une force d'attaque d'environ un bataillon, englobant la compagnie perdue des soldats de Montélimar, qui n'a plus d'autre gradé que le sergent-chef Duval.

Julien et ses bombardiers se sont mis à sa disposition. Ils attendent en vain la contre-attaque allemande, qui ne vient pas. L'ennemi conduit une guerre de forteresse, se contente de renforcer les garnisons de ses ouvrages, de multiplier les tranchées d'arrêt.

Il augmente constamment ses effectifs, mais par petits paquets, à hauteur d'un bataillon et parfois de quelques sections. Dès que le temps revient au beau, ses avions prennent l'air pour donner des indications aux batteries lourdes, hors de portée du canon français, plus nombreuses chaque jour, et dont le feu terrifiant, quand elles sont précisément renseignées par les aviateurs en direct à la TSF, suffit à écraser les positions difficilement conquises par les Français.

Ces dispositions, selon von Einem, doivent empêcher la percée, permettre d'amorcer la reconquête du terrain perdu. Dans la guerre d'usure, gagne celui qui dépense le moins d'hommes ; l'agressé, et non l'agresseur. Pour conserver le terrain conquis au prix de lourdes pertes, les Français sont obligés de prendre le risque de poursuivre l'offensive, d'engager tous leurs moyens en « consommant » peu à peu leurs réserves.

Les biffins réitèrent ainsi, jour après jour, leurs efforts infructueux de percée. Les divisions s'engouffrent dans l'opération, prélevées sur l'ensemble du front, avec une usure d'une unité toutes les quarante-huit heures. La 27e, au regard des pertes subies et de la fatigue des hommes, aurait largement le droit de prétendre au repos. Mais les ordres sont de tenir sur place, même si l'on ne compte plus sur elle pour arracher la décision.

Un officier descend, au matin du 6 octobre, revolver au poing, dans la tranchée où sont embusqués les survivants de la division fantôme.

— Je suis le commandant Verberie, du 120e des chasseurs de Brienne, s'annonce-t-il. Qui commande ici ?

Le capitaine Vannier se présente.

— Je vous donne l'ordre de nous soutenir pour la contre-offensive. Les Allemands ont réoccupé les tranchées Moltke et Bismarck. Il faut les leur reprendre, suivez-moi.

— Je regrette, répond Vannier, je n'ai à recevoir d'ordre que de mon commandant de bataillon.

— Où est-il ?

— Mort au combat.

— Le colonel ?

— Jean Rouquier, du 140e de Grenoble. Son PC est introuvable. J'ai envoyé plusieurs coureurs à sa recherche.

Aucun n'est revenu. Ceux du 52ᵉ de Montélimar sont les seuls survivants de leur unité. Ils se sont placés sous mon autorité, avec leur sergent-chef Duval, ici présent. Pour les prendre en charge, ainsi que les rescapés du 5ᵉ hussard, et naturellement les bombardiers de la batterie Aumoine, j'avais un ordre écrit de la division. Montrez le vôtre !

Le commandant devient menaçant.

– Ma parole doit vous suffire.

Julien Aumoine veut intervenir en proposant le soutien de ses pièces. Mais le commandant Verberie est déjà remonté, menaçant des pires sanctions ceux qui ont refusé de le suivre.

Dès que les chasseurs se présentent à mi-pente, sur la butte de Tahure, un nid de mitrailleuses les stoppe et les prend en enfilade, à moins de deux cents mètres. Julien engage un feu d'enfer à hauteur du réduit de béton où sont embusqués les tireurs allemands. Le feu cesse, puis reprend, le temps de déplacer la mitrailleuse d'un abri à l'autre. La butte en est truffée.

Le commandant Verberie est blessé au genou. Il se fait traîner sur un brancard et déposer sur une souche d'arbre. Il trouve encore la force d'ordonner l'assaut à la baïonnette.

– Folie, dit le capitaine Vannier, il va faire tuer tous ses chasseurs !

Julien ne peut tirer de nouvelles bombes sur cette mêlée confuse de combattants. Les Allemands sont sortis en force, engageant contre les assaillants un combat rapproché à l'arme blanche. Dès qu'ils ont repoussé la ligne française, ils retournent dans leurs abris, pendant que le tac-tac de la mitrailleuse reprend.

Les chasseurs progressent par bonds, suivis par les biffins de Grenoble et de Montélimar. Vannier a pris le commandement du groupe de Verberie, définitivement hors de combat et évacué vers l'arrière. Aussi fatigués qu'ils soient, les hommes se dressent et le suivent, progressant d'un tronc d'arbre abattu à un autre, rampant pour éviter les rafales.

Vannier tombe à son tour, fauché en plein élan, d'une rafale de mitrailleuse dans la poitrine.

— Il faut le venger, grince Duval, submergé de rage, grenader tous ces chiens au gîte!

— Couvrez-moi, lui dit Julien, et laissez-moi faire. J'irai seul.

David Bloch part avec lui. Les mitrailleurs du 140e les couvrent. Ils bondissent de trou en trou, échappant par miracle aux rafales adverses. Aucune progression n'est possible si l'on ne réussit pas à faire sauter ce nid de mitrailleuses, situé à contre-pente, inatteignable par le canon.

Ils sont à trente pas de l'obstacle, mais les viseurs les ont repérés : s'ils bougent, ils sont morts. À peine David Bloch a-t-il fait rouler une pierre pour tester la réaction des mitrailleurs que le tronc d'arbre qui le dissimule reçoit une giclée de balles. Enfoui dans un départ de sape, Julien porte dans la sacoche accrochée à sa poitrine une bombe de crapouillot qui peut sauter au moindre éclat.

Autour d'eux, des chasseurs morts aux uniformes bleu sombre s'entassent par grappes sur la pente. Les hommes du bataillon de Brienne ont presque tous été exterminés.

Les blessés geignent en vain. Qui leur porterait secours dans cette fournaise ? Qui voudrait affronter les rafales en feux croisés de ces nids de mitrailleuses interdisant l'accès de la butte ?

L'arrivée d'un Farman, avion français d'observation, fait diversion. L'appareil survole la butte, poursuivi par des tirs d'artillerie, puis la contourne en piquant vers le sol, jusqu'à deux cents mètres, avec une folle intrépidité. Bloch aperçoit l'observateur qui prend des photos, à l'avant de l'appareil, ainsi que le mitrailleur dans sa tourelle arrière qui tire des rafales au sol. Le pilote redresse l'appareil et tente de prendre de la hauteur.

A-t-il repéré le nid de mitrailleuses ? Il est pris à partie par les deux pièces en position dans le fortin. Bloch tire alors une fusée rouge en l'air, pour signaler aux aviateurs sa position, et bondit de dix mètres sur sa gauche, signalant à Julien qu'il lui laisse le champ libre pour attaquer.

De fait, une mitrailleuse allemande se tourne aussitôt vers Bloch, pendant que sa sœur jumelle poursuit l'avion de ses rafales. La route est libre pour Aumoine. Bloch s'est sacrifié pour faciliter le dernier bond en avant de son camarade. Il n'a pu lui-même échapper au feu. La cuisse touchée, il roule sur la mousse du sous-bois.

Julien se plaque contre le béton de l'abri souterrain. Il repère la meurtrière par où tirent les deux mitrailleuses. L'entrée du bunker est située à l'arrière. Une porte blindée, fermée, mais non verrouillée. Il l'ouvre d'un coup d'épaule, se précipite à l'intérieur, jette sa bombe au milieu de l'abri, braque son revolver sur l'engin.

– Rendez-vous, hurle-t-il, ou tout saute !

Les mitrailleurs ont compris. Ils lèvent les mains en

l'air, quittent l'abri, abandonnent leurs engins. Mais un grenadier suicidaire bouscule Julien pour sortir du bunker tout en lâchant une grenade à manche. La bombe explose aussitôt, projetant des blocs de béton et d'acier dans un nuage de fumée opaque.

Les Français grimpent la pente en courant, grenade en main. Les bombardiers en tête. Serge Vaillant est le premier à découvrir le corps de Julien, éjecté du bunker par le souffle de l'explosion, inanimé sur un tas de pierraille. Auguste Vasseur et Albert Mousseau lui retirent son casque, essuient son visage noir de poudre.

— Il respire, dit Vaillant.

Il le charge sur ses épaules, descend la pente à grandes enjambées pendant que les camarades de la Drôme montent à l'assaut de la butte avec un bataillon de chasseurs de Draguignan, envoyés en renfort.

Mousseau découvre un peu plus loin David Bloch, perdant son sang, allongé le long d'un tronc de pin.

— Brancardiers, crie-t-il, un blessé!

Aucune aide, à perte de vue. Le jeune homme charge Bloch, hurlant de douleur, sur son dos. Il doit marcher pendant plus d'un kilomètre avant de trouver le premier poste de secours.

Un infirmier ligature Bloch, le pique de sa seringue antitétanique, non stérilisée depuis longtemps. Il le fait évacuer vers l'hôpital de première urgence, attaché sommairement sur le bât d'un mulet, la jambe soutenue par une attelle.

— Il s'en sortira, dit-il. Le cœur est solide.

Mais Julien?

Vaillant le porte comme un sac de son. Il n'est plus qu'un poids mort. Au poste d'urgence, on refuse de le soigner : pas de blessure visible, il est choqué ! Que faire pour lui ?

— Le ranimer ! hurle Vaillant en menaçant de son flingue l'infirmier de service. C'est ta vie contre la sienne !

L'autre, un étudiant en médecine de Lyon, au visage creusé de rides, fait respirer à Julien de l'alcool à 90 degrés. Pas de réaction.

— Les centres vitaux doivent être atteints, dit l'étudiant. La moelle, peut-être...

Il déshabille Julien avec l'aide de Vaillant. Les vertèbres sont intactes, le dos n'est pas touché.

— Le choc, conclut-il. Rien que le choc. Il ne reprendra pas connaissance avant une heure ou deux. Il respire, et son cœur bat. Laissez-moi travailler, je ne peux rien de plus pour lui et les autres attendent. Il s'en remettra. Il a la baraka.

Longtemps, très longtemps plus tard, Julien Aumoine revient à lui dans l'ambulance militaire qui le transporte, après le train sanitaire, au centre de réanimation du Val-de-Grâce, à Paris. Il y passera trois mois de sa vie.

Le hasard, ou sa bonne étoile, n'ont pas voulu qu'il figurât sur la liste des trois cent cinquante mille morts des offensives du général Joffre, pendant cette année 1915. Une fois encore, le quatrième fils de Marie Aumoine a échappé à la camarde, dans la vendange tragique de septembre, en Champagne.

Les unités combattantes

La première armée française, commandée par un général d'armée, comprend cinq *corps d'armée* d'infanterie commandés par cinq généraux de corps d'armée.

Le 13e corps d'armée compte deux *divisions* d'infanterie commandées par des généraux de division : la 25e de Saint-Étienne et la 26e de Clermont-Ferrand.

La 26e division comprend deux *brigades*, commandées par des généraux de brigade : les 51e et 52e brigades.

La 51e brigade se compose de deux *régiments* de trois mille hommes chacun : le 105e de Riom et le 121e de Montluçon.

Le 121e régiment se compose de trois *bataillons* de mille hommes, commandés par des commandants ou des capitaines faisant fonction.

Le premier bataillon comprend quatre *compagnies* de deux cent cinquante hommes commandées par des capitaines ou des lieutenants faisant fonction.

La première compagnie du premier bataillon du 121ᵉ régiment, de la 51ᵉ brigade et de la 26ᵉ division se compose de quatre *sections* d'infanterie, aux ordres de sous-lieutenants ou d'adjudants-chefs, composées chacune de quatre *escouades* de seize hommes, aux ordres des caporaux (familièrement : cabots). Deux escouades composent la demi-section, aux ordres d'un sergent-chef.

La *cavalerie* en 1914 se compose de 81 régiments métropolitains. Un *régiment* (785 hommes), commandé par un *colonel* (familièrement colon), comprend cinq *escadrons*, dont un de dépôt. L'*escadron*, commandé par un chef d'escadron (*commandant ou capitaine*) comprend 5 officiers, 147 sous-officiers, brigadiers et cavaliers. Les *brigadiers* sont l'équivalent des caporaux dans l'infanterie. Les *maréchaux des logis* (margis) sont des sergents, sergents-chefs ou sergents-majors.

L'*artillerie* s'articule en *batteries* de quatre pièces, réparties par armées, corps d'armée, divisions, brigades et régiments, commandées par des *capitaines*, réunies en *groupes*, aux ordres de commandants ou de lieutenants-colonels, dans le cadre plus ou moins éclaté des *régiments*. Les grades de l'artillerie sont les mêmes que dans la cavalerie.

Les noms des officiers apparaissant dans le roman sont généralement imaginaires, sauf pour les plus connus d'entre eux.

Chronologie

La guerre d'octobre 1914 à décembre 1915

Octobre – novembre 1914 : *bataille d'Ypres. C'est la fin de la « course à la mer ».*

Les Allemands sont arrêtés sur une ligne continue de tranchées qui va de Nieuport, sur la côte belge, à Ypres, Arras, Soissons, Reims et Verdun, jusqu'à Belfort.

15 février – 18 mars 1915 : *première offensive de Joffre en Champagne, avec front secondaire en Artois. Avance limitée de deux à trois kilomètres sur certains points.*

18 mars – fin décembre : *expédition franco-britannique des Dardanelles. Échec et rembarquement.*

26 mars 1915 : *le Sénat vote la loi créant la croix de guerre.*

9 mai – 18 juin : *deuxième offensive de Joffre en Artois. Progression de 4 kilomètres.*

20 mai : *le socialiste Albert Thomas devient sous-secrétaire d'état à l'artillerie et aux munitions.*

23 mai 1915 : *entrée en guerre de l'Italie.*

Juillet – septembre : *conquête de la Lituanie et de la Pologne par les Allemands. Recul russe de 500 km.*

25 septembre – 11 octobre : *troisième et quatrième offensives de Joffre, en Artois et de nouveau en Champagne.*

Septembre : *entrée en guerre de la Bulgarie aux côtés de Vienne et Berlin. Ouverture d'un front allié à Salonique.*

Octobre 1915 : *chute du cabinet de guerre Viviani en France et, le 29 octobre : arrivée au pouvoir d'Aristide Briand, avec le général Galliéni, ministre de la Guerre.*

12 décembre : *remaniement du cabinet Briand avec le général Lyautey au ministère de la Guerre.*

Le 121ᵉ régiment d'infanterie de Jean Aumoine en 1915

11 – 13 novembre 1914 : *retrait du front et transport par chemin de fer au nord dans la région de Poperinge.*

13 novembre – 2 décembre : *le régiment est engagé dans la bataille d'Ypres. Il combat autour de Zonnebeke. Il occupe ensuite un secteur entre le village de Zonnebeke et l'orée du bois du Polygone. À partir du 20 novembre, il est en lisière sud de ce bois, puis, dès le 24, engagé au sud de Broodseinde.*

27 novembre : *attaque allemande sur le secteur.*

29 novembre : *contre-attaque française.*

2 – 24 décembre : *retrait de ce front et repos dans la région de Poperinge.*

5 janvier : *transport par chemin de fer dans la région d'Estrées Saint Denis. Repos en cantonnement.*

5 janvier – 4 octobre 1915 : *mouvement vers le sud de Roye en Picardie et occupation d'un secteur vers Beuvraignes et la route d'Amiens à Roye.*
Guerre de mines à Beuvraignes.

4 octobre – 3 novembre : *retrait du front et repos en cantonnement dans la région de Montdidier.*

3 novembre – 9 décembre : *occupation d'un secteur entre la lisière sud du bois des Loges et Andechy.*

9 – 31 décembre : *repos et instruction vers Maignelay. Mouvement vers le camp de Crévecœur pour instruction.*

Le 321ᵉ régiment d'infanterie de Raymond Aumoine en 1915

Ce régiment, avec ceux de Clermont-Ferrand, de Riom, de Saint-Étienne, de Roanne et de Montbrison fait partie de la 63ᵉ division d'infanterie commandée par le général Jullien. Affectée au 5ᵉ groupe de divisions de réserve, puis, en juin, au

37ᵉ corps d'armée du général Deprez avec une division territoriale. Elle est rattachée à la VIᵉ armée du général Dubois.

1914 : *elle a participé à la Bataille d'Alsace, puis de l'Ourcq et de la Marne. Ses effectifs ont été décimés.*

13 septembre 1914 – 2 février 1915 : *bataille de l'Aisne. Nouvelle hécatombe.*

1ᵉʳ – 20 septembre : *violents combats vers Nouvron-Vingré et Cuisy-en-Almont.*
Occupation d'un secteur vers Pernant et Vingré. Guerre de mines.

2 – 26 février : *retrait du front et repos vers Hartennes.*

26 février – 28 janvier 1916 : *occupation d'un secteur calme du front vers Pernant et Vénizel.*

Table

DU MÊME AUTEUR

OUVRAGES D'HISTOIRE

L'Affaire Dreyfus, PUF, 1959.

Raymond Poincaré, Fayard, 1961 (Prix Broquette-Gonin de l'Académie française).

La Paix de Versailles et l'opinion publique française. Thèse d'État publiée dans la Nouvelle collection scientifique dirigée par Fernand Braudel, Flammarion, 1973.

Les Souvenirs de Raymond Poincaré, publication critique du XIe tome avec Jacques Bariéty, Plon, 1973.

Histoire de la Radio et de la Télévision, Plon, 1974.

Histoire de la France, Fayard, 1976.

Les Guerres de religion, Fayard, 1980.

La Grande Guerre, Fayard, 1983 (Premier Grand Prix Gobert de l'Académie française).

La Seconde Guerre mondiale, Fayard, 1986.

La Grande Révolution, Plon, 1988.

La Troisième République, Fayard, 1989.

Les Gendarmes, Olivier Orban, 1990.

Histoire du Monde contemporain, Fayard, 1991, 1999.

La Campagne de France de Napoléon, éditions de Bartillat, 1991 (prix du Mémorial).

Le Second Empire, Plon, 1992.

La Guerre d'Algérie, Fayard, 1993.

Les Polytechniciens, Plon, 1994.

Les Quatre-Vingt, Fayard, 1995.
Les Compagnons de la Libération, Denoël, 1995.
Mourir à Verdun, Tallandier, 1995.
Vincent de Paul, Fayard, 1996.
Le Chemin des Dames, Perrin, 1997.
La Victoire de 1918, Tallandier, 1998.
La Main courante, Albin Michel, 1999.
Les Poilus, Plon, 2000.
Les Oubliés de la Somme, Tallandier, 2001.

ROMANS, ESSAIS ET CHRONIQUES

La Lionne de Belfort, Belfond.
Le Fou de Malicorne, Belfond (prix Guillaumin, conseil général de l'Allier).
Le Magasin de Chapeaux, Albin Michel.
Le Jeune Homme au foulard rouge, Albin Michel.
Lettre ouverte aux bradeurs de l'Histoire, Albin Michel, 1975.
Histoires de France, Chroniques de France-Inter, Fayard, 1981 (Prix Sola Calbiati de l'Hôtel de Ville de Paris).
Les Hommes de la Grande Guerre, Chroniques de France-Inter, Fayard.
Vive la République, quand même !, essai, Fayard, 1999.
Ce Siècle avait mille ans, essai, Albin Michel 1999 (Prix d'histoire de la Société des gens de Lettres).
Les Aristos, essai, Albin Michel 1999.
L'agriculture française, essai, Belfond, 2000.
Les Rois de l'Élysée, essai, Fayard, 2001.
Le Gâchis des généraux, essai, Plon, 2001.

Cet ouvrage a été réalisé en Garamond par Palimpseste à Paris

Impression réalisée sur CAMERON par
BRODARD ET TAUPIN
La Flèche

pour le compte des Éditions Fayard
en avril 2002

Imprimé en France
Dépôt légal : mai 2002
N° d'édition : 21235 – N° d'impression : 13030
ISBN : 2-213-61269-2
35-33-1469-2/01

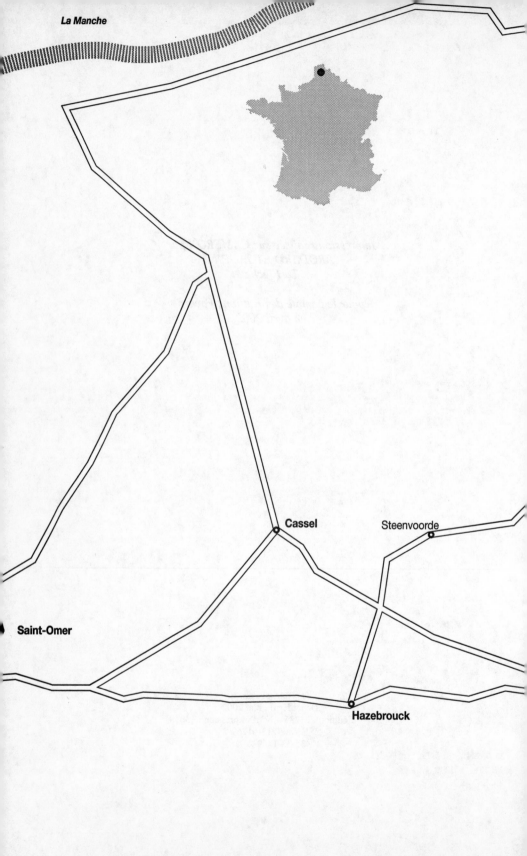

La Manche

Cassel

Steenvoorde

Saint-Omer

Hazebrouck

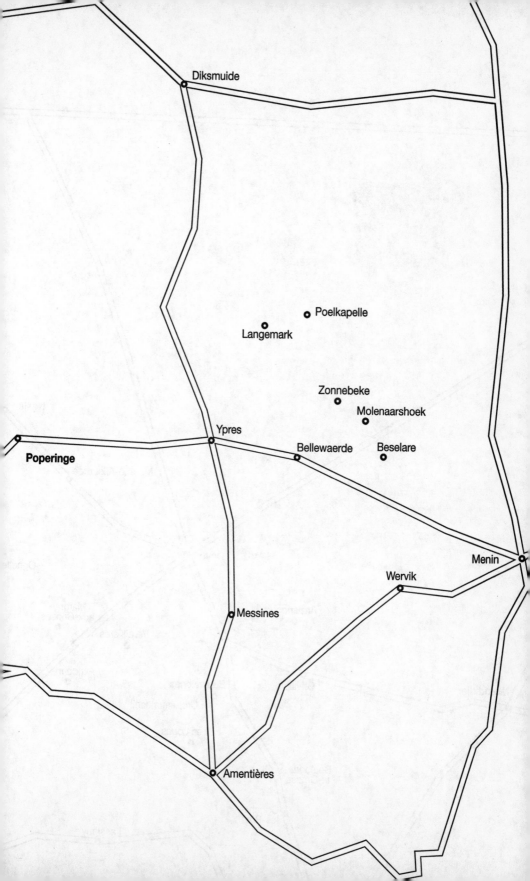

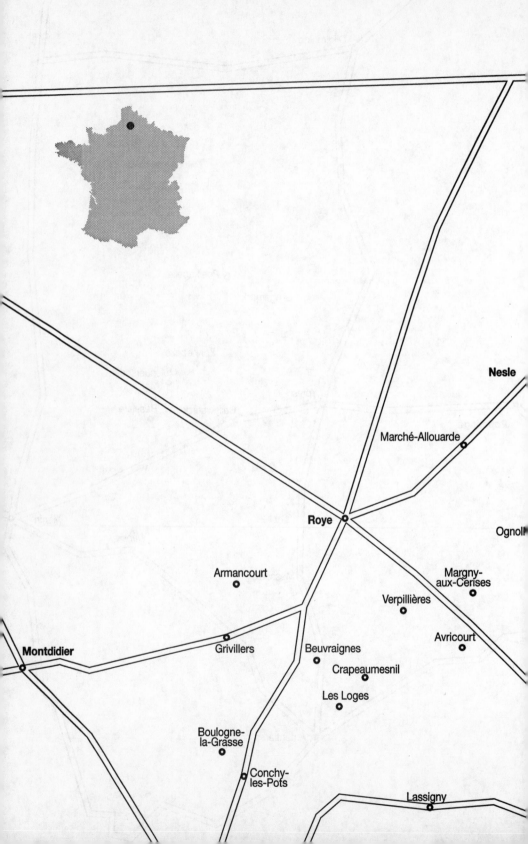

Nesle

Marché-Allouarde

Roye

Ognol

Armancourt

Margny-
aux-Cerises

Verpillières

Avricourt

Montdidier

Grivillers

Beuvraignes

Crapeaumesnil

Les Loges

Boulogne-
la-Grasse

Conchy-
les-Pots

Lassigny

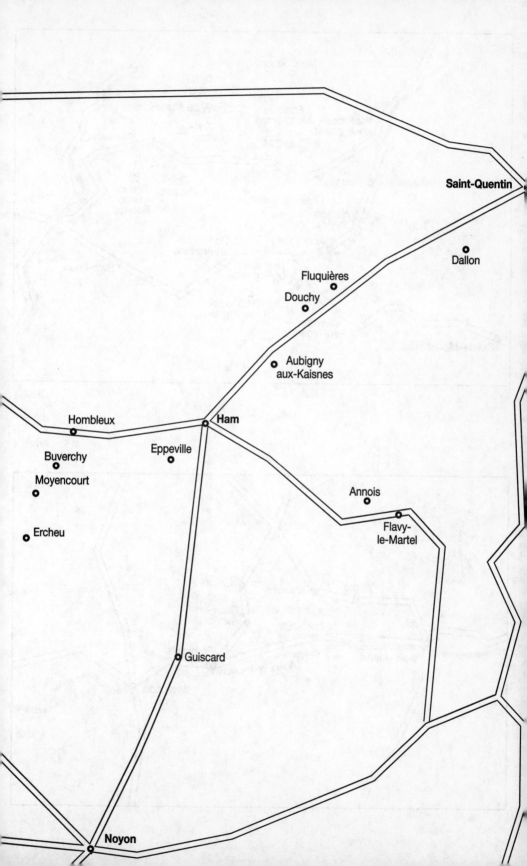

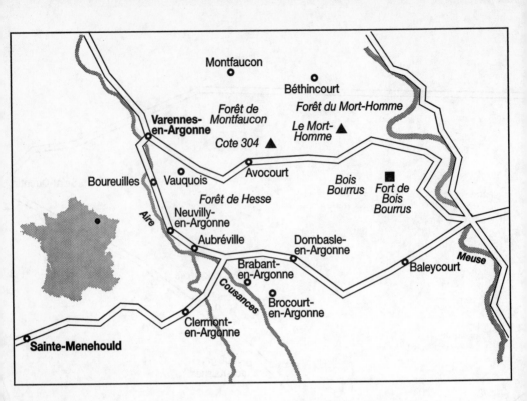

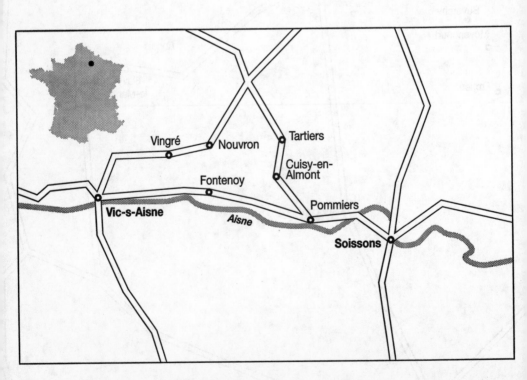